객주

객주

客主 제3부 商盜

김주영 장편소설

9

문이당

차 례 / 객주 제3부 상도(商盜)

제9권

차 례 / 객주 제3부 상도(商盗)

재봉(再逢)

11

　천소례가 혜화문 안 북묘에 박힌 지 며칠 되지 않아서 매월이는 편전에 나아가 진령군(眞靈君)에 봉해졌다. 이로써 궐녀는 어느 때나 내키기만 하면 양전(兩殿)을 알현할 수 있게 되었고, 궐녀가 탄 가마는 궐문 안에까지 버젓이 나아가게 되었다. 양전께서는 궐녀를 가리켜 이제 군(君)이 되었으니 믿음직스럽다 하고 많은 금은보화를 상으로 내리었다. 화복(禍福)이 궐녀의 한마디에 달려 있었으므로 수령, 방백, 병사, 수사가 북묘에 줄을 잇고 찾아들 정도였다. 경재(卿宰)*의 지체를 하고서도 부끄러운 것이 무엇인지 모르는 위인들은 궐녀를 찾아와서 혹은 자매라고 부르게 되기를 청하는가 하면, 배젊은 것들은 심지어 의자(義子)* 되기를 원하는 사람까지 있다는 소문이 있었다. 조병식(趙秉式), 윤영신(尹榮信), 정태호(鄭泰好) 같은 세도가들이 자주 북묘에 들러 궐녀와 교유하며 의자하게 지내고자

*경재 : 재상.
*의자 : 수양아들.

하였으니, 도대체 궐녀가 길소개 같은 일개 대동청 창관을 상종할 겨
를이 없었다.

　그때 김해(金海) 사람 이유인(李裕寅)이란 자가 있었다. 궐자 역시
근본이 천하고 궁핍한 무뢰배로 무과의 과거를 겨냥하고 서울 장안
에 들어와서 비렁뱅이로 떠돌아다녔다. 진령군의 점이 영험하여 궁
궐을 무상출입하고 벌열층들이 그 발아래서 놀다시피 한다는 소문
이 들렸다. 사이에 사람을 넣어서 이유인이란 자가 귀신을 마음대로
부리고 능히 풍우를 다스릴 수 있는 사람이란 말을 북묘로 흘려보냈
다. 진령군 매월이가 그 말을 드나드는 작자들에게 귀동냥하여 이유
인을 불러들였다. 근본이 천격이라 하나 기골이 장대하고 목자가 부
리부리한 데다가 매부리코가 장대하니 가히 귀신을 부릴 만한 인물
이란 생각이 들 뿐만 아니라, 인중을 타고 내린 매부리코를 비견해
보건대 그 양물이 또한 장대하기 이를 데 없을 것 같았다. 연치는 어
려 보였으나 금방 색념이 동하는 그런 사내였다. 부복하여 엎드린
이유인을 보고 진령군은 은근히 물었다.

「그대가 귀신을 마음대로 부린다는 소문이 있던데 정녕 거짓이 아
　닌가?」

「예, 귀신을 부리는 것은 쉬운 일입니다. 그러나 다만 너무 무서워
　서 가슴이 두근거려 일을 그르칠까 걱정입니다. 청컨대 시생이 부
　리는 귀신들을 만나 보고자 하신다면 며칠 동안 목욕재계할 말미
　를 주십시오.」

「귀신과 얘기하는 사람과 귀신을 부리는 사람이 서로 만났거늘 무
　엇 빽빽하게 굴 것인가. 자네의 장담에 속임이 없다면 며칠 말미
　야 주지 못하겠는가.」

　허락을 받고 이유인은 북묘를 물러 나왔다. 북묘에서 나오는 길로
같이 몰려다니던 악소배들을 불러 모아 놓고 자신의 방략(方略)*을

가만히 일러 주고 만약의 실수가 없도록 닦달하였다. 정한 날짜가 되어 이유인은 진령군을 이끌고 북악의 가장 깊은 계곡으로 들어갔다. 골짜기로 들어가자마자 칠흑 같은 어두운 밤에 우거진 송림 사이로 흘러 다니는 불덩이가 번개치듯 하여 그곳은 이미 사람이 사는 곳과 달랐다. 반혼이 나가서 발걸음을 옮기지 못하는 진령군 매월이 앞에 이유인은 엎드려 말하였다.

「소인이 곁에 있으니 두려워하실 일이 아닙니다.」

이유인은 그때 머리에 동이고 있던 수건을 풀어 휘두르면서 동방청제장군(東方靑帝將軍)을 소리쳐 부르니 북악이 쩡쩡 우는 듯하였다. 몇 번인가 그렇게 부르자 바로 서너 칸 앞이 훤히 밝아지면서 한 귀신이 그들 앞에 나타나서 팔짱을 끼고 있었다. 몸 전체가 청람색(靑藍色)을 띠고 있었지만 서너 칸 앞에 서 있을 뿐 그들에게 가까이 다가오지는 않았다. 그때 진령군 매월이가 웃으면서,

「귀신이 나타났다 하나, 이런 정도라면 무엇이 무서워서 몸을 떨겠는가.」

그 말이 떨어지자 이유인이 조용히 아뢰었다.

「시끄럽게 하지 말고 잠깐만 기다리시지요.」

그러고는 남방적제장군(南方赤帝將軍)을 소리쳐 부르는 것이었다. 이번에는 10척 장사의 한 귀신이 나타났는데, 전신이 새빨갛고 머리는 키〔箕〕와 같으며 눈은 네 각으로 붉은 유리알과 같이 툭툭 불거져 나왔고 입에서는 붉은 피가 뿜어져 나오는데 멀리서도 비린내가 왈칵 풍겼다. 그런가 하면 동방청제장군과는 달리 몇 발짝 앞으로 썩 나서면서 두 손을 벌리고 소리쳤다. 혼백이 허공에 떠버린 매월이는 이유인의 팔에 매달리며 속히 거두어 달라고 소리쳤다.

---

*방략: 일을 꾀하고 해나가는 방법과 계략.

그 이후로 매월이와 이유인은 모자로 결합되어 북묘에 머물러 살게 되었는데 맺은 것이 모자지간이라 하나 한방 거처를 하였다. 대방과 안잠자기의 거처는 장지문 하나 사이였다. 대방에서 이불깃이 부스럭거리는 소리만 들려도 안잠자기 방에 그대로 들려오기 예사였고 또 한밤중에도 자리끼 심부름을 곧잘 시키기 때문에 천소례는 깊이 잠이 들 겨를이 없었다. 그들이 잠들기 전에 아랫목 윗목에다 이부자리를 따로 마련해 주었지만 어느 때는 초저녁에 혹은 새벽녘에 이불자락 부스럭거리는 소리가 오래도록 들려오는가 하면 방구들에 무릎을 짓찧는 소리가 쿵 하고 들릴 때도 없지 않았다. 그런데도 날이 밝으면 어미와 자식으로 엄연히 예를 차리어 부르고 또한 행세하기가 깍듯하니 견디기 어렵고 쳐다보기 민망한 것이었다. 그것은 정녕 견뎌 내기 어려운 곤욕이요 수모였다. 그 눈치를 매월이가 모를 턱이 없으니 죽어나느니 천소례였고 박대와 홀대가 이루 말할 수 없었다. 부리기를 개 부리듯 하였으나 천소례는 잘도 참아 넘기었다. 그들의 사이가 그러한 지경에 이르렀다면 이미 천봉삼 따위야 안중에도 없겠건만 이제까지도 천소례를 놓아주지 아니함은 설분이나 하자는 한 가지 앙심만이 남았다는 증거일 것이었다. 사태가 여기에 이르렀다면 북묘를 빠져나가기가 더욱 어렵게 되었으니 날이 갈수록 난감한 마음만 더해 갔다.

아침 늦게 기침한 매월이는 대방으로 천소례를 불러 앉히었다.

「송파 처소에 우글거리는 상고배들이 네가 여기 박혀 있다는 것을 진작부터 알고 있을 터인데 아직까지도 이렇다 할 거동이 없다는 것은 수상쩍은 일이 아니냐? 그놈들, 의리를 신주 받들듯 한다더니 헛말이 아니냐?」

「알고 있겠지만 몸을 사리느라 꿈쩍 않고 있는 것입지요.」

「저들이 하늘같이 떠받드는 천 행수와는 하나밖에 없는 동기간인데 어찌 몸을 사리겠는가. 사태를 두고 보다가 내 집에 불을 놓아서라도 득달같이 업어 가려는 것이겠지.」

「이제 와서 숨김없이 토설하겠습니다. 실은 쇤네를 구명하려고 은밀히 서찰을 띄워서 쇤네의 의중을 떠보고자 하였습니다만 쇤네가 그럴 수 없다 하고 극구 만류하였습니다.」

「알 수 없는 노릇이고 속내를 훔쳐볼 도리가 없는 일이다. 내 집에 드난살이로 박힌 것이 그토록 다행스럽다는 것이냐?」

「그렇지가 않습니다. 이미 이승의 갖은 풍파를 다 겪어 온 쇤네가 고초를 겪는다는 것은 감당하기 어렵지 않습니다만, 피붙이인 천행수에게 더 큰 재앙이 닥칠 것이 두렵기 때문입니다.」

「내게도 너와 같이 목숨을 걸고 곤경에서 구해 줄 동기간이 없다는 것이 슬픈 일이군.」

「그럴 리가 있겠습니까.」

「그럴 리가 있겠느냐고 다잡아 되뇌고 드는 것은 내 슬하라 할 수 있는 유인(裕寅)을 두고 하는 말이렷다?」

「설혹 슬하에 거두고 있는 소생이 없다 할지라도 위로는 양전 마마께옵서 살피시고 아래로는 상신(相臣)들과 평교(平交)하시지 않으십니까. 쇤네 견문 없는 까막눈이라 하나 그것을 모르고 있을 리가 없지요.」

「네가 유인을 두고 생각함이 어떠하며 또한 나를 두고 무어라 여기느냐?」

「어떻게 여기다니요? 마님의 총명한 의자(義子)로 그만한 분이 없다고 여깁지요.」

「내 유인과 한방 거처를 한다 하여 항간에는 차마 입에 담을 수 없는 요괴한 소문이 떠돈다면서? 내가 그런 구설수에 올라야 한단 말이냐?」

「그런 소문이 떠도는 것이야 쉰네가 알지 못합니다. 마님을 뫼신 이후로 두어 번 궁궐 행차에 배행한 적은 있었습니다만, 그 외엔 민간에 발을 들여놓은 적이 없습지요.」

「그랬던가. 나는 여항에 떠도는 해괴한 소문들이 모두 자네의 입놀림으로 그리 된 줄 아는데? 행랑채에 드난하는 것들과도 수작한 번 나눈 적이 없더란 말이냐?」

「마님께서 떳떳하시고 거칠 것이 없다 하면 구차히 민간에 떠도는 소문에 오갈 들어 하실 까닭이 없겠지요. 대저 좋지 못한 소문이란 것들이 마님의 양명을 시기하고 두려워하는 자들의 입에서 나온 모함이라는 것은 아둔한 쉰네의 짐작으로도 알 만한 것들입니다.」

매월이는 한동안 천소례를 조용히 건너다보았다. 복색이 초라하고 몸가축을 하지 않아 형용이 또한 초췌하달지라도 그 얼굴에 위엄이 없지 않고, 고초를 겪고 있는 계집으로서 비굴과 궁기가 전연 엿보이지 않았다. 참으로 놀라운 일이었다.

송파와 평강 상로를 잇는 상대 중에서도 으뜸이요, 재물 또한 불소한 쇠살쭈와 동기간이라면 환로에 들어 직첩을 따내는 일과는 멀다 하나 나름대로 호강을 누릴 만한 바탕은 갖추어진 셈이었다. 그러한 아낙네가 불각시에 안잠자기로 박히어 하대와 수모를 몸 받아 고스란히 감당하고 있음에도 그 모색에 한 오라기의 고뇌와 매원하는 흔적이 없다 하면 매월이야말로 얼마나 부끄러운 계집인가. 천소례 역시 규범 있게 닦아 온 식견이 있을 수 없었고 심지를 아리땁게 지닐 수만 없게 풍상 속에서 살아왔을 터인데도 저토록 깊은 심성은 어디서 오는 것일까. 영험한 매월이였지만 그것만은 가늠해 낼 길이 없었다.

어쩌면 매월이의 심지가 스스로 풀어질 것도 같았던 그 이튿날 중화때를 조금 넘긴 후였다. 청지기가 몹시 당황하는 눈깔을 하고 대방 앞으로 내달았다. 부서진 갓을 마빡에 붙인 한 작자가 행랑채에 달려들어서 진대를 붙이기에 몽둥이로 다스리고 회술레를 돌리겠다고 으름장을 놓았는데도 마님 뵙기 전에는 돌아갈 수 없다 하니 무슨 연유가 있는 듯하여 아뢴다는 것이었다. 연통하는 청지기의 말을 듣자 하니 꼴이 길소개였다. 궐놈이 두 번 다시는 북묘 언저리에 발을 붙이지 못하도록 아주 병신을 만들어 내쫓으리라 하고 불러들이게 하였다. 방으로 들어서는 길소개를 바라보는 매월이의 두 눈에서 불똥이 튀는 듯하였다. 입성이 남루하여 거러지 꼴이고 의관이 또한 찌그러진 채로이니 이젠 어디 가서도 행세하기는 글러 버린 몰골이었다. 이 엄동설한에 발에 꿰고 있는 것은 홑버선이었다. 그 홑버선도 여기 찾아오느라고 어디서 꿔 신은 듯 오른쪽 왼쪽이 모두 각각이었다. 몇 닢의 노자나 끼니 구처를 위해 북묘를 찾아왔으리라. 방에 들어와 공손히 절을 하는 것이었으나 매월이는 이렇다 할 안부조차 묻지 않았다.

「마님, 격조했던 동안 무탈하시었습니까. 마님 뵙겠다는 소인의 소원을 이루게 해주시니 이 은혜는 결단코 잊지 않겠습니다.」

잘 들으면 매월이에게 예를 다하는 것 같기도 하였고 잘못 들으면 매월이를 비꼬는 것 같기도 하였다. 어느 쪽으로 들리든 매월이에겐 상관없는 일이었다.

「자네가 소싯적에 거두어 주곤 했던 정리를 잊지 못해 나를 무턱대고 찾아온 것 같네만, 우리 집만 하여도 좌처는 그렇지가 못하나 궁궐이나 다름없는 곳일세. 상신들이 무상으로 출입하는 이곳에 자네같이 소소한 무뢰배를 길게 상종할 여가가 내게 있겠는가. 자네가 비색하여 대동청의 화재 난 일로 기찰에 쫓기고 있다는 것을 내 익히 알고 있는 일인즉슨 설렁을 당겨 하속들에게 당장 잡아가라고 호령할까? 아니면 자네 스스로 일어나 당장 장달음을 놓을 것인가?」

그만하면 화상의 얼굴에 노랑꽃이 피겠거니 하였는데, 방구들에 시선을 떨구고 있던 길소개의 대꾸가 의외로 담대하였다.

「설령을 당기시어 노복들을 불러올리시든지 득달같이 포청에 발고하시어 잡아가도 좋습니다만, 한때는 소인과도 한방 잠을 잔 일도 없지 않았고 그로 하여 운우의 정을 나누기도 하였습지요. 변하시어도 분수 나름이지 그토록 박절하실 수가 있습니까. 그러나 구태여 옛 정에 기대어 마님의 체모를 펌하려는 것은 아니니 잠시나마 앉아 있게 선처하십시오.」

「우둔한 위인은 아닐 텐데, 자네에겐 호굴이나 진배없는 내 집에 잠시 머물게 해달라니?」

「마님 곁에 의탁하여 거접(居接)하겠다는 작정으로 찾아온 것이 아닙니다. 소인이 마님께 긴히 아뢸 말씀이 있다는 것입지요.」

「내가 자넬 밉게 보기로 몇 마디 푸념이야 들어주지 못하겠는가. 할 말이 있으면 직토하게나.」

「마님이나 소인이나 오늘날까지 남에게 못할 일을 무척이나 많이 저지르지 않았습니까?」

그것만은 사실이기에 매월이도 가만히 듣고 있었다. 길소개가 무릎을 썩 당겨 앉으면서 말을 이었다.

「유독히 천봉삼이란 선길장수를 사모하여 마님께선 가슴을 태웠고 그로 인하여 고질을 얻게도 되었지요. 사모의 정이 사무쳤으나 천봉삼은 돌아서지 않았습니다. 사모의 정이 원망으로 바뀌었고 원망은 다시 매원으로 바뀌었습니다. 그 매원으로 마님께선 천 행수에게 갖가지 악행을 저질렀습지요. 소인 또한 마님과 동사하여 육의전 대행수이던 신석주의 재물을 털기도 하였고, 애매한 사람의 목숨을 요정 내기도 하였습지요.」

그쯤해서 길소개는 고개를 똑바로 들고 되반들거리는 눈으로 매월이를 쳐다보았다. 그러나 매월이는 안색에 이렇다 할 동요 없이 길소개의 말을 받아넘기는데,

「나도 명색 사람으로 행세하는 터, 그걸 내가 잊고 있겠는가. 이제 와서 돌이켜 보면 죽어 극락 가기는 어렵다는 마음이 들긴 하지. 살아생전 저지른 악업을 벌충할 자선을 베푼다 하여도 그 역시 모자라서 따르지 못한다는 것을 알고 있으니, 이것 또한 병을 얻은 셈일세.」

「한동안 마님과 시생은 배짱이 서로 맞아서 매사에 통모하고 정을 같이한 적도 없지 않았지요. 천 행수가 사모하여 거두었고, 그리고 소생까지 얻은 조 소사를 멀리 평강에까지 자객을 보내어 교묘히 모살하신 것도 마님이었다는 것을 알고 있는 것은 시생뿐이지요.」

「내게 그렇게 큰 흠절이 있다는 것을 알고, 시방 자네가 와서 간대로 펌을 하고 모함하여도 포청에 발고치 아니하고 가만두고 보는 게 아닌가?」

「그러하나 소인이 여기까지 찾아온 것은 소인의 구차한 형편을 빌러 온 것이 아닙니다. 마님께서도 그만큼 패악을 저질렀으면 이젠 그만 거둘 때가 되지 않았습니까. 시방 천 행수의 누이 되시는 분을 또한 안잠자기로 박아서 소 부리듯 하신다니 악업도 이만하면 구천에 닿을 만하군요. 원컨대 그 누이 되시는 분을 놓아주셔야 하겠습니다.」

「자넨 이제 사람 구실을 하게 되었군. 그러나 내 깨닫지 못하여 저 계집을 놓아주지 아니한다면 장차 어찌할 것인가?」

「마님께서 조 소사를 자객 보내어 모살하였다는 사실을 천 행수와 송파 쇠전꾼들에게 모두 알리고, 또한 요로에 그런 악업 저지른 분이라고 발고하여 마님께서 차후로는 대명천지에 얼굴을 들고

행세하지 못하도록 조처해야 합지요.」

「자네의 심지가 그토록 변하게 된 연유가 어디에 있는가?」

「사판(仕版)에서 모가지 떨어진 이후 예사 사람으로 행세함이 어떠해야 한다는 것을 깨닫게 되어 송파의 쇠살쭈 조 행수 수하에서 거접하고부터입지요.」

그때 매월이의 입에서 끌끌 혀 차는 소리가 들려왔다.

「불쌍하고 가련한 위인이로군. 평생 기력을 양명만을 위해 탕진하였건만 닭의 대가리도 한 번 못 되고 만 것이 쇠꼬리인가. 자네도 어지간히 팔자가 비색이로군. 그러나 팔자 드세고 궁박하기로서니 송파 저자 조성준의 몸 받아 나를 찾아와서 청질을 하겠다는 것인가.」

「청질이 아닙니다. 천 행수의 누이만 놓아주신다면 제가 다시 마님께 청질할 것이 없습니다.」

「자네의 신세가 못된 것은 시절이 수상한 탓도 아니요, 제도의 잘못됨도 또한 아닐세. 대저 주둥이 헤프기가 둥지 잃은 갈까마귀 지저귀듯 하고 또한 볼 것을 가려서 볼 줄 모르는 그 아둔한 눈 때문일세. 자네에게 흠절이 없지 않되 자네의 소원이라 하니 내 옛 정리를 저버리지 못해서라도 자네의 소청을 소홀하게 들어 넘기겠는가. 자네가 바라보는 앞에서 조처할 것이니 예서 떠나지 말고 잠깐 앉아 기다리게.」

「소청대로 조처하시겠다니 이런 고마울 데가 없습니다.」

「짐작하건대 내가 자네의 청을 들어주어야만 자네가 송파 처소에 의탁하여 그나마 연명할 수가 있지 않겠나.」

「사실이 그러합니다.」

매월이는 일어나서 길소개 앞을 스쳐 마루로 나섰다. 그러나 궐녀가 자객을 사서 조 소사를 교묘하게 모살하고 말았다는 사실을 발설하지 않았던들 천소례를 내놓겠다고 선선하게 나서지는 않았을 것이었다. 살아날 궁리가 터지는가 싶어 길소개는 저도 모르게 긴 한숨이 절로 터졌다. 그제야 매월이가 거처하는 대방의 치장들이 눈에 들어왔다. 그깟 벼슬을 얻겠다고 들까불고 다니지 말고 일찍 매월이 밑 닦기에나 진력했더라면 지금쯤은 이 대방도 자신의 차지가 되었을 것 아닌가. 방 안을 휘둘러보면서 길소개는 씁쓰레하게 웃었다.

바로 그때였다. 길소개 등 뒤에 있는 장지가 조용히 열리었다. 그리고 방 안으로 걸음을 떼어 놓는 인기척이 있었다. 힐끗 곁눈질하던 길소개는 의아하였다. 매월이나 천소례가 아니라 초면부지의 사내들이 신발 신은 채 방으로 들어서는데 깍짓동 같은 기골한(氣骨漢)들이었다. 눈꼬리가 짝을 맞춘 것 같게 치찢어진 두 놈은 방으로 들어서면서 괴춤에 숨겼던 주왕사를 풀어내었다. 이게 어찌 된 노릇인가. 길소개는 막 뒷고대를 잡아채려는 한 놈의 팔을 흩뿌리치며 벼락 치는 소리로 고함질렀다.

「이놈들, 얻다 대고 하는 행패들이냐? 이 댁 마님 어디 가셨느냐? 이 집이 어딘 줄 알고 함부로 월장하였느냐?」

「이 집이 뉘 집인지 우리가 모를 턱이 있겠는가. 진령군 거처하시는 북묘가 아니냐?」

「그렇다면 이놈들, 범방을 하였다간 당장 모가지가 떨어진다는 것을 몰라서 행악이냐. 아무리 분수 모르는 무뢰배 화적들이기로서니 한 치 앞은 바라볼 줄 알아야지.」

두 놈이 빙그레 웃고 내려다보는데 도대체 겁먹은 놈들의 상통이 아니었다. 길소개가 턱을 푸르르 떨고 목자를 기운껏 부라리며,

「뉘 댁인지 알았다면 득달같이 오라를 거둬라. 내 행색이 이지러졌다고는 하나 네놈들 같은 천격들과 오래도록 수작하고 있을 처지가 못 된다.」

「어따, 그놈, 말도 많군. 네놈의 지체가 우리와 틀리다는 것이야 쇠눈깔인 우린들 모를까. 우리도 모가지 붙이고 살자니 마님 분부 거행치 않을 수 없지 않느냐.」

「마님 분부라니, 여기 와서 어떤 계집을 도칭하여 마님이라느냐?」

「허, 이놈 보게. 아직까지 우릴 월장한 화적쯤으로 아는 게 아닌가. 이놈아, 아까 행랑채에서 네놈 가로막던 우릴 본 적이 없더냐?」

길소개는 눈을 치뜨고 이 건방지고 배포 있는 두 놈의 모색을 찬찬히 훑어보았다. 그제야 궐놈들이 북묘의 노속들이란 걸 깨달았다. 두 놈이 득달같이 달려들어 길가의 팔을 뒤로 꺾어 모양 있게 결박하고 머릿수건을 풀어서 아갈잡이하였다. 오라 지운 것이 단단한가를 살펴보던 한 놈이 길가를 덥석 들어서 들쳐 업고 한 놈은 방에 떨어진 망건을 집어 들었다. 마루로 나아가서 중문을 지나 행랑채로 가더니 마당 옆의 잿간으로 업어 갔다. 심상치 않은 조짐이었다. 길소개는 매월이가 아무리 극악한 계집이기로서니 자신을 덜컥 잡아 가두리라고는 예견하지 못했었다. 더욱이 궐녀가 저지른 악덕을 소상하게 꿰고 있는 자신을 이런 모양으로 홀대한다는 것은 나중을 위해서도 잘못된 처사가 아닌가. 사단이 여기에 이른 이상, 이제 길가도 가만있을 수는 없다고 심기를 단단히 고쳐 잡았다. 그러나 사단은 길가가 생각하고 있던 것처럼 그렇게 간단하게 끝날 것 같지 않았다. 길소개를 잿간에다 거꾸로 처박고 난 노속들은 잿간의 판자문 빗장을 안에서 닫아걸었다. 대낮인데도 잿간은 칠흑같이 어두웠고 매캐한 잿내가 코를 찔렀다. 그때 한 놈이 행전 속에서 비수 한 자루를 꺼내 들더니, 마주 선 놈에게 말했다.

「이놈 아가리를 벌리고 전짓대*를 단단히 끼워 넣게. 그래야 제출

---

*전짓대 : 끝이 두 갈래로 갈라진 막대.

18

물로는 아가리를 여닫지 못할 게 아닌가.」

「이놈이 늑대 귀신이라도 씌어서 내 손이라도 칵 물어 버릴라.」

「약차하면 이놈 사추리를 까발리고 양물을 쑥 잘라 버리리라.」

소리를 칠 수 있는 형편은 못 되었지만 귀로는 두 놈의 수작이 낱낱이 들렸다. 여귀 같은 놈들이 도대체 무슨 짓을 벌이려는 것일까. 길소개는 그제야 혼백이 아득해졌다. 제발 살려 달라고 애걸하고 싶은 것이야 인지상정이었지만, 고개를 돌릴 수도 없게 아갈잡이가 되었으니 그것 또한 여의치 않았다. 그 순간 아갈잡이되었던 수건이 풀리는가 하였더니 수건으로 다시 입을 틀어막는 것이었다. 북두갈고리 같은 손이 입 안으로 비집고 들어오더니 금방 전짓대가 들어와 위턱과 아래턱을 떠받치었다. 한 놈의 손이 길소개의 혀끝을 감아쥐고 사 두지 않고 앞으로 쭉 빼내는데, 오장 육부가 뿌리째 흔들려서 내질리는 것 같았다.

앙가슴에 비수가 꽂히는 것 같은 옹골찬 고통이 전신을 휘감는가 하였더니 혓바닥에 얼음 조각이 와서 스치고 지나는 듯한 섬뜩한 느낌을 받는 순간, 길소개는 혼신의 힘을 거두어 소리를 질렀다. 그러고는 금방 기가 꺾이어 혼절해 버리고 말았다. 길소개가 한 자배기나 됨 직한 피를 쏟으며 혼절하자, 노속은 차고 있던 염낭을 풀어 오징어 뼛가루를 길가의 입에다 털어 넣었다.

한 놈이 픽 웃으면서,

「어라, 이놈 보게. 무슨 냄새인가 하였더니 방분(放糞)을 하고 말았네그려.」

「드센 체하더니만 실상은 속이 허한 위인이었던가 보이. 축생도 혼찌검이 나면 물찌똥을 갈기는 법인데 이놈도 명색이 사람인데 어련하겠는가.」

「제 발로 걸어 들어와서 이런 난행을 당하다니 행랑살이 사십 년에 이런 꼴은 처음일세. 처음 서사 나으리가 방색하고 내쫓을 때 냉큼 신을 돌려 신었어야 옳았지. 부득부득 명함을 걸겠다고 기어 들어 선 이런 낭패 당하지 않았나. 그참, 알다가도 모를 위인이로세.」

「자네나 나나 이제 이런 악행을 저질렀으니 극락 가기는 다 글렀네.」

「칠월 더부살이 마누라 속곳 걱정이라더니 극락 가는 것은 나중 일이고 지금 당장 명 부지하고 살아갈 것이 더 걱정이 아닌가. 우리도 삐끗했다 하면 이런 꼴 당하기 십상 아닌가. 극락이야 죽을 임시 해서 주선해도 늦지 않네.」

혼절해 있는 길소개의 도포 앞섶에 피칠갑이 낭자하였다. 잿간 안에 비릿한 냄새가 등천하였다. 두 노속은 밖으로 나가 다시 빗장을 내린 뒤, 중문 안으로 들어가서 대방 계대 아래 부복하여 아뢰었다.

「마님, 분부대로 조처하였습니다. 보여 드려야 할깝쇼?」

그렇게 말하는 노속의 한 손에는 길가의 입에서 잘라 낸 혓바닥 반쪽이 들려 있었다. 금방 장지가 열릴 줄 알았는데 안에서는 말소리만 들렸다.

「볼 것까지야 없다. 너희들이 하자 없도록 조처하였겠지.」

「그럼 차후 조처는 어떻게 해야 할지 분부 내리십시오.」

「그것조차 내가 분부할까. 어둑발이 내리거든 애오개나 시구문 밖에다 내다 버리면 그만 아니냐.」

「아직 명은 붙어 있는뎁쇼.」

「무슨 상관이냐.」

「그럼 내다 버리기만 할깝쇼?」

「내다 버리지 않고? 너희들이 초종까지 치러 줄 요량이었더냐? 섭섭하거든 제사까지 지내지 그러느냐.」

「알겠습니다, 마님. 그렇게 조처합죠.」

집에서 그런 사단이 벌어진 것을 천소례 역시 알고 있었다. 장지 하나를 사이한 곁방에 앉아서 길소개와 매월이가 나눈 이야기를 낱낱이 들었고 길가의 혀를 잘라 버린 것도 모두 알고 있었다. 천소례가 죄다 듣보고 있었는데도 매월이는 조금도 개의치 않았다. 이것은 예삿일이 아니었다. 천소례는 하루 종일 눈앞이 아득하고 먹은 것이 자위 돌지 않고 앙가슴에 그대로 맺히었다. 어찌할거나, 하루 종일 자문해 보았으나 이렇다 할 방책이 나서지 않았다. 길소개를 폐인으로 만든 악행을 천소례에게는 하지 않는다고 장담할 수 없게 되었기 때문이다.

문밖에는 분명 길소개와 같이 온 송파 처소의 동무들이 기다리고 있을 것이었다. 그들이 북묘에 기어든 길소개가 저런 악행 당한 것을 아는지 모르는지 혹은 알면서도 속수무책으로 잠자코 기다리고만 있는지 궁금하기 짝이 없었으나, 천소례는 단 한 발짝도 중문 밖으로 나설 수가 없었다.

날이 저물었다. 추위에 삭신을 떨며 사뭇 여염집 담벼락에 붙어서서 기다리고 있던 조성준과 최송파는 해가 지기 시작하자 이젠 살점이 굳어지는 것을 느꼈다. 조성준이 괴춤에서 염낭쌈지를 꺼내 들었다. 그러나 하루 종일 곰방대만 태워 댄 탓으로 담배쌈지는 텅 비어 있었다. 최송파를 툭 건드렸다.

「자네 막초 남은 것 있나?」

「막초야 있습니다만 저것 보십시오, 행수 어른.」

최송파가 담벼락 건너편을 가리키고 있었다. 그때 마침 노속 둘이서 축 처진 사람 하나를 등에 업고 대문을 나서는 것이었다. 희끄무레한 밤빛 속에서도 등에 업힌 이가 길소개라는 것이야 금방 알아챌 수 있었다. 두 사람은 그 순간 가슴들이 덜컥 내려앉았다. 사단이 다급하게는 되었다 하나 궐놈들의 뒤를 밟는 수밖에 없었다. 북묘를 나선 노속 두 놈은 재빠른 걸음으로 광례교(廣禮橋)를 건너고 대군방(大君坊)의 장교(長橋)를 지나 신교(新橋)와 초교(初橋)를 거쳐 훈련원 뒤 고샅길로 빠져 들었다. 훈련원 뒤 남정골[藍井洞] 고샅길은 매우 좁고 양편 민가들의 추녀가 길 지나는 행객들 이마에 닿을 듯하였지만 시구문 앞까지 맞창이 나 있는 실골목이었다. 시신이나 진배없는 길소개를 한 놈이 업고 뛰면, 뒤따르던 놈은 바싹 뒤쫓으며 엉덩이를 두 손으로 받치고 같이 뛰는 것이었다. 혹간 마주치는 행인들이 다급한 두 놈의 거동을 눈여겨본다 하나 크게 다친 상전을 들쳐 업은 노속들이 의원 집을 찾아 뛰는 형국이어서 수상쩍게 보는 이가 없었다. 업고 뛰던 놈이 힘에 겨워 담벼락 아래 내려놓으면 뒤받치고 뛰던 놈이 손을 바꾸어 업고 뛰는 것이어서 하도감(下都監)까지 근 시오 리 길인데도 별로 힘들어하는 것 같지 않았다.

「아니, 저놈들이 어디까지 뛸 작정일까요, 행수 어른?」

「궁금하면 쫓아가서 물어보면 되지 않겠는가.」

「의원을 찾아가는 것도 아닌데요.」

「의원이라면 숭교방(崇敎坊) 가근방에도 많지 않던가.」

「참, 알다가도 모를 일이군.」

뛰다시피 하던 두 놈이 하도감 어름을 지나고부터는 시구문이 불과 활 한 바탕 행보라는 것을 알아챘던지, 사추리에 불이 날 것같이 바쁘게 옮겨 놓던 행보를 한숨 줄였다. 궐놈들이 쉬게 되면 두 사람도 걸음을 멈추고 두 놈이 뛰면 두 사람도 뛴 셈이었다. 등에 업힌 길소개가 벌써 시체 된 것이 아닌가 하고 놀란 것은 하도감 앞을 지난 두 놈이 남소문(南小門)골로 휘어지지 않고 내처 시구문을 바라보며 내닫고 있을 때였다. 무작정 궐놈들의 뒤를 따르는 데만 열중해 있던 최송파가 걸음을 멈추고 조성준의 괴춤을 잡아당겼다.

「행수 어른, 저놈들이 길가를 척살시킨 것이나 아닐까요? 거동을 보자 하니 시방 시구문 쪽으로 내닫고 있는 게 아닙니까?」

「글쎄, 그렇지는 않은 것 같군. 죽은 사람이면 두 팔이 아래로 늘어져 있을 텐데, 그런데 번갈아 업힐 때마다 두 손이 업은 놈의 목덜미를 감고 있지 않은가.」

「이 어름이면 순라 잡는 것들도 없을 터이니 저놈들 때려뉘고 길가를 취탈하십시다.」

「자넨 어느 갑자(甲子)에 났는가?」

「사십 연갑은 되지요. 그건 또 왜 새삼스럽게 되뇌라 하십니까?」

「사십 연갑쯤이면 분수 좀 차리게. 저 기골한들이 우리 같은 구닥다리들에게 당하고만 있을 성부른가. 꾀도 힘이니 장력만 부릴 요량 말게. 우리가 길가를 취탈한다 하여도 이 어름에선 업고 갈 곳이 시구문 밖 석쇠의 집일 터이니 뒤따르기만 하면 저놈들이 시구문 밖까지 우릴 대신해 업어다 주는 셈이 아닌가.」

「행수 어른께선 길가가 식은 방귀를 꾸었는지 아닌지 궁금하지도 않으십니까?」

「왜 궁금하지 않겠나. 그러나 지금 길가를 취탈한다고 죽어 가는 사람이 살아날 리도 없고 골병든 사람이 당장 일어설 형편도 아니지 않은가.」

「필경 시구문 해자 구멍에다 곤두박고는 돌아설 모양인데 저 두 놈을 그냥 온전하게 돌려보낼 것입니까?」

「돌려보내지 않으면 또 소란 피워 화근을 만들겠다는 것인가. 제발 고정하시게.」

두 사람이 귀엣말을 주고받으면서 줄곧 뒤를 놓치지 않고 따르는데, 몇 행보 하지 않아서 시구문께에 이르렀다. 시구문 해자에 이르러 가근방을 지나는 행객들이 없는가 한동안 사위를 살폈다. 그런가 하였더니 등에 업고 있던 길가를 해자 아래로 던지듯 밀어 넣고는 잔나비같이 빠른 걸음들로 성벽 아랫길을 따라서 오간수문 쪽으로 내닫는 것이었다. 두 놈이 시야에서 사라지는 것을 기다렸다가 두 사람은 해자로 뛰어내렸다. 비 온 뒤도 아닌 한겨울인데도 해자 구멍에서는 퀴퀴한 냄새가 코를 찔렀다. 신발 아래로 물컹하고 밟히는 것도 있었다. 조금 더 오래 머물렀다간 눈조차 뜰 수가 없을 것 같았다. 길소개가 코를 처박고 엎딘 채였다. 진맥부터 하던 조성준이 힐끗 최송파를 돌아보며,

「살아 있네. 어서 들쳐 업게.」

재빨리 엉덩이를 둘러대는 최송파의 등에다 조성준은 천 근같이 무거운 길소개의 몸뚱이를 추슬러 업었다. 궐놈들이 그랬던 것처럼 이번엔 조 행수가 엉덩이를 받치고 내처 해자 구멍을 빠져 시구문을 나왔다. 시구문 밖에서 활 반 바탕 상거에 석쇠의 공방이 있었다. 숨소리가 껄떡거리고 넘어가는 듯이 위급하게 된 길소개는 여전히 삭신을 늘어뜨린 채였다. 통자를 넣을 겨를도 없이 삽짝을 냅다 걷어차며 석쇠의 집으로 들이닥쳤다. 슬하에 거둔 소생 하나 없다 하나 내외간 금슬은 남달라서 석쇠 내외는 늦은 저녁인데도 아직 잠자리에 들지 않고 오순도순 깨가 쏟아지다가 밤짐승들처럼 들이닥친 세 사람 때문에 간담이 떨어지게 놀랐다.

석쇠가 거처하는 공방 아닌 안방에 불을 켜고 사람을 뉘었다. 아니래도 구들장이 뜨끈뜨끈했으나 석쇠의 안해는 구르듯 부엌으로 뛰어나가서 다시 군불을 지폈다. 불을 켠 다음 자세히 살펴보니 입 언저리와 목줄기가 죽장같이 부어 있고 낭자한 피멍울은 이미 굳어 있었다. 반정신은 차렸는지 끙 하고 신음 소리를 내었으나 말은 한마디도 할 수 없는 모양이었다. 얼굴에 엉긴 핏자국을 닦아 낸다, 사지를 주물러 댄다, 하고 한참 수선을 떤 뒤에 입을 벌려 보고 나서야 길가의

24

혓바닥이 고깃넘이나 되게 몽창 잘려 나간 것을 알게 되었다.

「에에익, 이 모진 놈, 이런 악행을 당하고도 명을 부지하고 있단 말이냐? 이놈아, 하늘 아래에 네놈같이 모진 놈이 또 어디 있단 말이냐?」

최송파가 혀를 끌끌 차면서 길가를 폄했다. 그러나 그것은 매월이가 벌인 행패의 극악함에 스스로 제어하기 힘들었기 때문에 소리친 것이었다. 최송파뿐만 아니라, 조성준도, 석쇠 내외도 그 순간만은 아연하여 눈앞에 노랑꽃이 왔다 갔다 했다. 이승에서 벌어지고 있는 모질고 극악하고 서러운 신산(辛酸)과 감고(甘苦)를 겪지 못한 것이 없던 그들이었지만, 한 계집의 극악이 이토록 하늘에 닿아 있는 것은 일찍이 경험하지 못했다. 길가가 찾아간 연유가 매원을 풀려 했던 것이 아니라, 문서 없이 종노릇하고 있는 한 여인을 속량해 달라는 청원이 아니었던가. 길소개가 당한 꼴을 내려다보고 앉은 네 사람은 문득 말을 잊은 듯했다. 그때 최송파가 시뻘게진 눈으로 조성준을 칩떠보면서,

「행수 어른, 길가가 전사에 갖은 술계와 악덕으로 선길장수들을 못살게 굴고 죄업도 저질렀습니다. 그러나 제가 사지에 떨어지자 송파 처소로 기어든 것을 보면 그 근본 심지가 우리 보부상단에 박혀 있었다는 것이 아닙니까. 길가는 이제 우리와 동패입니다. 그 계집을 가만두고 보실 터입니까. 당장 물고를 내어 버립시다.」

「그런 소리 말고, 이 사람 구완이나 잘하도록 하게.」

「아아니, 그 계집을 그냥 둔다는 것입니까?」

「그냥 두지 않고 자네 말대로 물고를 내어야 하겠다는 것인가? 길가를 이 꼴로 만들어 쫓아낸 것은 근본으로는 딴 연유가 있었겠지만 우릴 유인하려는 속셈도 없지 않다는 것일세.」

「우릴 유인하다니요?」

「우리가 북묘로 월장을 하면 우리 송파 상단 모두를 잡아들여 결옥할 빌미를 찾자는 수작이 아닌가?」

「나중에 송파 처소가 적지로 변하는 한이 있더라도 당장은 참지 못하겠습니다. 이 매월이란 년.」

「아서, 그러지 말게. 우리가 부르기 좋아서 매월이지 궐녀가 누구인가. 나라님이 작위를 내리시어 진령군이 아닌가. 옛날에 우리가 궐녀를 물고 내었더라면 살옥(殺獄) 죄인으로 끝이 났겠지만, 지금에 이르러서는 궐녀를 해코지만 하여도 그것이 바로 역률(逆律)로 다스림을 받아야 하네. 어 다르고 아 다르더라고, 이제 궐녀를 욕뵌다는 것은 범궐하는 것과 마찬가지가 되었으니, 오늘에 이르러서는 궐녀를 욕뵈자는 말조차 함부로 할 수 없게 되었지 않은가.」

야화(野火)

1

　매월이의 지체가 진령군 아니라 염라 태수라 할지라도 상단을 희롱하고 괴롭힘이 야차와 진배없으니 바라보고만 있을 수 없다 하여 응분의 조치를 하잡시고 송파 처소 동무님들이 회집하고 있던 그날의 날씨는 혹독하게도 추웠다.

　다락원 득추의 대장간에 연모나 쇠붙이를 벼리러 온 농투성이들이 풀뭇간 화덕 곁을 떠나려 하지 않았다. 대장간으로 푸스스 떨면서 들어서는 사람들은 한결같이 코끝이 자두처럼 퍼렇게 익었다. 득추의 일을 거들고 있던 아이를 밀쳐 내고 풀무질을 대신하며 한속을 들이는 축들도 있었고, 사추리를 화덕에다 지질 듯이 갖다 댄 채 떠날 줄 모르고 어한을 하고 있는 축들도 없지 않았다. 모두가 다락원 저자에서는 안면깨나 익히고 지내는 농투성이들이라 발길에 채고 보채는 것이었으나 홀대해서 내쫓을 수가 없었다. 대장간이란 여편네들에겐 우물가와 같은 곳이었다. 산그늘 박토에서 고사리나 뜯어 연명하는 사람들이 서로 허물 없이 험담도 주고받는 곳이며, 산자락에 얹힌 궁상스러운 따비밭을 사고파는 공론도 하였다. 할 일이 없어도 얼굴을 삐죽 디밀고 안부를 묻곤 하는 것이었다. 객꾼이 와서 풀무질을 해주고 있는 화덕에서 벌겋게 익은 낫쇠를 집어내어 막 메질을 하려는 판인데, 대장간 거적문이 들쳐지면서 머리가 까치집 같은, 득추의 맏이란 놈이 얼굴을 쑥 디밀었다. 녀석은 득추와 시선이 마주치자, 한쪽 눈을 찡긋했다. 이놈이 갑자기 실성을 하였나, 명색 아비란 사람을 보고 고약한 눈짓을 하다니, 불호령을 내릴 요량으로 목자를 부라리는데 이번엔 턱짓으로 제 등 뒤를 가리키는 것이었다. 다급하다는 눈치였다. 저놈이 느닷없이 하지 않던 짓거리를 하는가 싶어 집어 올렸던 낫쇠를 다시 화덕에다 쑤셔 박고 밖으로 나갔다. 녀석은 제 아비가 밖으로 나서서야 곁의 사람도 듣지 못할 귀엣말로,

「집에 오시래요.」

「왜?」

「손님이 왔어요.」

「손님이라니? 누구여?」

「가보시면 알지요.」

어떤 화상이 불쑥 나타나서 사람을 오라 가라 하는가 싶어서 은근히 결이 솟은 득추가 지게문을 홀쩍 열었는데 그 순간 득추는 깜짝 놀랐다. 방에 앉아 있는 사람은 놀랍게도 월이였다. 월이뿐만 아니라 천 행수의 아이까지 데리고 온 것이었다. 여편네와 월이가 아이를 사이에 앉혀 두고 어르고 달래느라고 한참 분주해 있었다.

「아니, 천만뜻밖에 이게 웬일들인가?」

월이가 발딱 일어나 내외를 하면서,

「그동안 별 탈 없으셨습니까?」

「나야 죽지 못해 살고 있지요만, 불각시에 어인 사연입니까?」

그때, 득추의 안해가 불뚱가지를 내면서 쏘아붙였다.

「닭의 새끼가 발 벗구 다닌다구 오뉴월인 줄 아슈? 어서 지게문 닫아요. 우리 도련님 고뿔들겠소.」

얼른 지게문을 닫고 봉노로 들어서니 낯을 가리는 아이가 득추를 멀거니 쳐다보다 말고 비쭉거리며 울려고 하였다. 아이를 얼른 무릎 위로 올려 앉힌 월이가,

「행수님은 아직 종무소식입니까?」

「듣지 못하다니요. 행수님 소식을 들었다면 쌍급주를 사서라도 평강 처소로 득달같이 통기를 놓았지, 태평세월하고 죽치고 앉았겠습니까. 그러나저러나 이 엄동에 평강에서 여기가 초간하지 않은 터에 어찌 길 나설 생의를 하였습니까. 어른이야 참을성이나 있으니 그런대로 버텨 왔겠지만 요때기 하나로 아이 명줄 붙여 온 게 천행입니다.」

「저는 아이를 등에 업은 덕에 한속 든 줄 모르고 다락원까지 당도했습지요.」

「평강 처소 동무님 한 사람이라도 작반을 하시지, 중로에서 강시되지 않은 게 다행입니다.」

「도대체 천 행수님께선 어디로 잠주하셨기에 이토록 소식을 알 수 없는 것인지…….」

「나도 백방으로 수소문하고 수배를 한다고 하였습니다만 도대체 행처를 수탐할 방도가 없으니 딱한 노릇입니다.」

득추가 그제야 곁에 앉아서 콧물을 들이마시고 있는 아들 녀석을 돌아보면서,

「너는 잽싸게 대장간으로 나가 보아라. 그 농투성이들이 쇠붙이나 감춰 가지고 나갈라.」

아들 녀석이 발딱 일어나서 나간 뒤에 월이가 처연한 얼굴로,

「코끝이 베여 나갈 것 같은 이 엄동에 잠행을 하시다니, 혹여 노변에서 흉변이나 당하지 않을까 주야로 걱정입니다. 조석 끼니인들 제대로 찾아 잡수시겠으며 뜨거운 구들장에 등 붙이고 잠잘 처지도 더욱 아니실 터인데, 이토록 소식이 없는 것을 보면 자꾸만 불길한 예감이 들어서 가만히 앉아 기다릴 수가 있어야지요. 대장간 일로 겨를이 없으시겠지만 품꾼을 사서라도 그분의 행처를 수탐해야겠습니다. 물황태수로 앉아 있기만 해선 안 되겠습니다.」

「다락원까지 내려오신 것을 보면, 천 행수가 이 가근방 어디쯤에 숨어 있겠거니 하는 짐작 때문이겠지요?」

「그분이 평강에 당도하시었다면 처소로 못 드실 까닭이 없기 때문이지요.」

「어디 짐작 가는 데라도 있다고들 합디까?」

「송파는 이목이 번다하니 맨 처음 얼굴을 내밀 곳이 있다면 다락원이 아니겠느냐고 짐작들 하십디다. 누이 되시는 분이 팔자에 없는 담살이를 하고 계시니 누이가 그렇게 된 사실을 알고 있다면 서울 장안에서 멀리 뜨지는 않았다는 짐작들을 하고 있는 것 같았습니다.」

「그렇다면 평강 처소 그 많은 식구들을 풀어서 수배해 보아야지요.」

「행수님이 상로길 외에 사람 푼 것을 알게 되시면 나중에 불호령이 떨어질까 해서지요.」

「어쨌든 한속이나 들이고 요기나 한 다음에 차근차근 궁리를 터보십시다. 어따, 그놈, 꽤도 숙성하군. 쑥쑥 자라는 품이 갯밭에 심은 무와 같구먼.」

득추가 아이를 어르는데 월이는 옷고름으로 눈물 자국을 찍어 내고 있었다. 월이가 평강 처소 동무님들이 극구 만류하는데도 뿌리치고 다락원까지 내려온 데는 나름대로 작심한 바가 있었다. 그것은 천 행수가 누이를 구명하고자 북묘에 뛰어들기라도 한다면 필경 큰 환난을 입게 될 것이기 때문이었다. 그리고 천소례 역시 고초가 뼛속까지 스며들 것이란 것은 교전비로 잔뼈가 굵은 월이만이 짐작할 수 있는 일이었다.

상전을 모시는 담살이란 것이 씨종인 월이 같은 여자라면 평생의 업이겠거니 해서 참혹을 묵묵히 참아 갈 수 있겠지만, 천소례에겐 그 수모를 견뎌 내기 어려울 것이란 십분 짐작할 만하였다. 궁리가 터질 수만 있다면 월이가 천소례 대신하여 북묘의 담살이로 들어가고 천소례를 빼낼 수 있지 않을까 하는 막연한 기대를 걸고 다락원까지 내려온 것이었다. 그러나 월이에겐 또 한 가지 소원이 없지 않았다. 단 한 번만이라도 천 행수와 동품을 하고 천 행수의 아이를 점지받고 싶었다. 다락원에서 천 행수를 만날 수만 있다면 이목이 번거롭지 않으니 동품하는 일이 별반 어려울 것 같지 않았고 그길로 북묘의 담살이로 박힌다면 기꺼이 그 길을 택하리라는 것이었다.

그런데 월이가 다락원에 와서 이틀이 되는 날 한밤중이었다. 누군가 사립문을 흔들어 대는 소리에 잠귀 밝은 득추의 안해가 바라지를 열고 밖을 내다보았다. 아직 채 잠기가 덜 가신 찜찜한 눈에도 달빛을 등지고 선 사람이 천 행수라는 것을 당장 알아챌 수 있었다. 궐녀는 속곳 바람으로 사립으로 내달았다. 천 행수가 틀림이 없었다. 천 행수를 안동하여 봉노로 들어서니 미욱한 득추는 세상 모르고 잠에 떨어져 있었다. 요때기와 차렵이불을 걷어치우고 천 행수를 아랫목에 좌정시킨 후에야 득추가 깨어났다. 깨어난 득추가 눈도 깜박이지 않고 동안이 뜨게 넋을 잃고 천 행수를 바라보다가,

「도대체 어찌 된 노릇이오?」

「여기서 초간한 곳에 있었다네.」

「초간하다니요?」

「양주 읍치에서 몇 발짝 되지 않는 산중 숯가마에 숨어 있었지.」

「그게 무슨 말씀이오? 양주 어름 숯가마에 은신하고 계셨다면 은밀히 전인(傳人)을 놓아서 잽싸게 기별이라도 해야 할 것 아닙니까. 시방 송파며 평강·원산포 처소들이 발칵 뒤집혔습니다.」

「기별을 놓으려고도 하였으나 마땅한 사람을 찾을 수가 없었네. 또한 기찰이 눅어질 때를 기다리자니 이렇게 늦게 되었네.」

「끼니를 굶지는 않으셨소?」

「내가 어찌 끼니 굶고 명줄을 대어 왔겠나. 숯가마에서 사람 좋은 통군을 만나서 장처도 구완받고 끼니도 굶지 않았다네.」

「평강에서 아지마씨가 아이까지 업고 와서 기다린 지 이틀째입니다. 제가 문자 속은 어둡소만 이심전심이란 말 이런 때 쓰자는 말이 아니겠소? 서로 기별도 닿지 않았는데 입을 맞춘 듯이 이틀 상간에 두 사람이 한곳으로 모입니다그려.」

「아니, 아이를 업고 왔단 말인가?」

「그렇습니다. 여기까지 아이를 업고 온 걸 보면 속내에 무슨 딴 배포가 있는 것 같기도 하고 도대체 흉중을 헤아릴 길이 없답니다.」

안방에서 지게문이 여닫히고 두런두런 목청 굵은 남정네들의 말소리를 듣고 윗봉노에서 자던 월이도 깨어 아이를 보듬어 안고 안봉노로 내려와서 천 행수를 상면케 되었다. 천 행수가 자고 있는 제 소생을 차렵이불째 건네받아서 한동안 적이 내려다보는 꼴을 바라보고 있던 두 여자가 함께 눈물을 질금하였다. 바람벽을 스치고 지나는 스산한 바람 소리는 짐승처럼 울었고, 토방에서 타고 있는 등잔불이 을씨년스러웠다. 누구 한 사람 쉽게 입을 열려 하지 않았다.

득추가 봉노 시렁 위를 뒤져 담배쌈지를 찾아내어 앉으면서,

「행수께서 애당초엔 매타작을 당하셨다 하나 그토록 오래 은신해

32

있을 까닭이 없었습니다. 진령군이 내전에 간청하여 민영익이 패에 몰려 행수님을 방면치 않을 수가 없었던가 봅니다. 이용익이 소식 전하러 가보니 행수님은 애저녁에 헛간을 부수고 장달음을 놓았더란 것입니다. 그러나 이번의 사단으로 행수님 피붙이가 진령군에게 유질(留質)*로 잡히고 말았습니다. 박복한 놈 어디 간들 비단 깔린 청산이냐 하였습니다만 행수님 누이가 그 짝입지요.」

「북묘를 도륙 내서라도 내 누이를 구해야겠소. 그러나 시방 내가 겉으로는 쾌차된 듯 보이나 골병들어 폐인 되다시피 했으니 그것이 걱정이오.」

「불각시에 무슨 날벼락 같은 말씀이오? 폐인이 되시다니요?」

「장독은 그럭저럭 구완을 받아서 신기는 되찾은 셈이지만 민영익의 집에서 추달 받을 때 허리를 많이 다친 모양이오. 오래 서 있기만 해도 등줄기에 진땀이 난다오.」

「애당초 꾀를 써서 엄살을 부리지 않고 드센 배짱 하나만 믿으셨군요.」

「뻣뻣하기가 개구리 삼킨 살모사 같으니까, 노복들이 기운껏 매를 안기더구먼. 그렇다 하더라도 그 앞에서 어찌 엄살을 떨겠소?」

그걸 모를 득추가 아니었다. 천 행수가 기골한에 장력 드센 사내라 할지라도 그 혹독한 추달을 받았다면 쇠심줄인들 버텨 나겠는가. 무고하게 악명 쓴 사람들이 관아에 끌려가서 신세 망친 일이 어디 한두 번인가. 득추도 몇 해 전 옥구 관아에 끌려가서 중곤(重棍)을 당한 이후로 오늘날까지 궂은날이면 대장간 일을 꾸려 나가기가 힘겹지 않던가. 사골이라도 삶아 내어 섭생이나마 제대로 했다면 쾌차되었겠지만 궁박한 가계에 그것이 지난이니 골병은 골병대로 남고 육신엔

---

* 유질 : 볼모.

또 한 가지 병이 들어서게 된 것이었다. 병추기나 다름없으나 결기와 앙심으로 하루하루를 버텨 나가는 것은 득추 역시 마찬가지였다. 그러나 지금에 이르러 어디 가서 넋두리를 하겠는가. 풀뭇간을 차리고 겨우 입으로 내리는 거미나 막을 뿐 양주 관아의 급창을 만나도 아픈 허리 굽실거려야 했다. 득추는 흐릿한 등잔불 빛에 망연자실 앉아 있는 천 행수를 적이 건너다볼 뿐이었다. 그러다가 득추는 천 행수의 눈가에 이슬이 맺히는 것을 보았다. 강경 갯가에서 만나 지금까지 천 행수에게 의탁하며 살아가고 있지만 저토록 처연한 모습은 본 적이 없었다. 차렵이불에 싸여 곤히 잠들어 있는 아이를 내려다보고 있을 제, 그 눈에서 흘러내린 눈물이 아이의 이마 위로 떨어지는 것이었다. 그때 득추의 안해가 화들짝 놀라 일어서면서,

「이런 내 정신 좀 봐, 엄동설한에 오신 손님을 앉혀 두고만 있네. 한저녁입니다만 잠깐만 기다리십시오. 술국이라도 끓여 오겠습니다.」

천봉삼이 손사래를 치면서,

「그만두십시오. 그냥 자지요.」

「아닙니다. 초벌 요기라도 해서 속을 채우셔야 어한이 됩지요.」

「그러실 줄 알고 장터목에 들어서서 자던 주모를 들깨워 빈속을 달랬지요.」

「체면 차리실 집이 아닙니다.」

「제가 여기 와서 체면치레 때문에 끼니 거르는 것을 보았습니까. 그만 봉노로 가서 자겠습니다.」

안고 있던 아이를 월이에게 넘기고 천봉삼이 훌쩍 윗봉노로 건너간 뒤 득추의 안해는 곁에 앉은 월이를 슬쩍 꼬집었다. 월이가 그 눈치가 무엇인지 알아채고 얼굴을 붉혔다. 음흉한 득추의 안해가 눈자위를 크게 치떴다가 내리면서 월이의 치마 끝을 쥐고 흔들었다. 월

이는 아이를 안고 밖으로 나갔다. 윗봉노의 지게문을 당겼더니 쉽게 열렸다. 월이는 아이를 아랫목에 눕히고 앉았다. 봉삼의 숨소리가 귓결에 고스란히 잡혀 올 만큼 봉노는 조용했다.

「평강 처소는 별 탈이 없겠지요?」

「행수님 비우신 이후로 유 생원께서 취의청을 지키고 앉아서 대소사를 모두 감당하시고 계셔 원산포와의 거래는 전과 다름이 없지요.」

「다행입니다. 유 생원께서 늦게 든 장가라 열락에만 몰두하시어 처소의 일은 몰라라 하실까 봐 조바심을 하였지요.」

「상리를 좇는 것보다는 우선 행수님 행처를 찾자 하고 나서는 동무들이 많았습니다만 유 생원께서 만류하셨답니다. 행수님 은신처를 수탐해 본들 일만 번거로울 뿐 거둘 것이 없다고 하였지요.」

「나 때문에 상단의 일이 흐트러져서는 안 됩니다. 그리고 내가 절대 죽지 않을 것을 유 생원께서는 알고 있었던 것입니다.」

「장차 어찌하실 것인지 제가 알아서는 안 되겠습니까?」

「나 혼자서 계책을 세워 본들 소용이 없겠지요. 날 샌 뒤에 궁리를 터볼 일이지요.」

월이가 옷고름을 만지작거리다가,

「제가 왜 여기까지 허위단심 달려왔는지, 행수님 뵙고 보니 다만 부질없고 부끄러울 뿐입니다.」

「그렇지 않습니다. 오늘 밤은 저와 합금(合衾)*하시어야 합니다.」

막상 봉삼의 입에서 합방을 해야 한다는 말이 불쑥 튀어나오자, 질겁하고 놀란 월이는 바람벽에 바싹 등을 붙이고 앉았다. 치맛단을 아래로 바싹 당겨 내리고 발을 움츠려 사추리 아래로 모두어 들였

---

*합금 : 남녀가 한 이불 속에서 잠.

다. 그러면서 마음에 없는 말로,

「그런 말씀이 어디 있습니까. 행수님께선 저를 두고 형수로 공대하시지 않으셨습니까.」

「금수가 아닌 제가 어찌 그것을 잊었겠습니까. 그러나 이제 이 하늘 아래서 배필이 될 수 있는 사람이 있다 하면 이 봉노에 웅크리고 있는 우리 둘뿐입니다. 이녁도 겉으로는 아닌 보살 하시나, 오래전부터 제게 정분을 두어 왔지요. 나 또한 언젠가는 우리 두 사람이 운우의 정을 맺어 해로를 언약하게 되리라고 믿어 왔다오. 그러나 마땅한 기회가 없었고 또한 명분도 없었지요. 오늘에 이르러 구태여 명분을 찾고 옛 정리에 얽매이어 심기를 그르칠 까닭이 없다는 생각이 들었습니다. 지하에 계시는 돌이 성님께서도 이쯤 되면 우리들의 합금을 용납할 것입니다. 아니, 성님께서 뜬귀 되어 혹여 이 봉노에라도 와 계신다면 조방꾼 행세라도 하고 싶을 것입니다. 공방살이의 고적함이 어떠하리란 것은 돌이 성님이 먼저 알고 있을 것이 아닙니까.」

「저는 두렵습니다.」

「그러지 마십시오. 또한 아이가 이녁을 그토록 따르고 있으니 비명에 간 아이의 어미인들 결단코 나나 이녁을 두고 강새암하거나 포원을 두지 않으리다.」

「아직 배냇머리에, 투레질하는 아이라면 아무나 거두어도 따르는 법입니다. 행수님만 한 재산가라면 서울의 반가(班家)를 뒤진다 하시더라도 현숙하여 상적(相敵)*한 규수와 정혼할 수 있을 것입니다. 하다못해 재덕(才德)이 겸전(兼全)한 되모시를 내자로 들여앉히신다 하여도 태생이 무자리 백정의 소생인 저와 같은 대물림

---

*상적 : 양편의 실력이나 처지가 서로 걸맞거나 비슷함.

씨종과는 하늘과 땅 사이가 아닙니까. 제가 행수님의 씨앗을 점지
받고 싶다는 소원을 지니고 여러 해를 조바심하지 않았던 것은 아
닙니다. 그러나 이제 막상 행수님 말씀 듣고 보니 그것은 이 못난
계집의 망령된 과욕이요 허황된 욕정이었음을 뼛골 깊이 깨닫게
되었습니다. 부디 생의를 마시고 조금만 참으시면 현숙하고 아리
따운 규수와 만나 열락을 누리시고 평생 해로하시게 될 것입니다.」
「내가 이녁과 해로하기로 작정한 것은 이녁이 무자리 백정의 소생
이기 때문입니다.」
「어찌, 찾아내어 팔자를 그르치시려 하신단 말씀입니까.」
「재덕을 겸비한 규수와 속현한다 하여도 그것이 허황되고 다만 마
음의 사치에 불과하다는 것을 아이어미와의 일로 깨달았던 때문
이지요. 송충이는 솔잎을 먹어야 자란다는 이치와 같지요. 까마귀
가 귀골들이 놀고 있는 노래청에 날아든다 하여 고운 소리가 날
턱 없고 다만 웃음거리가 될 뿐이지요. 환난과 신산을 같이할 배
필이라면 이녁밖에 또한 누가 감당할 수가 있겠소. 사리가 이런
이상 홀아비 굿 날 물려 가듯 할 것이 없소.」
천봉삼의 어취가 전과 같지 않아서 도대체 무슨 말이냐고 따지듯
대들었으나 봉삼은 그만 말문을 닫아 버리고 배냇짓을 하며 잠자는
아이를 잠시 살핀 뒤에 등잔불을 꺼버리는 것이었다. 불을 끈 후에
도 월이는 한동안 그린 것처럼 꼼짝 않고 앉아 있었다. 그러나 월이
는 곧장 일어나서 횃대 아래를 더듬어 보퉁이 하나를 가슴에 안더니
밖으로 나갔다. 밤은 깊어 벌써 자정을 넘기고 있었다. 사립짝을 밀
고 나선 월이는 대장간 뒤꼍을 돌아서 저잣거리 옹기전 어름을 가로
질러 건넜다. 옹기전을 돌아 나간 월이는 내처 도봉산 계곡 쪽으로
내려갔다. 아직 새벽바람은 일지 않았으나, 먼 데서 밤짐승이 울부짖
는 소리가 들려왔다. 귓밥이 떨어져 나갈 듯이 추웠고 손끝은 화덕

에 꽂은 듯 얼얼하였다. 곧장 어둠 속에서 도봉산의 바위가 성큼 다가섰다. 발아래로 큰 개울이 나타났다.

도봉산 속에 있는 천축사(天竺寺)에서 흘러내리는 개울이었다. 천축사는 봉은사(奉恩寺)의 말사(末寺)로 절간을 휘돌아 흐르는 그 개울은 물이 맑아서 벌써 초겨울부터 두께지게 얼어 있었다. 개울의 얼음 또한 혹독한 추위를 만나서 쩡쩡 소리 내면서 갈라지는 것이었다. 개울가에 닿은 월이는 희미한 밤빛 아래 번들거리고 빛나는 빙판을 오래도록 바라보며 서 있었다.

월이는 바윗돌을 주워서 머리 위까지 쳐들고 강심 쪽으로 힘껏 내던졌다. 그러나 얼음에 구멍이 뚫리기는커녕 돌은 얼음을 찍고 저만치 강심 쪽으로 미끄러져 들어갔다. 그러나 단념하지 않고 여러 개의 바윗돌을 던져서 마침 숨구멍 한 군데를 찾아내었다. 얼음 구멍에 엎드린 월이는 사람 하나가 쉽게 드나들 만하게 구멍을 넓혔다. 그리고 나서 옷을 벗기 시작하였다. 저잣거리를 벗어나면서부터 월이를 뒤따르던 개호주 한 마리가 빨랫줄 두 개 길이만 한 상거인 돌무덤 위에 웅크리고 앉아 있었다. 개호주는 이쪽에 대고 돌을 물어던지고 흙을 퍼 던지기도 하였지만 월이는 아랑곳하지 않았다. 이제 월이는 완전히 알몸이 되었다. 그때 돌무덤에 앉았던 개호주란 놈이 흠칫 놀라 일어서더니 나는 듯이 빨랫줄 하나 상거만큼 뒤로 물러나서 뱃구레를 자갈 바닥에 바싹 붙이고 엎드렸다. 월이는 두 손으로 젖무덤을 바싹 껴안고 얼음 구멍에다 발부터 집어넣었다. 발등이 금방 터져 나갈 것만 같았고 뼛골을 훑는 찌릿하고 옹골진 한속이 금방 뒷덜미에까지 치밀어 올랐다. 월이는 눈두덩에 불이 켜지는 듯한 고통을 삼키면서 얼음 구멍에다 그 사연 많은 육신을 첨벙 담그었다. 천만 개의 바늘이 와서 온 삭신을 꿰매는 듯하였다. 월이는 두 손으로 물을 퍼 올려 얼굴에다 끼얹었다. 그리고 개호주가 앉아 있던 돌무덤 어름을 똑바로 쳐다보았다. 그 순간 귓가에 씩 하고 바람이 갈라지는 듯한 소리가 들려온 것 같았다. 지척에서 바라보이던 개호주는 그 뒤 흔적도 없이 사라져 버렸다. 월이의 몸뚱이는 이제 육신으로서의 감각을 잃어버린 지 오래되었다. 하늘을 쳐다보니 별은 쏟아질 듯 가까웠다. 그 순간 월이는 다시 눈두덩에서 불덩어리가 솟구쳐 나오는 듯한 느낌이었다. 작은 신음 소리가 궐녀의 입에서 새어 나왔다. 그러나 작은 신음 소리 같던 그 목소리는 맞은편 도봉산록에 부딪혀 메아리가 되어 되돌아왔다. 그것은 계곡이 울리는 듯한 메아리였다. 월이는 비로소 발바닥이 조금씩 더워 오는 것을 의식했다. 뼛골을 파고들던 한속이 밀려나고 잔에 술을 채우듯 뜨거운 기운이 온몸에 천천히 퍼져 나가기 시작했던 것이다. 그것은 단순한 열기만으로서가 아니라 큰 기쁨과 같은 것이었다. 그런 즐거움을 맛본 적이 일찍이 궐녀에게 있었을까. 자신의 몸속에 스며들어 박혀 있던 모든 사악한 기운이 궐녀가 느끼는 기쁨으로 소멸되어 가는 것 같았다. 얼음 구멍에서 김이 솟아오르기 시작했다. 월이는 다시 한 번 몸을 뒤척였고 김이 오르는 물로 머리를 감았다. 살갗의 숨구멍 하나하나에 낀 때를 지성껏 닦아 내었다. 그리고 얼음 구멍에서 나와 보퉁이를 풀었다. 올이 굵고 성긴 북덕무명으로 지은 옷이나, 지어 놓은 이후 단 한 번도 몸에 걸쳐 본 적이 없는 새옷이었다. 옷을 챙겨 입은 궐녀는 왔던 길을 되짚어 대장간으로 돌아왔다. 궐녀의 몸은 화끈거려서 흡사 화덕에서 삶아 낸 것 같았다.

궐녀는 자고 있는 아이의 등을 토닥거려 준 뒤 저고리를 벗어 횃대에 걸고 숨소리를 죽이고 봉삼의 곁으로 가서 누웠다. 그리고 이마 위에 얹혀 있는 봉삼의 손을 거두어 자신의 허연 젖무덤 위에다 얹었다.

깊이 잠들어 있을 줄 알았던 봉삼이,

「몸이 이렇게 뜨거울 수가, 어디 화덕에라도 쬐고 왔소?」

「이 오밤중에 어디 화덕이 있겠습니까. 잠시 냇가를 다녀왔습지요.」

「냇가라니? 거기서 고기를 건져 올렸었소?」

「더럽혀진 육신으로 행수님 곁에 눕자 하니 수치스러웠습니다. 마침 절간을 돌아서 흐르는 개울이 있기에 나갔습지요.」

봉삼의 손이 월이의 젖무덤을 더듬다가 목덜미로 올라와서 살갗을 가만히 쓰다듬었다. 그 손등 위에다 궐녀도 손을 얹었다.

「이 엄동에 얼음 구멍을 파고 몸을 담그시다니. 이제까지 겪은 고초로서도 탁발승 못지않은 고행에 버금가겠다 하겠거늘, 왜 그런 짓을 하시었소. 이녁이 그러시면 나 또한 얼마나 부끄러운 육신이겠소.」

「이제 그만 하십시오. 구태여 되뇌실 것 없습니다.」

천봉삼은 흑공단같이 치렁치렁 풀어 내린 월이의 머리채를 쓰다듬었다. 그리고 머릿결 사이로 손가락을 넣었다. 봉삼의 손끝이 속살을 헤집어 갈 적마다 월이의 아랫배는 팽팽하게 당기고 가슴이 뛰었다.

「우리의 아이는 못난 아비를 가졌으나 좋은 어미의 슬하에서 자랄 것이니 올곧은 사내가 될 것이오.」

월이는 그 말에 대꾸 않고 봉삼의 가슴으로 기어올라 그 가슴에다 입을 쩍지게 맞추었다. 봉삼이 월이를 바싹 끌어당겨 안았다. 뼈가 으스러지는 것 같았으나 고통을 느낄 수가 없으니 이 또한 무슨 조화인가. 월이의 자그마한 몸뚱이가 다시 와락 안기면서 봉삼의 오장육부를 파고드는 듯했다. 턱 아래 있는 궐녀의 입에서 단내가 풍겨왔다. 봉삼의 등때기에도 월이의 손톱자국이 긋고 있었으나 그것을 느끼지 못하였다. 봉삼의 떨리는 손이 성급하게 아래로 내닫더니 월이의 치마끈을 풀고 있었다. 옹골차고 피둥피둥한 월이의 불덩어리 같은 엉덩이가 시위를 당긴 것처럼 푸짐하게 부풀어 있었다. 월이의 두 손 역시 봉삼의 가슴에서 배꼽으로, 배꼽에서 다시 사추리로 내려가며 떨리고 있었다.

바라지 밖으로 그제야 바람이 일기 시작했다. 먼 데서부터 허허벌판을 쏴 하고 달려온 바람이 개울가의 빙판을 만나 다시 한 번 그 기세를 더하고, 저잣거리를 휘몰아 목청을 가다듬은 뒤에 대장간 지붕을 탐욕스럽게 핥고 지나는 것이었다. 대장간 뒤쪽에 서 있는 노목이 바람을 맞아 가지를 서서히 흔들기 시작하더니 나중엔 밑둥치까지 푸르르 떨기 시작하였다. 나뭇가지가 꺾이는 소리도 들려왔다. 바람이 드세지자 저잣거리 자발없는 개들이 짖기 시작하였다. 봉삼의 두 손이 월이의 어깨를 부서져라 껴안아 뒤쪽에서 손깍지를 끼었다. 봉삼은 등에 축축하니 땀이 배었고 정신이 점점 몽롱해졌다. 월이가 무엇이라고 중얼렸으나 봉삼으로서는 도대체 알아들을 수 없었다. 그러나 바깥 봉당에서 문설주에 귀를 바싹 갖다 대고 봉노 안의 동정을 엿보고 있는 득추 안해의 귀에는, 이분의 소생을 점지하소서라고 몇 번인가 되뇌는 월이의 말소리가 너무나 명료하게 들려왔다.

부들자리와 토방의 흙이 서로 빗대고 문질러져서 봉노 안에는 먼지가 뽀얗게 떠오르고 매캐한 흙냄새로 하여 잠자던 아이가 밭은기침을 토해 내고 있었건만, 회오리바람 꼭대기에 올라 있는 두 사람은 아이의 울음소리조차 듣지 못하였다. 아이가 울음을 터뜨린 지 한참이나 되어서야 주섬주섬 옷매무시를 수습하는 소리가 들리고 월이가 엉금엉금 기어가서 아이를 안아 올리는 것이었다. 월이가 캑 하고 기침을 토하려다 말고,

「아무래도 바라지를 열어야겠습니다.」

「바라지를 열다니, 이 엄동에?」

「우선 불이나 켜보시지요. 어찌 목이 매캐한 것이 이상합니다. 군

불 땐 지 오래인데 연기도 아닐 테고.」

봉삼이 부싯깃으로 등잔에 불을 댕기고 나서야 천장의 삿갓반자가 희미해 보일 정도로 봉노가 먼지로 싸여 있다는 것을 알았다. 아랫목에 연폭해 깔려 있던 부들자리 두 닢이 윗목으로 밀려가 있었다. 봉삼이 부들자리를 다시 아랫목으로 내려 깔았다.

그때, 득추 안해의 등 뒤에서 혀 차는 소리가 들렸다. 그리고 사내의 손이 궐녀의 저고리 뒷고대를 잡아챘다. 와락 놀랐으나 곧장 득추인 것을 알아채고 궐녀는 비척비척 안봉노까지 끌려갔다. 득추가 목자를 부라리고,

「임자, 전사에는 하지 않던 짓을 하는 것은 무슨 연유여?」

「말도 마슈. 우리 동서 살수청 드는 솜씨도 아금받았지만, 행수님 행방하는 도리에도 그처럼 억세고 밝은 줄은 미처 몰랐다우. 허리 다치셨다는 말씀은 말짱 헛소리인 것 같았소.」

「이런 쓸개 빠진 계집사람 같으니라구. 정다실 일이 없어서 남의 구들막 농사나 곁눈질하고 다니느라고 밤잠을 설치는가그래? 임자 그런 버릇은 도대체 어디서 누가 가르친 것이여?」

「월침침(月沈沈) 야삼경에 바로 외얽이한 바람벽 하나를 사이하고 가죽방아 찧는 소리가 낭자하였다면 이력인들 가만있었겠소? 그것이 아니라도 난 오늘 밤 윗봉노에서 동품을 하시게 되는가 아닌가 궁금해서 잠을 자지 않았다오. 다만 구경거리로만 여길 일이 아니란 것이오.」

「희학질을 하든 용두를 치든 그분들이 작정해서 할 일이지 임자가 왜 안달인가? 이제 보니 천 행수에게 은근히 정분을 두고 있었던 거지?」

이번엔 득추의 안해가 혀를 차면서 득추를 노려보았다.

「저런 얼간이하구선. 할 말이 없으니깐 이젠 이십 년 해로한 조강

지처를 화냥으로 몰아붙이자는 것인가. 내가 봉노를 엿본 것은 아랫동서 하나를 만들자는 일이지 갑자기 색념이 발동해서 그런 줄 아슈? 아니, 제 계집을 구렁에다 빠뜨릴 작정이오?」

득추의 안해가 길길이 날뛰었다. 득추가 그 말에는 대꾸를 않고 킥 웃더니,

「그래, 합환은 되었나?」

「되었든지 말았든지 이녁이 알아서 뭣 하려구.」

「임자가 보았다면 나도 대강은 알고 있어야 하지 않은가.」

「실성을 하시었나. 날 몰아세우기를 똥 훔친 개 몰아세우듯 하더니 이제 와선 웬 괴만 소리요? 하긴 대단들 하십디다. 그렇게 억센 합환이야 내 평생 두 번 다시는 구경하지 못할 거요.」

선잠을 깬 내외가 다시 잠잘 채비는 않고 윗봉노에서 있었던 남의 방사(房事)를 들추어 팔뚝을 내저어 견주어 보이며 킥킥거리고 웃는가 하였더니 득추가 불쑥 내뱉는 말이,

「임자, 우리가 남의 얘기로만 밤을 새울 게 아니라 우리도 병신들이 아닌 이상 신명 떨음을 한번 하는 게 어떤가?」

낄낄거리고 웃던 득추의 안해가 순간 안면을 바꾸고 딴전 펴기를,

「신명 떨음을 하다니? 뭘 말이오?」

득추가 여편네의 거웃 어름으로 돼지 발바닥 같은 손을 쑥 집어넣으면서,

「이런 능청 좀 보게, 담 너머서 툭 하면 호박 떨어진 줄 몰라서 이러나.」

「이런 화상하구선, 남이 장에 간다니 거름 지고 따라간다더니 분수 좀 차리시오. 더위 먹은 소처럼 들숨 날숨만 가빴지 새콤한 맛도 못 내는 얼간이가 소싯적 색탐하던 솜씨는 있어 가지구서.」

「이런 또 냉갈령을 쏘아붙일 건 뭔가. 늙은 말이라구 콩 마다할까.

냉큼 이리 둘러대 봐. 새콤한 맛이 없으면 찡한 맛이라도 있겠지.」

「새콤한 것이구 찡한 것이구, 그 단내 나는 입 저리 치워요. 낯빤대기도 뻔뻔스럽지. 식솔들 끼니 굶기어 피골이 상접하게 두구선, 밤마다 엉뎅이 둘러대란 말은 수월하게 내뱉는구먼. 계집 잔등 부러뜨려 놓으려고 작정 단단히 한 사람일세.」

입으로는 딴전을 펴면서 핀잔에 넋두리를 늘어놓는 중에도 득추의 여편네는 아이들을 맞은편 바람벽 아래로 밀쳐 뉘는 일변 치맛자락으로 거웃을 쓱 밀어 훔치고는 슬쩍 모잽이로 눕는 형용을 하면서 또다시 득추를 흘겨보았다.

「종일 풀뭇간 메질에 시달리구서 밤엔 또 무슨 기력이 남아 색탐이 저렇게도 옹골찬지 알다가도 모를 일이라니깐. 하기야 이 궁박한 살림에 낙이라고는 가죽방아 찧는 일밖에 더 있을까만······」

득추의 안해는 이튿날 바라지가 훤하게 밝아 오는 즈음에 일어났다. 여편네들이란 제 식솔들이 뒷구멍이 찢어지는 듯한 모진 궁기에 시달린다 할지라도 얼마간의 사전(私錢)은 마련해 두는 것이 버릇이었다. 득추의 안해는 부엌 시렁 위에 얹어 둔 채독을 내려 숨겨 둔 은자 몇 닢을 꺼내더니 부리나케 저잣거리 초입에 있는 푸줏간으로 달려갔다. 돝고기를 사다가 된장 풀어 삶고 곱삶아 낸 보리밥이긴 하나 양푼에다 푸슬푸슬 흩어 담아 부엌 말코지에 걸린 막소반을 내려 밥상을 보려는데 거적문을 들치고 부엌간으로 월이가 들어왔다. 소반에 행주질을 하다 말고 득추의 안해는 손사래를 치고 밀막으면서,

「에그머니나, 이게 무슨 일인가. 가만 앉아 계시면 내가 어련히 차려 올리겠나. 냉큼 들어가셔.」

「내가 늦게 나왔다고 핀잔을 하시려는 거구려.」

「핀잔을 하다니, 그런 말 마소. 육례(六禮)를 찾아서 초례를 치를 경황이야 없었다 할지라도 백년해로할 내외지간이 틀림없는 터,

44

명색 첫날밤을 잔 새색시를 부엌간으로 불러들일 수야 없지. 아무리 법도 없이 살아가는 상것들이기로서니 이런 경위 없는 짓은 말아야지.」

새색시란 말에 월이의 얼굴이 홍당무가 되었다. 하기야 아름답지 못했던 월이의 옛적 일을 두고 비아냥거린 것은 아니겠지만 월이는 그 순간 가슴이 뜨끔하였었다. 겉으로야 맞잡이 사이라지만 연치를 따지고 보면 형님뻘이 되니 행짜를 부리거나 나무라고 쏘아붙일 처지도 아니어서 봉노로 되돌아오고 말았다.

두 사람이 신방 차린 덕분으로 온 식솔들이 조반을 걸게 먹게 되었다. 날짜를 보아하니 송파 쇠전이나 평구 쇠전으로 내려올 상대들이 당도할 조금이었다. 중화때가 되어서 서른 명이 넘는 상대들이 다락원에 득달하였다. 평강에서 내려올 적에는 원산포의 강쇠가 주선해 주는 원산 북어 바리들을 져다가 다락원 여각에 행매하고 나서, 평강으로 회정할 적에는 송파와 평구의 살진 소를 넘겨받아 평강 지경까지 몰이해서 인근 저자에다 풀어먹이고 일부를 원산포 강쇠에게까지 중개(仲介)시키는 것이었다.

평강에서 내려올 적에나 원산포까지 회정하는 길목에는 상대들이 단골로 쓰는 마방 딸린 객점이 수두룩하고 또한 왈짜들이 끼어들지 않고 봉적할 일이 없으니, 호랑이만 만나지 않는다면 어느 상대보다 이문을 두둑하게 남길 수가 있었다. 소소한 이문이나 바라는 옹색한 처지의 상대들은 평강 처소 쇠전꾼들이 오르고 내리는 길과 날짜를 은근히 탐문하였다가 평강 상대의 일정에 맞추어 발행하고 회정하였다. 평강 상대와 동사하는 처지는 아니라 하더라도 수양산 그늘이 강동 80리를 가더라고 울세고 곁꾼 많은 평강 상대들 그늘에 묻혀 움직이면 소소한 작경이나 행패를 수월하게 피해 넘길 수 있었기 때문이다.

조용하던 다락원 저자에서도 평강 상대가 당도했다 하면 하루 동
안은 저자가 떠나갈 듯 분주했다. 평강 상대들에게 묻혀 오는 물화
는 북어 따위의 해물뿐만 아니고 황아장수며 소금장수, 방물장수, 짚
신장수 들까지 묻어 들기 때문이었다. 서울의 배우개나 칠패의 객주
여각에서도 평강 상대들이 다락원에 득달하는 날짜에 맞추어서 흥
정할 차인 행수들을 다락원으로 내보내게 되었다. 자연 천봉삼이란
이름은 조정 상신(相臣)들의 귀에까지 낯설지 않았으니 고종도 은근
히 천봉삼이란 자를 보았으면 하였다. 사방에 화적들이 길목을 지키
고 섰다가 행려를 욕보이고 행탁을 털어 가지만 평강 상대라 하면
호랑이 보듯 숨거나 피해 가니 경도 지경에 발을 들여놓은 선길장수
들은 길이 멀어도 평강 임방(任房)의 자문을 얻고자 몰려들었다. 그
것은 혹여 고개티에서 화적을 만나면 평강 처소에서 내준 자문을 내
보이면 무사하게 놓여난다는 소문이 선길장수들 사이에 파다하게
퍼져 있었기 때문이다. 화적들의 거동이 그러했던 것은, 평강 상대의
겸인·짐방 중에는 옛 화적 출신들이 많아 저들의 주지(住址)와 연
비를 환하게 꿰고 있어서 섣불리 건드렸다가는 보복을 당하기 일쑤
였고 또한 저들도 화적질을 그만두고 상단에 가담할 날이 있기를 은
근히 바라고 있었기 때문이다.

다락원에 당도한 평강 처소의 상단들이 마침 단골 여각 포주인(浦
主人)으로부터 천봉삼이 대장간에 있다는 소식을 귀띔받고는 행매
(行賣)를 하다 말고 덮어 두고 대장간으로 뛰어들었다. 과연 천 행수
는 득추의 대장간 봉노에 너부죽이 앉아 있었다.

겸인 네댓이 봉노 퇴 아래 엎어질 듯 고꾸라지며 이구동성으로,

「행수님, 어인 일이십니까?」

「모두들 무탈하시었소?」

「시생들이야 무슨 걱정이 있었겠습니까만 행수님 겪으신 고초가

골수에 사무쳤겠지요. 혹여 기동이 여의치 못해서 묵새기고 계시는지요?」

「곧장 평강으로 내려갈 작정이오만 사사로운 일로 잠시 지체하는 중이오. 유 생원이며 평강 처소 식구들은 모두 잘 있소?」

「별 탈은 없습니다만…….」

「말 뒤가 석연찮은 걸 보니 무슨 탈이 난 모양인데?」

「시생들이 내막을 소상하게는 알고 있지 못합니다만 원산포 마방에서는 왜상들의 사주를 받은 끄나풀들이며 아전붙이들이 쇠전을 농간하고 있다는 소식입니다. 요지간에 들어선 마방까지 위협하여 고초를 겪고 있는 모양입니다.」

「그럼 원산포에다 동무님들 몇을 내려 보내도록 해야지 그냥 두면 어떻게 하겠다는 것이오?」

「그럴 의향들도 없지는 않았으나 조금에 행수님이 돌아오실까 하여 결단을 차일피일 미루고 있는 듯합니다요.」

「다음 파수까진 나도 평강에 내려갈 것이오. 그러나 앞서 내려가거든 십여 명을 원산포까지 보내어 강쇠를 돕도록 하라고 전하시오.」

「여기서 처결하실 일이 무엇인지 모르겠으나 시생들이 거들면 안 되겠습니까?」

「내 혼자 힘에 겨우면 송파 처소의 힘을 빌리도록 할 것이니 너무 걱정들 마시오.」

2

평강으로 기별을 띄운 천봉삼은 월이를 다락원에 남기고 느지막이 발행하여 시구문 밖 석쇠의 집에 당도하였다. 해는 벌써 나절가웃이나 기운 뒤였다. 천 행수가 불쑥 나타난 것에 놀란 석쇠는 한동안 일손을 놓고 쳐다보기만 하였다. 천 행수가 좌정하고 난 뒤에야 말구멍을 트고 어찌 된 노릇이냐고 다잡아 물었다.

「송파에 기별 띄울 사람을 살 수 없겠나?」

「송파 처소에 기별 띄울 일이라면 구태여 급주를 마련하실 까닭이 없습니다. 행수님 다락원에 계시단 소식 듣고 금방 송파에다 통기하였으니 늦어도 석식 전까지는 송파 식구들이 이곳으로 몰려 들어올 것입니다.」

「내가 다락원에 있다고 누가 그러던가?」

「다락원에 계시다는 것만 알고 있는 줄 아십니까. 행수님께서 지난 밤 속현을 하셨다는 것도 알고 있답니다.」

아니나 다를까, 그가 석쇠의 공방에 당도한 지 한 식경도 못 되어서 조성준과 최송파하며 차인들 서넛이 들이닥쳤다. 마침 석쇠의 안해는 고뿔이 났다고 안봉노에 드러누워서 코빼기도 내보이지 않았는데, 석쇠의 안색을 유심히 살피자 하니 내외간에 대판 싸움이 벌어졌던 모양이었다. 서로 간에 스스럼없는 사이들이긴 하였지만 가내사인지라 미주알고주알 따져 묻기도 쑥스러워서 눈치만 보고 있었다. 때마침 한뎃바람 속을 달려온 송파 식구들이 뜨거운 물을 청하였다. 그래도 코대답도 않고 있더니 석쇠가 몇 번인가 소리를 질러서야 물 한 그릇을 떠왔는데, 물그릇을 내동댕이치듯 하며 난데없이 천봉삼을 흘겨보는 것이었다.

「신방은 다른 곳에서 차리시면서 뜨거운 물은 왜 여기 와서 찾는답디까.」

한마디 쏘아붙이고는 횡허케 안봉노로 들어가서 지게문을 소리나게 닫았다. 모두들 불각시에 당한 핀잔이라 얼굴들만 쳐다보고 있는데, 석쇠가 낭패한 낯짝으로,

「본데없는 계집이 행짜 놓는 것을 가지고 괘념치 마시오. 저것이

시방 제 분수를 모르고 실성기를 보이는 것이랍니다.」

「아니, 실성기라니? 자네 여편네 심덕 좋기로는 가근방에서 호가
난 사람인데 불각시에 입을 열댓 발이나 빼물고 강짜를 놓으니 우
리가 싱숭생숭하지 않은가.」

그런데 안봉노로 들어갔던 득추의 안해가 바람벽 하나를 격한 공
방에서 받고채는 말들을 죄다 귀여겨들은 모양이었다. 문밖에서 치
마 바람 소리가 나는가 하였더니 문이 홱 열리면서 석쇠 안해의 얼
굴이 불쑥 내밀렸다. 궐녀는 마침 갓신에다 골을 먹이느라고 용을
쓰고 있는 석쇠를 베어 물 듯이 노려보면서,

「나보고 실성했다고? 내가 어디에 환장해서 실성기를 보일까?」

석쇠가 눈자위를 부라리며,

「저런 본데없는 여편네하구선, 저렇게 얼토당토않은 일에 투정을
하니까 자궁에 소생을 보지 못하는 거여.」

「그런 말 마슈. 제가 송파 처소 식구들이면 속것에 감추었던 것인
들 아까운 줄 모르고 지성껏 대접하고 오밤중에 방문을 두드려도
군소리 한마디 해본 일이 없고, 한때는 복에 없는 산후 조섭까지
했더랬지요. 그런데 행수님께서 재취를 보시고 신방은 딴 곳에서
차리시니 이런 매정하고 야속할 데가 어디 있습니까. 우리 집이 협
착하나 신방을 차리신다면 안봉노라도 내어 드릴 터인데 다락원에
서 신방을 차리시다니요. 우리 집에서 차리시면 동티가 난답디까.」

무안을 당한 천봉삼은 고개를 돌리고 앉았는데 석쇠가 여편네 핀
잔하는 말이 되레 같이 빈정거리는 꼴이 되었다.

「그야 행수님 내키는 대로지. 신방을 꼭 우리 집에서 차리란 율이
라도 있다는 건가. 우리 집이 다락원 대장간에 비한다면 어디 집
이라 할 수 있겠는가. 사람이 제 분수를 차릴 줄 알아야지.」

강짜를 부리는 여편네나 핀잔하는 석쇠의 말이 모두 투정 되어 천

봉삼의 입장만 난처한데, 마침 곰방대를 문설주에다 소리 나게 턴 조 행수가,

「시방 그런 일로 싸개통을 벌이고 있을 처지들이 아닐세. 사람 하나가 문서 없는 종이 되어서 고초를 겪고 있는 중에 그런 시답잖은 일들을 가지고 왕배덕배하고 있을 텐가.」

뿌리를 잡아 뺄 것같이 기승을 부리던 석쇠의 안해가 조 행수 한마디에 찔끔해서 입을 닥치고 말았다. 그제서야 천봉삼이,

「아지마씨, 너무 섭섭하게만 여기지 마시오. 제가 아지마씨와 척이 진 사이도 아닌 터 사정이 그렇게 된 것뿐이니 해롭게만 여기지 마시오. 어찌 압니까, 내 환갑잔치를 여기서 하게 되는지.」

석쇠의 안해가 못 이기는 체하고 안봉노로 물러간 뒤에 천봉삼이 좌중에게 자기가 오늘 거행할 일을 말했다.

「오늘 밤 내가 북묘로 가려 합니다. 설령 구천에 박힌다 하여도 내 누이를 그냥 두고는 아무 일도 할 수가 없습니다.」

「누이가 풀려나고 자네가 또한 잡히는 꼴을 겪게 되는 것은 아닌가?」

「그건 임시해서 또한 부딪쳐 볼 일입니다. 이 모든 불상사가 퀄녀가 내게 갖고 있는 매원 때문이니 결자해지로 제가 나서지 않으면 결말이 날 일이 아니지요.」

그때 조 행수가 선혜청에 불난 것을 계기로 길소개가 송파 처소로 찾아온 일과 누이를 구명하겠답시고 북묘에 기어들었다가 폐인 된 것을 알려 주었다. 천봉삼의 안색이 한동안 하얗게 질리긴 하였으나 고집을 꺾지는 않았다.

「어쨌든 이번의 사단은 제가 북묘로 가지 않으면 결단이 날 일이 아닙니다. 상대는 곤전을 움직일 수 있는 권세가가 아닙니까. 누이를 놓아주게 된다면 이곳으로 보낼 것이니 행수님께선 회정치

마시고 한 이틀 계시다가 누이와 같이 송파로 건너가시지요.」

「우리 몇 사람이 북묘 어름으로 가서 지켜보는 것이 어떻겠나?」

「여기서 기다리시지요. 제가 어떤 지경에 이른다 할지라도 절대로 궐녀에게 분탕질을 놓아서는 안 됩니다. 제 힘으로 그곳을 빠져나올 것이니까요.」

「그럼 우선 여기서 기다리겠네.」

어둑발이 내리기를 기다렸다가 천봉삼은 시구문 해자로 해서 장안으로 들어갔다. 이경(二更) 해시에 인정을 칠 것이니 통행이 막히려면 아직도 몇 조금 기다려야 했다. 인정 칠 임시에 북묘에 닿을 작정이었다. 해시 초에 동소문 어름에 닿아서 인정 치기를 기다려 월장해서 북묘로 뛰어들었다. 노복들이 상직을 서고 있는 것도 아니었고 개도 없었다. 집 안이 모두 괴괴한데 바로 눈앞에 기왓골이 덩그런 정침(正寢)*이 바라보였다. 방이 모두 몇 개인지 얼른 분간할 수 없으나 대방으로 보이는 곳에는 불이 환하게 켜져 있었다. 불빛에 육간대청이 번질거리고 빛났다. 천봉삼은 문득 신방돌 위로 올라섰다. 기왕에 여기까지 온 이상 주저할 것이 없었다. 바로 그때 대방의 장지문이 열렸다. 장지문을 열고 대청으로 나서는 사람은 매월이었다.

「어서 드십시오. 기다리고 있던 참입니다. 문밖에서 통자를 넣으시면 노복들이 나가서 환접해 들일 것인데, 월장까지 하시다니요. 바깥바람이 찹니다. 어서 오르십시오.」

「방 안에는 혼자뿐이오?」

「명색 의자라는 것과 거처를 같이합니다만 며칠 전 출타를 하였습니다.」

천봉삼은 방 안으로 들어섰다. 뒤꼍으로 난 장지 아래, 코에 향긋

---

*정침 : 거처하는 곳이 아니라 주로 일을 보는 곳으로 쓰는 몸채의 방.

한 밀초가 타고 있었다. 매월이를 보아하니 성적을 곱게 하고 입성은 비단이었다. 저고릿깃 사이로 바라보이는 육덕이 전과 다름없이 푸짐해 보이고, 손등은 백옥과 같았다. 고미다락에서 비단 방석을 꺼내 놓으면서 매월이는,

「앉으십시오. 초저녁부터 오실 줄 알고 기다렸답니다.」

「영험한 줄은 알고 있으니 그만두시오.」

「지금은 쾌복이 되셨습니까?」

「쾌차했으니 또한 호굴에 얼굴을 디밀었지, 그렇지 않고서야 감히 생념인들 했겠소.」

「이것이 얼마 만입니까. 천 행수께서 민영익에게 그런 혹장(酷杖)에 사구류를 당하고 계시단 걸 알고 나는 깜짝 놀랐습니다.」

「왜 놀랐다는 거요? 상것들이 주문가에 잡혀가서 치도곤을 당하는 일이야 항용 있는 일이 아니오?」

「내가 행수님께 정분을 두고 있다는 것을 몰라서 되뇌게 하십니까.」

「내게 정분을 두고 있다는 사람이 설마하니 내 누이를 잡아다가 갖은 고초를 안기지야 않았겠지요? 그러나 듣자 하니 내 누이를 드난살이로 박았다구요?」

「누이를 안잠자기로 들여앉힌 것은 행수님 뵙고 싶은 일념 때문에 저지른 것이니 그렇게 아십시오. 누이께서 호강을 누리고 신고를 겪게 되고가 모두 행수님 거동 하나에 달렸다는 것은 내가 깨우치지 않더라도 행수님이 더 잘 알고 있을 것입니다.」

「당치도 않은 말, 내 누이를 당장 이리로 모셔 오시오.」

「안 됩니다. 내일 보아야 합니다.」

「내가 북묘로 뛰어들었을 적엔 마음에 각오한 바가 있었기 때문이 아니겠소? 설마 누이와 나를 모두 인질로 잡아 둘 작정은 아니겠

지요? 나를 겨냥해서 그분을 잡아 둔 것이라면 응당 그분을 놓아
주어야 할 것 아니오?」

「남의 집에 왔으니 좌정이나 하시지요. 내 악한 계집이라 하나 구
미호는 아니니, 누이를 잡아먹진 않을 것이오.」

「상신들조차 감히 넘볼 수 없는 권세를 누리고 가죽신에 흙을 묻
히지 아니하고 출입하며, 여항의 못난 백성들처럼 끼니 끓일 걱정
도 없고, 또한 공방을 지키고 있다 하나 흔한 것이 사내일진대, 천
격인 우리 동기간을 두고 이토록 끈질기게 괴롭히고 드는 것은 도
대체 무슨 까닭이오? 전생에 무슨 악연이 얽혔기에 우리가 이토록
앙숙 되어서 여러 해째 지내야 한단 말이오. 진력도 나지 않으시
오?」

「악연이라 말씀하시는군요. 이 모두가 천 행수를 사모함으로써 빚
어진 일이 아닙니까. 천 행수가 지닌 것이 무엇이기에 도대체 그
토록 끈질기게 나를 내친단 말입니까. 내 모든 것을 가졌다 할 만
하나 단 하나 마음먹은 대로 되지 않는 것이 천 행수이니 때로는
간계로써 행수님의 심지를 돌려 앉혀 보려 했던 것이 아닙니까.」

「그러나 어찌 정분이 술수나 간계로 이루어질 수 있다고 생각한단
말이오. 그로 인하여 매원이 생겼으면 생겼지 정분이 솟아날 리
만무하다는 것이야 아둔하지 않은 댁네가 더 잘 알고 있지 않소이
까.」

「내가 행수님을 얼마나 사모하고 있는지 보여 줄 만한 것이 있습
니다.」

매월이가 돌아앉더니 문갑을 열고 연꽃무늬가 새겨진 화각함 하
나를 꺼냈다. 그리고 봉삼에게 들이밀었다.

「그것을 열어 보시면 내 말이 무엇인지 알게 될 터이지요.」

천봉삼이 화각함을 열어 보니 삼상(參商)에게 내어 주는 인삼 판

매 허가서 격인 황첩(黃貼)이 들어 있었다. 황첩이란 천봉삼과 같은 부상(負商)에게는 가위 하늘의 별 따기보다 더 어려운 이권이라 할 수 있는 것이었다.

육의전의 대행수 자리쯤에 올라야만 요로에 청질하여 하나를 따낼까 말까 한 황첩이었다. 지난 군란 때 이용익이 다급하다 못해 황첩 이야기를 들먹였을 때만 해도 천봉삼은 속으로 코웃음을 쳤다. 이용익이 당대의 재상 민영익의 휘하에서 주변한다 하더라도 그 황첩만은 따낼 수 있는 여력이 못 되리라는 짐작을 한 것이었다. 그런데 상신들의 입김으로서도 뽑아내기 어려운 이 황첩이 매월이의 손에서 흘러나오다니.

「내가 일찍부터 천 행수에게 건네려고 곤전에 상주하여 그것을 얻어 놓고 흡사 상전의 약사발 떠받들듯 해왔다 하면 내 정분이 어떠했더라는 것을 짐작했겠지요.」

천봉삼은 가슴이 두근거렸다. 이것 하나만 가지면 조선 팔도의 도고들을 휘저어서 인삼을 도집할 수 있을뿐더러, 청나라 땅 연경(燕京)에까지 들어가지 않고 의주까지만 운반해 놓더라도 거의 네 배의 이문을 남길 수 있을 것이었다. 그렇다면 4, 5년 안으로 그는 조선에서 명자한 팔포대상(八包大商)으로 자리를 굳힐 것이었다. 설혹 천봉삼의 사사로운 영화와 상관없는 일이라 할지라도 황첩 하나만 가지면 평강과 송파에 흩어진 수하 동무님들 모두가 의지간들 마련하고 가게까지 낼 수 있는 재력을 쌓을 수 있을 것이었다. 마음 같아서는 화각함을 끌어안고 대성통곡이라도 하고 싶었다. 매월이의 손에서 부사(府使)가 생겨나고 현감(縣監)이 나온다는 것은 천봉삼과 상관없는 일이었다. 그런데 그 손에서 황첩이 나올 수도 있다는 것에 천봉삼은 놀라고 말았다. 이것만 있다 하면 현감 자리 몇 개인들 못 사겠는가. 천봉삼의 흉중을 손금 들여다보듯 하고 있던 매월이가 입을 열었다.

「그것을 당장 받아 넣으시기에는 무안하고 꺼림칙하기도 하겠지요.」

천봉삼의 입에서는 당장 이렇다 할 대꾸가 나오지 않았다. 그러나 지금 당장은 황첩보다 누이를 만나는 일이 우선 아닌가. 한순간 그의 뇌리를 떠났던 누이에 대한 간절함이 갑자기 천봉삼의 마음속에서 불같이 일어났다.

「황첩이 지금 내 눈에 들어오게 되었소? 어서 내 누이와 상면할 수 있도록 주선하시오. 그렇지 않으면 나는 더 이상 이곳에 머물 수가 없소.」

「들어오실 적에는 천 행수 임의대로였습니다만 나가실 때에는 그렇지 못하다는 것을 아셔야 합니다. 지금 행수님 앞에 앉아 있는 사람이 뉘입니까.」

「내 누이는 어디 있소?」

「지금쯤은 벌써 송파에 당도하여서 그 조 행수인가 뭔가 하는 구닥다리와 만나서 지난 풍상 이야기하고 앉아 있을 것입니다.」

「내 누이가 이 시각에 송파에 당도했다니? 이조금에까지 와서도 또한 나를 기만하려는 것이오?」

「이것을 횡보지 말고 자세히 읽어 보시지요.」

매월이가 문갑 위에 던져 놓았던 서찰 한 통을 집어 봉삼에게 내밀었다. 일찍이 누이의 필적을 눈여겨 익힌 적은 없었으나 분명 누이가 바쁘게 흘려 쓴 언문 서찰을 봉삼에게 남긴 것이었다. 오늘 북묘를 떠나서 송파로 건너가니 송파에서 다시 만나자는 글발이었다.

「어찌해서 누이를 나와 상면시키지 않고 먼저 내보낸 것이오?」

「오늘 밤 천 행수가 동소문으로 오실 것을 알고 있었기 때문이지요. 누이를 잡아 둔 연유가 오직 한 가지 천 행수 때문인 것을 구태

여 이곳에서 상면시켜 행수의 심기를 흩뜨려 놓을 까닭이 없다는
생각 때문이었다오.」

「그렇다면 이 집 안에 내 누이가 없다는 것을 증거할 물증이라도
있다는 것이오?」

「잠깐만 기다리십시오. 누이를 송파까지 안동하고 회정한 겸인이
조금에 당도했을지도 모르겠습니다.」

매월이가 장지 쪽으로 다가가 설렁을 당기니 얼마 있지 않아서 문
밖 계대 아래에서 예 소리 길게 끄는 행랑것들 목소리가 어지럽게
들려왔다. 매월이가 앉은 채로 장지를 밀고 반몸만을 내민 채,

「오늘 해낮에 송파까지 여인네를 안동하고 갔던 겸인은 돌아온 것
이냐?」

대뜸 한 사내가 앞으로 두어 발 나서면서 방금 당도하여 숨 돌리
던 참이라는 것이었다. 매월이가 힐끗 천봉삼을 돌아보면서,

「저 겸인에게서 자초지종을 들어 보시도록 하지요.」

천봉삼이 황망히 대청으로 나서니 계대 아래 부복했던 하례들은
소스라쳐 놀라는 것이었다. 대문 밖에서 통자 넣고 들어온 빈객이
없었음이 분명한데, 난데없는 손님이 대방에 들어앉아 있었기 때문
이다.

「자네가 그 내행을 송파까지 안동하였다면 어느 길을 잡았단 말인
가?」

「여기서 첫다리까지 나가서 홍인문을 빠져나가 인창방 지나고 영
도교와 왕십리의 수레재(車峴)를 넘어서 살곶이다리께서 주낙배를
얻어 타고 삼전나루까지 나아갔습니다. 삼전나루에 내리는 길로
지체하지 않고 송파 저자 윗머리 천씨 마방에 득달하였습지요.」

「그 마방에서 나와 장맞이한 사람이 누구였나?」

그렇게 윽박질렀던 것은 궐자가 매월이와 통을 짜고 외대는 것이

라면 그 시각에 시구문 석쇠의 집에서 그와 같이 있었던 조성준이나 최송파가 뛰어나와 맞이하더라고 둘러댈 것이 뻔하겠기 때문이었다. 그것으로 바로 대고 외대는 것만이 드러나는 것이 아니라, 궐자가 송파 처소에 갔다 왔는지 아닌지도 드러날 것이었다. 그러나 겸인의 말대꾸는 그것이 아니었다.

「예, 마방에 닿자마자 결찌들이 한 다리로 쏟아져 나와서 죽은 제 어미가 환생한 듯 반기는데, 우두머리는 또출이란 자였습지요. 여기 있던 안잠자기가 천 행수란 자와 조 행수란 자를 찾았으나 장안으로 들어가고 없다는 것이 또출이란 자의 대답이었습죠.」

「그들이 장안 어디로 갔다더냐?」

「제가 내근(內近)해서 귀여겨듣는 것을 꺼리는 눈치라 확연하게 알지는 못했습니다만 광희문 밖이란 얘기가 자주 나오는 것 같았습니다.」

「회정길에 다시 내행과 동행하지 않았더냐?」

「예? 마님 분부가 안잠자기를 송파 처소에 무사히 떨구고 회정하랍시는 거였는데, 회정길에 다시 동행하였다니요?」

「여긴 어제 당도하였나?」

「당도해서 채 숨도 돌리기 전인뎁쇼.」

「만약 그 내행을 엉뚱한 곳에다 안동하고 외대었다는 것이 나중에 드러나면 네가 결단코 살아남지 못하리라.」

「어느 분의 분부였다고 쇤네가 감히 기망하고 거짓 아뢰겠습니까. 금방 드러날 일을 가지고 외댈 만큼 쇤네 아둔하지 않습지요.」

행랑짜리들이 물러가는 것을 기다렸다가 천봉삼은 방 안으로 들어갔다.

「내가 여기 당도하기 전에 댁이 내 누이를 송파 처소까지 안동시켰다는 것이 괴이한 일이오. 어쨌든 무사히 안동시킨 것만은 분명하니 안심이오.」

「믿어 주시어 고맙습니다. 이제 야심하였습니다. 행랑것들을 더 이상 추달할 일이 없다면 증을 삭이시고 침석에 드는 것이 순서가 아니겠습니까.」

「열 길 물속은 알아도 한 길도 못 되는 사람 속은 모른다더니 나같 이 못난 사내를 하룻밤 침석을 같이하자고 그토록 오래 괴롭히다 니 정말 헤아리기가 어렵구려.」

「그것이 계집의 심성이란 것입니다. 제가 소싯적에는 문경새재 아 래에서 숫막을 내고 오가는 행인들에게 잔술을 팔고, 또한 육덕이 무던하여 표객들의 겨냥도 되었습니다만 한 남정네를 가슴으로 연모하였던 것은 오직 천 행수 한 사람뿐이었습니다. 그래서 천 행수를 가까이 불러들일 수 있는 길만 있다 하면 간활한 왈짜뿐 아니라 저승 야차와도 한동아리가 되고 싶었지요. 내 지금 나랏무 당의 지체에 오르고 봉작(封爵)까지 하여 귀신을 스스로 부르고 내칠 수 있는 처지에까지 왔습니다만 귀신도 아니고 그렇다고 고 귀한 인물도 아닌 일개 하찮은 장돌림이 이토록 애간장을 태우시 니, 이만하면 원망이 원혐으로 변하여 갖은 악행을 저지르게 되었 다는 것을 행수님께서는 짐작하시리라 믿소.」

「그 화각함을 이리 주시오.」

화각함을 받아서 연 천봉삼은 그 속에서 황첩을 꺼내었다. 그리고 촛불로 가져가서 불을 댕겼다. 그것은 수백만 민의 재산이 타 들어 가는 것에 비견될 만한 것이었다. 황첩이 타 들어가는 모습을 두 사 람은 말없이 바라보았다. 재가 된 종이가 잠시 허공을 날다가 방바 닥으로 내려앉았다. 그리고 흔들리는 것은 촛불뿐 가슴이 멜 듯한 공허가 방 안에 남았다.

「나는 내 일신의 공명이나 부귀와는 일찍부터 담을 쌓고 지낸 사람이고 또한 댁에게 기대어 그것을 손쉽게 얻어 낼 요량도 일찍이 품어 본 적이 없었소. 그럴 의향이 있었다면 벌써 이 비단 침석에서 우리가 같이 살을 주고받고 운우의 정을 나누었을 것이오. 하나 그렇게 했을지라도 그것을 어찌 열락이라 이름할 수 있겠소. 언젠가 내 스스로 동하여 댁을 찾아올 날이 있을지도 모르겠지만, 지금 당장은 내 정인을 그토록 괴롭힌 댁과 침석을 같이할 마음은 없소이다. 바라건대 이 야밤에 행랑 사람들을 들깨우기가 민망하니 댁이 대문까지 나아가서 빗장을 따주었으면 좋겠소. 댁이 지닌 부귀영화가 부러우면 내 언제든 쫓아오리다.」

참으로 이상한 일이었다. 황첩을 불에 살라 버린 수모를 감내하고 한마디 대꾸도 없이 앉아 있던 매월이가 천봉삼의 말이 떨어지자 일어나 앞장서서 대청으로 나서는 것이었다.

흡사 천봉삼의 입에서 그런 말이 떨어지리라는 것을 예견하고 있었던 사람처럼 고분고분한 매월이는 중문을 지나 행랑채로 건너갔다.

「한 가지 권면해 드릴 일이 있습니다.」

「무엇이오?」

뒤따라오던 천봉삼이 신둥머리지게* 매월이의 말을 받았다.

「민 대감이 천 행수를 두고 보았다가 다시 직수아문(直囚衙門)에 사주하여 결옥을 하려 들지 모른다는 것이지요.」

「짐작은 하고 있소.」

「장안 육의전과 근기 지경이며 상로 주변의 명자하다는 도고(都賈)와 객주들을 회유하고 공동(恐動)해서 어고(御庫)를 채우는 데 눈이 시뻘게 있다는 것을 잊어서는 안 될 것이오. 시방 국계(國計)가 전에 없이 궁한 터라 조정에서도 하는 수 없이 바라보고만 있

---

*신둥머리지다 : 대수롭지 않아 시큰둥하게 여기다.

는 것이지요.」

「다시 날 잡아들인다는 말보다 더 무섭소. 그러나 내가 당장 무서운 사람은 민 대감이 아니라 댁이라는 것을 알고 계시오.」

「그런 말씀 그만두시오. 천 행수를 다시 도울 수는 없을지언정 몰인정하게 배심 먹을 수야 없지요.」

대문의 빗장이 열렸다. 밖은 캄캄한 어둠이었는데 어디선가 짐승 우는 소리가 들려오고 귓밥을 스치고 지나는 바람 소리는 스산하기 그지없었다.

매월이를 작별하고 나서기는 하였으나 당장 취편할 곳이 막막하였다. 가근방에는 일숙을 청할 수 있는 객점이 없었다. 낙산(駱山) 기슭의 동촌(東村)은 고릿적부터 민호가 조밀했던 곳으로 양류촌(楊柳村)이란 별호가 있는 곳이긴 하지만 혜화문의 내왕이 번잡하지 못해 객점은 거의 찾아볼 수가 없었다. 그는 곧장 백자골〔柏子洞〕 초입 길로 빠져나와 신교(新橋)로 해서 10리 상거인 첫다리 어름에서 겨우 객점에 찾아들었다. 파루 치기를 기다렸다가 곧장 송파로 작로할 작정이었다.

3

이튿날, 아침나절 송파 처소에 득달하고 보니 매월이가 말했던 대로 천소례는 무사히 당도해 있었다. 천봉삼이 구르듯 방으로 올라 누이를 얼싸안았다. 소례의 눈물이 천봉삼의 저고리를 적시었다.

「지지리도 못나고 주변머리 없는 동기간을 두어 누님의 환난이 이만저만 아니군요. 그동안 신수가 많이도 상하셨구려. 병색이 완연하십니다.」

「신수가 이만하면 됐지, 병색이라니 가당치도 않은 말씀일세.」

「못난 저를 용서하십시오.」

천소례는 문득 말문이 막혀 마냥 울고만 있다가 천봉삼을 아랫목으로 취편시키고,

「아이아범께 걱정을 끼쳐 면목이 서질 않네. 그러나 북묘에 잡혀 있을 동안 그런대로 견딜 만은 하였다네. 옛날 한창려(韓昌黎)의 가난을 당하고 범문정(范文正)*처럼 죽(粥) 끼니도 이어 가지 못하는 사람들이 많은 터에 드난밥이라 하나 하루 세 끼 거르지 않고 섭생을 취하였으니 고생이랄 것도 없었다네.」

「제가 거만(鉅萬)*을 쌓은들 무엇 하겠습니까. 단 한 분뿐인 누님이 저 때문에 줄곧 궂은일을 겪으시니 누님에겐 제가 애물단지밖엔 더 될 것이 없지요.」

「그런 말은 하지 마시게. 내가 궐녀에게 덜미가 잡혀 창피당한 것은 모두 전생의 인과로 숙업들을 갚기 위한 것이었을 뿐, 아이아범의 일로 그리 된 것은 아닐세. 되레 궐녀 덕분에 내 평생에 듣도 보도 못할 줄 알았던 궁궐을 드나들었는가 하면, 먼발치이기는 하였지만 중궁전 마마까지 뵙지 않았던가. 천하에 그런 구경이 어디 있으며 상된 내게 그런 호광이 또 어디 있겠나.」

「중궁전 뵌 얘기나 좀 하시지요.」

조금 전까지도 남매 상봉하는 곁에 앉아서 곧장 눈물을 찍어 내던 최송파의 안해가 중궁전 얘기가 나오자 바싹 당겨 앉으면서 수월찮게 짓조르고 들었다.

「왕비 전하께서는 어년(御年)이 삼십 남짓해 보이시는데 몸피가 호리호리한 미색입디다. 어발(御髮)은 흑칠(黑漆)과 같으시고 화장에 진주분을 쓰신 듯 옥안(玉顔)이 매우 창백해 보이며 눈은 날

---

*범문정 : 범중엄. 중국 북송 때의 정치가이자 학자.
*거만 : 만의 곱절이라는 뜻으로, 많은 수를 비유적으로 이르는 말.

카롭고 냉정하여 용자(容姿)가 기민하고 총명해 보입디다. 어의
(御衣)로 말하면 유리감(琉璃紺)의 기다란 치마를 허리에 높이 매
시고 두 자락으로 여미신 저고리깃에는 산호 단추를 달았더군요.
청적색으로 짜낸 육 조(條) 의대에는 각 조마다 산호 장식을 붙였
고 또 대에는 붉은 술을 드리웠습디다. 머리에 쓰신 아얌에는 천
정(天井)이 없어 모피로 테를 둘러 보석으로 치장하시었고, 이마
에는 또한 붉은 술을 드리웠습디다. 왕비 전하께서는 말끝마다 진
령군 진령군 하고 깍듯이 대접하시며 결코 하대를 쓰지 않고 하게
를 쓰시는데, 그 말씀이 가경(佳境)*에 들어감에 따라 옥안이 더욱
빛나고 아리땁게 보이더군요.」

「보통 아리땁고 총명하신 게 아닌 모양이구려.」

「먼빛으로 보았지만 그 아리따운 것이야 어느 대갓집 마님인들 감
히 흉내 낼 수가 없더이다.」

여인들이 혀를 끌끌 차는 사이에 남매 상봉하던 자리가 소례가 보
고 온 곤전의 아름다운 자태를 얘기해 주는 자리로 변하게 되어 남
정네들은 묵묵히 듣기만 하게 되었다.

그날 저녁, 조 행수와 천봉삼은 등잔을 가운데 하고 마주 앉았다.
먼저 입을 연 것은 천봉삼이었다.

「제가 일개 상고배들의 행수로 처신하긴 하나 글줄이나 읽는다는
선비들로 치면 행수님은 저의 사부님과 진배없습니다. 상리를 노
리는 수완이나 물정을 익히게 된 것이며, 눈으로는 고무래정(丁)
자 하나도 뜯어볼 줄 모르는 까막눈이던 제가 그럭저럭 부상의 자
리에 오르고 또한 어지간한 어음표(於音票)며 간찰을 읽게 된 것
도 모두가 행수님의 가르치심 때문이지요. 그러나 이날까지 그 은

---

*가경(佳境) : 한창 재미있는 판이나 고비.

62

공의 만에 하나나마 갚아 드리지 못하고 폐단만이 되어 왔습지요. 그래서 기왕 폐단이 된 김에 한말씀드리려고 합니다.」

「무슨 말을 하려고 옛적 일까지 들추어 뜸을 들이는 건가?」

「제 누이를 행수님께서 맡아 주십시오.」

「맡아 달라니? 나보구 속현을 하라는 것인가? 나도 허물이 많지만 계집이라면 비상처럼 여긴다는 것을 자네가 잘 알지 않는가?」

「행수님께서도 늘그막이라 하나 취처(娶妻)는 하시어야 하지 않습니까. 그동안 두 분의 눈치를 살펴보아 왔습니다만 서로 등을 의지하시기엔 짝이 맞아 보이는 데다 행수님도 누이를 밉게 보시지는 않는 것 같고, 또한 제 누이가 절간에서 내려와 맨 먼저 찾으신 분이 행수님 아니었습니까.」

「자네 누이가 날 먼저 찾아온 것은 자네의 소식을 수소문하자 했던 것이지 내게 정분이 있어서가 아니었지 않나.」

「그렇다고 절간에서 내려오기로 작정하신 근저에는 행수님을 염두에 두지 않았다고는 장담할 수 없지요. 이번의 고초를 치르면서 저는 두 분의 일을 줄곧 생각해 왔습니다. 누님을 이곳으로 뫼셔서 아주 아퀴를 지을까요?」

「아닐세, 그러지 말게.」

조성준이 허겁지겁 손사래를 치며 흩뿌렸으나, 천봉삼은 마방 앞에 궁싯거리고 있던 동패에게 당부하여 누이를 봉노로 불렀다. 누이를 불러 앉힌 천봉삼이 자초지종을 털어놓자, 천소례는 이렇다 할 대꾸는 없었으나 기색에 척이 진 사람 같지는 않았다.

「누님 대꾸가 없으신 것을 보니 제가 나서서 주선하기를 두 분께선 은근히 기다리고 계셨던 거지요? 말이 나온 김에 내일로 처소의 동무님들께도 공표를 해버리지요.」

「이 사람아, 자네 누이는 아직 입도 뻥긋 안 했지 않은가?」

야화(野火) 63

「누이가 호들갑을 떨 수야 없지요. 오랜만에 옛 동패들이 한 처소에 모였다 하여 요중회에서 주선해 내일 연회가 열리는 것 같습니다. 떡 본 김에 제사 지내더라고 내일로 아주 월승을 맺도록 제가 주선을 하지요.」

천봉삼의 말대로 이튿날은 처소에서 꽤 큰 연회가 열렸다. 옛날의 쇠살쭈 조 행수가 돌아왔고, 천 행수가 돌아왔고, 그 누이가 또한 풀려났으니 명분이야 뚜렷하였다. 그러나 한편으로는 아전붙이들이 주축이 된 계방과 인근의 도고들과 단골 쇠전꾼들에게 송파 처소의 세력을 과시하겠다는 저의도 없지는 않았다. 인근의 과천·안성·이천의 장돌림 행수들도 모두 불러들였다. 송파 마방에는 근 2백여 명의 식구들이 먹고 마실 일만으로 모여들었다. 집돝이 다섯 마리나 잡혔고 수십 동이의 술이 바닥났다. 하루가 그렇게 바쁘게 돌아가는 중에도 최송파와 또출은 장옥(長屋) 중에서 한갓진 봉노를 골라 신방 차림을 한다고 바쁘게 돌아갔다. 헌 자리를 걷어 내고 새 자리로 바꾸고 그 위에다 돗자리를 연폭해서 덧깔았다. 토벽의 빈대 자국도 지우고 북쪽 바람벽에는 병풍도 둘러쳤다. 덧문의 돌쩌귀를 다시 맞추고 있던 또출이, 병풍 치고 있던 최송파를 힐끗 돌아다보면서,

「연만(年晚)하신 행수님께 신방을 차려 준들 일이 성사될까. 뜨물에 배태가 될 리도 만무일 것이고, 옹골진 재미 못 볼 바엔 그저 서로 등이나 긁어 주는 재미로 사시는 거지. 그러나 내자 될 분이 상적해서 늙지 않았으니 그것이 낭패 아닌가.」

「걱정도 팔자군. 행수님 연만하시다 하나 허우대며 신색을 한번 보게. 부릅뜨고 바라볼 때에는 눈이 횃불같이 타던 걸 자넨 못 보았나? 대비즉거근(大鼻卽巨根)이라 그 코를 보게, 그만하시면 색사에도 꿀리지 않을뿐더러 생산도 서넛은 수월하실 것이네. 자네야말로 뜨물 같은 소리 작작 하게.」

「눈자위만 횃불 같다 하여 색사를 여축없이 펜다 할 수 있을까. 행수님 연갑이 되면 소피를 보아도 발등 위로 똑똑 떨어질 것이니 후사를 보시기는 글렀지.」

「배우지 못한 소리, 연만하신 분이 배젊은 새악시와 동침하면 기(氣)를 얻어 금방 회춘이 되는 법, 대갓집 노옹들이 윗방아기를 들여 기를 쐬면 그게 당약 몇 첩 달여 먹는 것보다 회춘이 빠르다지 않은가.」

「만약 행수님께서 생산을 하시거든 내 손에다 장을 지지게.」

「조 행수님이 생산을 못하시거든 내 손에다 장을 지지게. 행수님도 맞춤하시니까 취처하실 염의를 하신 거고, 누이 중신애비가 된 천 행수도 관상 하나는 투철한 분인데 제 누이 생과부 되는 것이 좋아서 앞장을 섰겠는가.」

의견들이 서로 엇갈리어 받고채는 중에서도 일손만은 놀리지 않아서 신방 차림이 대강 형용만은 갖추게 되었다.

그 밤도 깊어서, 명색 신방의 불도 꺼지고 떠들썩하던 마방이며 인근의 객점들도 주등을 내리고 잠이 들었다. 내일이면 또한 모두들 제각기 팔도의 장터목으로 흩어질 사람들이라 먹새도 푸짐하였지만 잠자는 것도 걸판져서 송파 저자 윗머리가 온통 코 고는 소리로 떠나갈 듯하였다.

천봉삼 역시 마방의 가겟방에 들어가 자리 잡고 취편한 것이 거의 한밤중이었는데 문밖이 소연하여 눈을 뜨니 벌써 늦은 아침나절이었다. 덧문을 열고 내다보니 난데없이 다락원 득추의 안해가 처소 사람들과 막 인사수작을 나누고 있었다. 더군다나 천봉삼의 아이를 업고 있었다. 아이가 힐끗 제 아비를 뒤돌아보더니 반갑다는 소리로 그만 왕 하고 울음을 터뜨리는 것이었다. 득추의 안해를 서둘러 봉노로 불러들였다.

「이 아이가 어찌 된 노릇입니까?」

「글쎄, 그저께 아이어미가 불각시에 안동 친정엘 다녀오겠다고 안달하고 보채더군요. 집안에 무슨 변괴라도 생긴 사람처럼 안달하기에 아이를 넘겨받고 다녀오라고 하였지요.」

「그저께라니, 언제 말입니까?」

「행수님 다락원서 떠나시던 바로 그날이었습지요.」

「나한텐 친정 간다는 말 한 적이 없습니다. 그저 지나가는 말로 친정엘 한번 다녀와야겠다고 한 적은 있지만, 당장 가야 될 것처럼 얘기한 적은 없는데.」

「홀지에 안달이 났던 거지요. 열흘 작정하고 갔으니 금방 되돌아오긴 하겠습니다만, 글쎄 아이가 한 이틀은 쥐 죽은 듯이 잘 놀더니만 어제부터 보채기 시작하는데 도대체 방책이 있어야지요. 그래서 에멜무지로 그럼 아버지 보러 가자 하니까 말 알아듣는 아이처럼 울음을 뚝 그치지 뭡니까.」

「데려오시길 잘하셨습니다만 그 사람의 거동에 어딘가 찜찜한 구석이 없지 않군요.」

「찜찜하시더라도 열흘 안에 결판이 날 것입니다. 실성하지 않고서야 서방, 자식 버리고 일없이 친정엘 다녀오겠다 하였겠습니까. 고향 못 간 지 여러 해째 되는 데다가 신방 차리고 난 후에 고향 갈 마음이 살 같아져서 휭허케 다녀오고 싶었던 거지요.」

듣고 보니 그럴듯한 얘기였다. 어느새 건너온 소례가 아이를 건네받아서 둥개기 시작하자, 아이는 제 고모인 줄 금방 알아채기라도 한 듯이 길길 웃는 것이었다.

「아이가 응석으로만 자라서 기가 약질이구먼. 이젠 굽도 떼어 서너 칸은 걷게 되었으니 마당에 내려놓아서 흙도 집어먹도록 해야지. 그래야 횟배를 앓지 않는 법인데. 이젠 내려놓아서 마소들과도 같이 놀게 해야지.」

천소례의 말을 득추의 안해가 냉큼 되받아서,

「말씀도 마십시오. 우리 이웃에 내외가 마당에서 놀고 있는 아이를 그냥 두고 들로 나갔지요. 그사이에 아이는 뒤를 쌌는데 글쎄 개가 쫓아와서 똥 눈 아이 뒤를 핥다가 잠지까지 따먹어 버렸지 뭡니까. 배냇물도 덜 마른 자식 하나 폐인 만들었지요.」

「여기야 마방으로 육장 사람들이 드나드는데 아이 잠지 따먹도록 그냥 내버려 두겠소?」

득추의 안해가 아이 업고 온 것을 자랑 삼아 얘기하다가 자리를 비운 사이에 조성준과 최송파, 또출이며 차인 행수들이 봉노로 들어와서 좌정을 하였다. 천봉삼이 보자 한 것이었다.

「이제 시생도 발행을 서둘러야 하겠습니다. 원산포 마방의 일이 우려되어서입니다. 강쇠와 탑삭부리가 주선들 하고 있습니다만 강쇠란 사람이 괄괄하고 성급해서 일을 조리 있게 매조지는 것은 나보다 못하지요. 제가 내려가 볼 시기가 된 것 같습니다.」

다른 동무님들은 모두 그런가 하고 덤덤한 낯짝들인데 조 행수만은 천봉삼을 적이 건너다보고 앉았다가 밑도 끝도 없이 엉뚱하게,

「실축이 없도록 조치하되 부디 몸조심하게.」

「너무 걱정들 마십시오.」

「자네의 흉회를 대강은 짐작하네만 제발 처신을 진중하게 하여 욕이 되지 않도록 하게.」

천봉삼이 고개를 의미심장하게 끄떡이고 나서 제 누이를 돌아보고,

「아이는 그 사람이 안동에서 회정할 때까지 누님이 맡으셔야겠습니다.」

「아이를 떨구고 간다면야 응당 내가 맡아야겠지만 아이와는 격 난 사이처럼 되어 있으니 장차 아이 장래가 걱정 아닌가.」

「우리 일가 단란하게 모여 살 때가 반드시 오겠지요. 우리 백성들이 편안하고 처소에 환난이 닥치지 않는다면 제가 어찌 권속들과 단란하게 지낼 것을 마다하겠습니까. 피붙이를 떼어 놓고 발섭해야 하는 아비라는 사람의 연충이 어떠하리란 것을 누님께서 짐작 못하실 리는 없겠지요. 부모 맞잡이인 누님이 나를 떠나보내신 후에 겪으셨던 고초를 짐작할 수 있겠으니까요. 다른 사람들은 모두 자기 생업에 묵묵한데 나만 중뿔나게 모난 척한다고 여길지는 모르겠지만 물이 한자리에 괴어 있으면 썩기 마련이듯 우리 부상 전체가 당하고 또한 나라의 상권이 피폐당하고 침식당하고 있는데 가만 앉아 있을 수는 없지요. 시신 위에 날아드는 갈까마귀 떼처럼 또한 지절거리고만 있을 수도 없는 노릇, 기신이 다할 때까지는 살아 있는 사람으로서의 명분을 저버려서는 안 되겠지요. 동무님들이 맨발로 벌어들인 재물을 중궁전의 굿전에다 보탤 수는 없는 노릇이며 우리의 상권이 왜상이나 청상들에게 넘어가는 것을 또한 바라볼 수만도 없습니다. 그러나 이것을 어찌 시생의 힘만으로 돌이킬 수가 있겠습니까. 곰곰 되짚어 보면 이건 달걀로 바위 치기라고 할 수도 있겠지요.」

천봉삼이 말하다 말고 좌중을 한동안 휘둘러보았다. 어제까지 누이의 중신애비를 자청하였던 사람의 얼굴 같지가 않았다.

「사리가 그러하지만 우리들의 힘만으로 되지 않는다 하여 그대로 주질러 앉는 것이 아닙니다. 저희들의 손으로 넘어가려는 상권의 한 가닥만이라도 우리 손으로 잡고자 하는 것이지요. 조정의 정치가 아무리 잘되어 간다 하더라도 국계가 도탄에 빠지고 나면 허수아비에 불과하겠지요. 소가 걸어가면 워낭 소리가 나지요. 설사 소가 잘못 가고 있더라도 워낭 소리만 귀여겨듣고 있으면 길을 바로잡기가 수월한 법, 우리 백성이 깨어 있어야 하고 귀를 기울여야 하는 까닭이 여기에 있다고 여기고 있습니다. 이 한 몸 소진되어 소의 워낭 소리라도 귀여겨들을 줄 알게 된다면 그것으로 이승에 태어난 보람이 되겠지요.」

「잘 가게.」

묵묵히 듣고 있던 조성준 입에서 그 한마디가 숙연히 흘러나왔다.

4

그길로 송파를 떠난 천봉삼은 평강에 당도하여 한 장도막을 넘기고 농우소 1백여 필을 모아서 원산포로 발행하게 되었다. 차인 행수 격인 곰배와 소몰이꾼 스무 명에 지물(紙物) 바리 진 짐방들이 서른 명이 넘었으니 근 60여 명의 상대가 발행한 셈이었다. 또한 평강 상대가 원산포로 뜬다는 소식이 인근 저자에 퍼져서 황아장수, 소금장수, 건어물장수며 몇 사람의 여상단들까지 작반하잡시고 꾀어들어 상대는 그럭저럭 뭉치게 되었다. 새벽참에 발행하고부터 길가 객점에서 묵고 있던 잡살뱅이 상고들이 합세하여 중화 먹을 검불랑(劍不浪) 어름에 이르기까지 근 80여 명의 상대가 이루어졌으니 한 이틀이 지나면 1백여 명을 넘기기란 수월할 것 같았다. 검불랑 들녘에서 중화 지어 먹을 때에는 가근방 들녘이 온통 소와 사람들로 뒤덮일 지경이었다. 소소한 시골 저자라면 이 상단만 풀어놓아도 대목장만 하게 북적댈 정도여서 인근의 사람들이 찾아와 잡화나 소금들을 바꾸어가기도 하고 곡식을 팔기도 하였다. 중화 먹던 자리에서 곰배가,

「성님, 우리 상단이 겉보기에 너무 거창해서 가근방에 둔소를 둔 적굴놈들이 상단이 평강을 발행하였다는 것을 알고 있을 것입니다.」

「알고 있다 해도 도리 없지. 그러나 이 설한풍에 백여 명의 상대를

대적한다는 일이 수월치는 않을 것이니 침만 삼키고 털 공론만 낭자히 벌이다가 말겠지.」

「설사 그렇다 하더라도 적굴놈들의 진법(陣法)이 옛날처럼 막되고 들쭉날쭉하지 않은 데다가 요사이는 창검뿐만 아니고 화승총 가진 화적들이 늘어나서 몇 가호 안 되는 뜸마을은 아주 수월하게 턴다 합디다.」

「그 화승총들은 모두 어디서 구처한 것들일까?」

「그놈들이 이제 와선 진법에 화공(火攻)까지 익혀 감영군(監營軍)을 대적하는가 하면, 왜상들을 털어서 총기를 빼앗기도 한다는 것입니다.」

「그렇더라도 지레 겁먹을 것까지야 없지. 구더기 무서워 장 못 담글까.」

「젊어도 소승 늙었어도 소승, 주억거리는 것이 고개요, 굽실거리는 것이 허리라더니, 들면 관변붙이들 등쌀이요, 나면 적굴놈들 등쌀이니, 죽어나느니 등짐장수란 말 내 진작부터 듣고 그만 작파한다는 것이 아직까지 발뺌 못하고 있으니 이놈의 사주에는 필경 물귀신이 붙은 거여.」

한동안 잠자코 있던 곰배가,

「어쨌든 우리와 작반하는 행고들 중에 적굴의 척후(斥候)들이 끼여 있을 수도 있는 것이니, 오늘 밤에는 화톳불을 여럿 피우고 상직을 엄히 세워서 저들의 거동을 살펴야 하겠습니다.」

「강이 얼어붙어서 물나들마다 등빙(登氷)이 수월해서 배 얻어 탈 걱정은 덜었으나 절각우(折脚牛)* 생겨나기 십상일 테니 쇠짚신들 삼아서 챙기도록 단단히 이르게.」

---

*절각우 : 다리가 부러진 소.

70

다시 발행하여 세포리 앞 토성나루에 당도하니 벌써 일색이 다하여 남기가 내리기 시작하면서 어둑어둑한가 하였더니 하늘에는 구름이 잔뜩 움츠리고 콧날이 새큼새큼한 것이 아무래도 눈발이 내릴 조짐이었다. 토성나루를 등빙하여 장터목에서 일숙하기로 작정하였다. 이틀 전에 평강에서 선발한 세 사람의 척후들이 뒤따르는 상대들이 묵을 곳을 주선해 놓고 떠난지라 장터목의 객점들은 물론이요, 여염집의 잿간이며 헛간을 빌리고도 모자라서 30여 명은 옹기전 윗머리에다 휘장을 치고 거처를 마련하였다. 한 파수에 이렇게 많은 소몰이를 하게 된 데는 그동안 원산포로 오르지 못한 60여 두의 소들이 평강 마방에서 지체되었기 때문이다.

외양가가 먹히는 것은 고사하고라도 마방을 얼추 비워 내지 않고는 근기 지경 장시에서 행매해 들이는 소들을 미처 건사할 수 없는 처지에 이르렀다. 상대들이 객점에 자리를 잡고, 노숙할 동무들이 화톳불을 피우기 시작할 때부터 희끗희끗 긋기 시작하던 눈발이 유시 말을 넘기기 시작하면서 시야를 하얗게 가로막았다. 눈이 내린다는 것은 상대들에겐 치명적인 불상사라 할 만하였다. 첫째는 저자가 서는 날이나 약조한 날짜에 일정을 맞출 수 없었고, 눈길을 가자면 사람이나 소들이나 간에 하루 50리 행보를 줄이는 데도 힘들었다. 그나마 눈이 얼추 녹아서 발정이 되자면 몇 장도막이고 갇혀 있어야 했다. 또한 세포리 장터목에서 오래 지체될 경우 상대들이 죽여 내는 부비가 엄청난 건 차치하고, 이렇게 토지가 궁박하고 한미한 고을에선 몸살나게 설쳐 보았자 쇠여물 구처가 손쉽지 않았다.

게다가 몰이꾼들이 쇠여물을 구처한답시고 월천꾼에 난쟁이 빠지듯* 하나 둘 인근 뜸마을로 흩어지고 보면 봉적하기도 십상이란 것

---

*월천꾼에 난쟁이 빠지듯: 무엇을 하는 데 일정한 축에 못 들고 빠지게 되는 경우를 비유적으로 이르는 말.

이었다. 날도깨비가 복은 안 줘도 화를 주기로 하면 쌍으로 주더라고, 상로에 날씨 한번 잘못 만나게 되면 그로 인하여 입는 환난이 여러 겹이기 마련이었다. 그러나 천만다행하게도 삼경을 넘기고부터는 눈발이 진눈깨비로 변하더니 차차 성기기 시작했다. 60여 두의소들을 눈길로 한결같이 몰기란 손쉬운 일이 아니나 백등령(白磴嶺)을 넘어 현창(縣倉) 저자 어름에 당도해야만 쇠여물을 구처하기 쉬웠다. 하룻밤 유숙을 작정하였던 상단은 눈발이 성기기 시작한 삼경에 발행을 서둘렀다. 눈이 더 내리기 전에 한 치라도 길을 줄여 놓고 볼 일이었다. 홰를 켜 든 몰이꾼들이 백등령 넘어 대치나루를 등빙하여 현창 저잣거리에 당도하니 밤을 하얗게 뜬눈으로 새운 사람들이 적지 아니하였다. 40리 남짓한 노정에 벌써 날이 새어 아침나절이 되었다. 그러나 해 뜰 시각부터 눈은 다시 내리기 시작하였다. 그렇다면 현창에서 쇠여물을 먹인 다음 내처 회양 지경까지 오르느냐, 아니면 현창에서 지체하느냐가 문제였다.

회양까지 오르는 것이 옳으냐, 아니면 현창에서 주질러 앉느냐로 의견들이 분분하였으나 진중해진 천봉삼은 현창에서 묵기로 작정하였다. 그러나 쇠전꾼들이 현창에서 묵기로 하자 작반하던 행고들은 울상이었다. 얼마 되지 않는 물화(物貨)로 하루 끼니 연명을 겨우 꾸려 가는 주제들이라 상대들을 따라서 객비들을 쓸 처지가 아니었기 때문이다. 상대들을 따르자니 부지하세월이요, 그러다간 인근에 저자 서는 날에 맞추어 길을 댈 수가 없었다. 하나 둘 나서기 시작한 것이 중화 후에는 모두들 뿔뿔이 흩어지고 말았다.

자연 평강 처소에서 오르던 쇠전꾼들만 뒤처지게 되었다. 그들은 현창에서 꼬박 사흘을 지체하게 되었다. 그것이 상대들에겐 화근이 된 셈이었다. 상대는 현창 떠난 지 다음날 해가 짓질릴 무렵 가팔지고, 바람 드세게 불고, 황량한 굽잇길이 많기로 이름난 철령(鐵嶺)

고개티 아래에 당도하였다. 철령만 무사히 넘는다면 원산포까지는 탄탄대로라 할 수 있었다. 눈 때문에 중로 지체되었기에 10리 길이라도 줄여 보자는 욕심에 무리한 노정을 잡게 되었다. 그러나 백등령이든 철령이든 평강 상단을 겨냥하여 찍자를 놓을 만한 화적들은 없다는 과신이 종국엔 앙화를 자초한 셈이었다.

상대는 잔풍한 곳에서는 소들을 느리게 몰아 쉬게 하고 바람 드센 곳에서는 빨리 몰아서 굽잇길을 대여섯 모퉁이 돌아 중턱쯤에 이르렀다. 바람에 날리는 눈발 때문에 거의 눈을 뜰 수 없을 지경이었다. 그때 상대의 선머리에 문득 세 경골한(硬骨漢)*이 불쑥 나타난 것이었다. 궐한들은 선머리에서 향도하고 있는 몰이꾼들에게 산울림이 찌렁찌렁하도록 게 섰거라 하고 소리쳤다. 궐한들이 칼이나 창을 쓰는 솜씨는 모르겠으나 우선 몸피들이 깍짓동같이 장대하고 찢어진 눈시울은 시뻘게서 목자부터가 화적질 아니면 빌어먹을 짓이 없겠다는 고약한 생각이 들었다. 원래 화적들이란 목자 험악한 자들을 척후로 내세워 먼저 이쪽의 기부터 죽이고 나서는 것은 항용 있는 일이었다. 그러자니 세 놈이 길을 가로막고 나섰다 한들 평강 상대들이 기겁들 해서 화적 대접을 해줄 리가 만무였다.

몰이꾼들 사이에 끼여 걷던 천봉삼이 궐한들의 상통을 유심히 살펴보았으나 안면 있는 놈들이 아니었다. 천봉삼이 선머리에서 향도하던 곰배에게 눈짓을 하였다. 곰배가 다짜고짜로 세 놈 앞으로 불쑥 나서면서,

「네놈들은 도대체 어떤 부류들인데 우리와 벗하겠다고 작정하고 나서는 거냐?」

참나무 목봉(木棒)을 짚고 버티고 선 세 놈은 하필이면 곰배팔이

---

*경골한 : 의지가 강해서 자신의 신념을 남에게 좀처럼 굽히지 않는 남자.

란 놈이 잘난 체하고 나서는가 싶었던지,

「이놈들 오뉴월 쇠파리 모양으로 왜 톡 쏘고 나오는 거냐. 저리 비켜라, 이놈. 한쪽 팔마저 몽창 분질러 놓기 전에.」

「도대체 어디서 굴러먹던 부류들이냐고 묻지 않았느냐.」

「그놈 제법 꼬집고 드는군. 그렇다면 이것들은 어디 상단들이냐?」

「네놈들의 근본부터 밝혀라.」

「그놈 쇠전꾼답게 뜸베질깨나 하고 드는군. 어디서 오는 상단인지 냉큼 개어 올리지 않으면 멸구를 시킬 테다, 이놈.」

「평강에서 오른다네.」

「미련스러운 놈들, 여기가 어디라고 너희들 맘대로 휘적휘적 오르느냐.」

「평강 상단이라면 감히 대적할 생념을 품지 못할 것인즉, 삐끗했다간 뱃구레에 맞창이 날 것이니 비켜서라.」

「그놈 동냥아치로도 제 몫 행사를 못할 놈이 으름장이며 입정놀림이 사대육신 멀쩡한 놈 열 잡아먹을 놈이군.」

바로 그때였다. 상대들이 선머리에 화적 난 것을 눈치 채고, 곁을 죄는 중인데 꽁무니에서 범강장달이 같은 10여 명이 불쑥 길바닥으로 나섰다. 모두가 북상투 바람에 머리엔 수건들을 동이고 있었다. 그중에 두 놈은 화승총까지 꼬나들었으니 상대들이 지금까지 상종하던 좀도둑들과는 그 유가 다르다는 것을 금방 알 수 있었다. 선머리에 화적 떼가 나타났다 하여 상대의 이목이 선머리에 쏠려 있는 판에, 울이 세어 보이는 10여 명의 화적이 뒤쪽에서 나타나자, 상대는 후미진 고갯길에서 굽도 젖도 못하고 곱다시 갇히게 된 셈이었다. 저들은 평강 상대의 세력이 어떠하다는 것을 미리 짐작하고 결찌들 중에서 완력깨나 장하고 무예깨나 익힌 놈들을 조발하여 앞세웠을 것이니 미상불 일은 낭패였다. 그러나 우선은 결기 있게 상종

74

하여 이쪽도 호락호락하지 않다는 것을 보여 주어야 했다. 꽁무니에
섰던 차인 행수가 앞으로 쓱 나서면서,

「이건 또 어디서 뛰어든 메뚜기들인가. 우리가 감히 누구들인데
집적거리고 드는가.」

「간은 콩알만 하게 오그라들었으면서도 입정 하나는 제대로 놀리
고 드는군.」

「이놈들, 썩 물러나거라.」

「썩 물러나지 않겠다면 어디 한판 울러 볼 텐가?」

「우리가 네놈들 손에 주머니가 털릴 성싶으냐? 관동 일경의 떼도
둑들의 둔소까지 소상하게 꿰고 있는 우리도 그렇게 호락하진 않
을 터.」

「평강서 오르는 쇠전꾼들이란 건 이 길목을 지나던 행고들에게 들
어서 잘 알고 있다. 네놈들 중에는 군문(軍門)에서 무예를 닦던 놈
들도 적잖고 완력깨나 장하다는 놈들도 끼여 있다는 것을 알고 있
지만, 오늘은 우리가 본때를 보여 줘야 하겠다.」

「네놈들의 결찌가 얼마나 되는지는 모르겠다만 우리도 이 철령고
개를 한두 번 오르내린 사람들이 아닌 터, 네놈들 만날 것을 대비
하지 않은 것도 아니다. 어디 해볼 테면 울러 보아라, 살변이 나든
지 소들이 산지사방으로 흩어지든지 결말이 나겠지.」

「우리가 무단히 네놈들의 모가지를 달라지는 않겠다. 고깃대가리
는 구워나 먹지 머리 검은 짐승은 베어 보았자 아무짝에도 쓸모가
없는 것, 농우소로 열 마리만 우리에게 떨구고 가거라.」

「그놈, 소 열 마리를 뒷집 개 부르듯 수월하게 부르는군. 왜 모두
달라지, 간장이 그것뿐이더냐.」

「네놈들이나 우리나 내막을 뒤집어 보면 모두 동병상련이 아니더
냐. 네놈들의 사정을 봐서 하는 소리지.」

「그놈 문자 한번 제대로 쓰는구나. 선비 귀신 곰을 해먹었느냐.」

「이놈, 소 내어 놓을 작정은 안 하고 웬 놈의 삿대질이 이렇게 낭자하냐.」

「말 못하는 짐승이라 하여 말 잘하는 네놈들에게 꾸벅꾸벅 따라 나서지 싶은가?」

「기어코 살변이 나야 정신을 차리겠는가?」

「살변이 난다 하여도 쇠짚신 한 켤레 내어 줄 수 없다.」

그때였다. 산속 어디에선가, 탕탕 하는 방포 소리가 들려오는가 하였더니 상대 중간쯤의 행렬에 서 있던 몰이꾼 서너 명이 금방 가슴과 등에 피를 쏟으면서 눈길 위에 곤두박이었다. 방포 소리에 놀란 소들이 길길이 날뛰었고 날뛰는 소를 잡으려는 동무들로 행렬은 흐트러지기 시작했다. 고삐 풀린 소 두 마리가 계곡 아래로 뛰기 시작했다. 사태는 난감해졌다. 앞뒤로 나선 결찌들 외에도 산속에 숨어 있던 결찌들이 방포를 놓았으리라. 사태를 짐작하면 진법이란 것을 대강 꿰고 있는 자들이었다. 길손들의 봇짐이나 발기는 데데한 패거리들이 아니란 것이 그로써 판명이 난 셈이었다. 그때 비로소 천봉삼은 행렬의 꽁무니를 막고 선 축들 앞으로 나섰다.

「나는 이 상단의 행수 격이다. 너희들의 수괴는 어디 있느냐?」

「수괴라니? 우리 식구들의 우두머리 말이냐?」

「그렇다.」

「우두머리는 알아서 뭘 하게?」

「소 열 마리를 달라 하면 그런대로 흥정이 될 만하여 더 이상 변출이 나기 전에 열 마리를 내어 놓겠는데 그러자면 상대의 행수로서 너희들의 수괴라도 만나서 담판하고 초인사라도 나눠야 하지 않겠느냐.」

「이런 젠장, 내어 놓으라는 것은 잽싸게 내어 놓지 않고 꼭지 성님 찾아서 초인사라니. 적굴 사람들과 트고 친숙하게 지낼 처지도 아닌 터, 웬 놈의 범절은 찾겠다고 수선인가?」

「적굴에서 비비대고 연명한다 하나 근본은 모두가 농투성이요, 혹여 등짐장수로 처신하던 부류들도 없지는 않을 터, 서로 등지고 살 수 없는 사람들끼리 초인사 차려서 안면 깎일 일이 무언가. 내 동패들이 불을 맞고 쓰러진 터에도 예를 갖추어 보자는데 이렇게 뻣뻣드름하다니.」

천봉삼이 피를 쏟고 쓰러지는 동패를 구완하기 전에 수괴를 만나자고 한 것은 까닭이 있었다. 그 수괴란 놈이 산중턱에서 방포한 부류들 속에 섞여 있으리란 짐작 때문이었고 이쪽에서 항복을 개어 올리는 체하면 숲 속에 숨어 있는 부류들을 길바닥까지 유인할 수 있으리란 생각 때문이었다. 숨어서 방포한 부류들만 내려오면 저희들의 수효가 얼마이며 병장기의 수효까지도 가늠할 수 있을 것이었다. 그러나 화적들은 쉽게 걸려들지 않았다.

「면대할 거 없다. 소 열 필을 여기 떨구고 갈 길을 가든지, 아니면 서너 놈이 더 피를 토하고 식은 방귀 뀌는 걸 보든지 양단간에 귀정 짓게.」

「우리가 여기서 길을 밀고 당기다 보면 살육이 낭자하리라는 것은 뻔한 이치겠지. 그러나 살육을 저지르고 나면 자네들은 관군에 쫓기어 점점 더 깊은 산중으로만 피신해 다녀야 한다는 것도 잊지는 말게. 우리 또한 자네들과 담판하여 일을 귀정 짓고 나면 관변에다 고변하지 않을 수도 있지만, 우리 상단 십수 명의 모가지가 여기서 걸레처럼 흩어진다 하면 이것은 근래에 없던 적폐(賊弊)이겠으니 한 사람이라도 살아난다면 자네들은 길목에 좀처럼 얼굴을 내밀지는 못할 것 아닌가.」

「아니, 이건 적굴 사람들 뒤를 부처 밑구멍 들추듯 파잡고 있네그

「려.」

「여기서 서로 길목을 막고 길게 수작하고 있다 보면 행인들이 모이고 그러다 보면 고개에서 화적 났다는 소문만 낭자할 것 아닌가. 어서 자네들 수괴를 부르게. 자네들 수괴를 만나자는 것은 앞으로 우리 상대들의 가슴에다 무턱대고 바람구멍을 내지는 말아달라는 당부도 단단히 해두려는 일 때문일세.」

「그것이 정말인가?」

「정말이 아니면 목봉 하나 변변히 지닌 것 없는 우리들이 자네를 대적하여 위계라도 꾸민단 말인가.」

「다음 파수에도 우리가 이 목쟁이를 지키고 있을 성싶은가?」

「우리나 자네들이나 길바닥에서 일용을 구처해서 연명하기는 매일반이 아닌가. 설령 철령에선 떠난다 하더라도 다른 상로에서 다시 만나지 말라는 법은 없는 것, 꼭지 성님이란 사람 만나게 주선하게.」

「꼭히 그렇다면 기다리게. 행수 격이라 주선하는 게 다른 수하것들보다는 한 수 높군그래.」

두 녀석이 산기슭을 올라간 뒤 얼마 있지 않아서 다시 열 명이나되는 화적들이 산비탈을 타고 내려오기 시작했다. 그중에 화승총 든 놈이 넷이나 되었다. 꼭지란 자가 앞으로 나서는데, 체수 우람한 졸개놈들과는 달리 왜소하고 깡마른 자였다. 체수는 보잘것없으나, 안광이 빛나고 하관이 쪽 빠진 품이 제법 영민하고 술수에 밝아 보이었다. 졸개놈들은 개가죽배자나 누비배자들을 껴입어서 눈밭에 뒹굴어도 얼어 죽지 않을 만하게 조처하고 있었으나 꼭지란 놈은 무명옷 한 벌로 견디는 것을 보면 강단 또한 있는 위인 같았다. 처음엔 수작하는 꼴을 보자 하고 궐자를 내세워 농간하는 것이 아닌가 하였는데 졸개들이 껌뻑 죽는시늉을 하는 품이 수괴가 틀림없었다.

「난 평강 쇠살쭈 천송파라 하오.」

꼭지란 놈이 재빠른 눈으로 천봉삼의 아래위를 살피고 나서,

「난 변성명이 잦은 사람이라, 초면이라 하나 통성명은 할 수가 없소.」

너나들이로 나올 줄 알았는데 분명하게 공대를 해주었다.

「달라는 소 열 필은 떨구고 가겠소만 한 가지 걱정이 없지 않소.」

「다음 파수에 우릴 만난다 할지라도 다시 소를 내어 놓을 수 없다는 것이오?」

「물론이오. 우리 처소의 식구가 백여 명을 헤아리니 파수 때마다 폐해를 입었다간 얼마 지나지 않아서 거덜이 날 것이 아니오?」

「상단이 거덜 난다 하여도 우리 식구들과는 오불관언(吾不關焉)이 아니오? 그러니 다시 상단을 털지 않겠다는 약조는 할 수 없소. 우리가 그런 언약까지 신실하게 할 수 있는 사람들이라면 대처로 나가 섞여 살지 무슨 청승으로 산속에서 살겠소.」

「만약 그 약조를 못해 주겠다면 소 한 마리도 내어 놓을 수 없소.」

「죽기를 한사한다면 행수가 알아서 처신하시오.」

「좀도둑치고는 제법 뼈대 있는 척하시는구려.」

「좀도둑이 아니라 우린 떼도둑이오.」

「식구들이 끽해야 서른을 넘지 못하는데 좀도둑이지 어찌 떼도둑이란 말이오.」

깎아내리고 네뚜리로 하는 천봉삼의 말에 꼭지란 놈은 꿈쩍도 않고 입가에 냉랭한 웃음을 흘리면서,

「스무 명 남짓하지만 일당백이오.」

그때 천봉삼은 선머리에 선 곰배에게 소 열 마리를 떨구라고 소리질렀다. 누구의 분부라고 대꾸를 하겠는가. 잠시 상대가 농우소들을 골라내느라고 술렁이기 시작했다. 열 마리를 골라내는 일변 나머지

소들은 계곡의 후미진 곳으로 몰아넣었다. 위쪽은 낭떠러지고 양편이 계곡 언덕이니 앞에서 서너 명만 지키고 선다면 놀란 소들이라도 빠져나갈 길이 없었다. 화적들은 상대의 움직임을 덤덤하게 바라보고 있었다. 소 열 마리만 넘겨받으면 상대들이야 무슨 짓을 하든 상관이 없겠기 때문이었다. 소 열 마리의 고삐를 쥔 몰이꾼 세 사람이 결진한 화적들 앞으로 걸어갈 때였다. 또한 변괴가 일어난 것이었다. 어디서 날아왔는지 짧은 표창 하나가 몰이꾼 등에 꽂히었다. 표창에 꽂힌 쇠전꾼이 앞으로 푹 고꾸라진 것과 거의 동시에 천봉삼의 고함 소리가 들렸다.

「여보시오, 이게 무슨 짓이오. 달라는 것 다 주겠다는데 또 이런 살상을 자행하다니.」

그러자 천봉삼보다 더 놀란 꼭지란 놈이 서둘러 말했다.

「우리가 한 짓이 아니오. 우리 식구는 여기 모인 우리들뿐이오.」

「그렇다면 낭패 났소. 또 다른 결꾼들이 우릴 겨냥하고 있다는 증좌요. 어서 빨리 계곡 아래로 숨어야 하오.」

천봉삼의 그 한마디에 상대와 화적 떼들이 한동아리로 휩싸이어서 계곡 아래로 뛰기 시작하였다. 그러나 그때를 상대는 노렸던 것이었다. 계곡으로 뛰면서 상대들은 화적들을 에워쌌다. 그리고 화승총을 든 놈들에겐 두 사람씩 뒤따랐다. 계곡 위에서는 세 사람이 뛰지 않고 소들을 지키고 서 있었다.

「이제 그만 뜁시다.」

천봉삼의 그 말이 들리는 것을 군호 삼아서 상대는 화승총 든 다섯 놈을 일제히 덮치어서 눈밭을 뒹굴었다. 다섯 놈은 순식간에 화승총과 화약 주머니를 상대들에게 취탈당하고 말았다. 그와 때를 같이하여 물미장을 든 다른 동무들은 곁에서 뛰는 축들에게 일제히 달려들어 목덜미를 잡고 뒹굴었다. 계곡은 삽시간에 난장판으로 변하였다. 아우성과 기합을 넣는 소리로 낭자하였다. 벌써 장약을 한 상 대들이 계곡 아래로 무작정 뛰고 있는 화적 떼들 뒤통수를 겨냥하여 방포하기 시작했다. 눈바람이 드센 속에서 쌍방 간에 어느 편이 봉 변을 당하는 것인지, 처참을 당하고 있는 것인지 가늠하기가 어렵게 되었다. 그러나 상대들도 원체 날렵한 장정들이고 벌써 동패 서넛이 피를 쏟고 쓰러진 뒤라 악이 받칠 대로 받치어서 물미장을 기운껏 휘두르니 허술하게 보았던 화적들이 당할 수밖에 없었고, 또한 그런 가당찮은 기습을 받으리라곤 상상조차 할 수 없던 일이었기 때문에 승패를 가리는 데는 그렇게 긴 시간이 걸리지 않았다. 스무 명 남짓 하던 화적 떼 중에 내처 저승까지 뛴 놈이 열 명이 넘고 나머지들은 피칠갑이 되거나 굴신을 못하게 얻어맞은 놈들뿐이었다. 그러나 상 대들도 대여섯이 기를 잃고 쓰러진 채였다. 화적 떼 거개가 상대에 잡힌 바 되었다.

상대들이 예기치 않게 살진(殺陣)을 치고 덮치는 바람에 함정에 빠진 철령고개 화적 떼 몇 놈이 속절없이 살변을 당하고 아예 척살 할 작정으로 내려친 물미장에 박이 터지고 살갗이 흩어지니, 눈밭 속 에는 머리를 처박고 쓰러진 자가 허다하였다. 그러나 잽싼 놈들은 사세 위급함을 진작부터 알아채고 눈덩이와 함께 계곡 아래로 굴러 서 명줄을 부지한 자도 없지 않았다.

그러나 화적질하다 당한 살변이요, 봉패이니 누굴 보고 활인을 간 구하겠으며 어디 가서 마음 놓고 은신처를 부닐 수 없었다. 처처에 둔소를 차리고 그 세력들이 욱일승천(旭日昇天)한다 할지라도 패진 (敗陣)당한 도적의 무리들보다 더 욕되고 추한 것들이 어디 또 있을 수 있을까. 갈치가 꼬리를 물듯이 저희들끼리만 막역하게 지내다가 모두가 흩어졌으니 어디 가서 넋두리할 곳도 없어 죽지 못한 자는 끙끙 앓기만 할 뿐이었다. 그들의 욕된 피가 옷깃을 적시고 또한 눈밭을 적시어, 엄동설한 삭풍이 스쳐 가면서 남긴 눈여울 위엔 흐드러 지게 핀 해당화처럼 몸서리쳐지는 핏자국이 낭자하게 피어 있었다.

눈밭 위에 뚝뚝 떨어진 핏자국을 바라보던 천봉삼의 눈시울엔 어 느덧 눈물이 괴고 있었다. 이 환난을 어찌하면 좋을까. 나라의 경계 를 바로잡아 보겠다는 한 줌의 포부도 이곳엔 없었고, 또한 나라를 일으키겠다는 장부의 뼈저린 명분도 여기엔 없었다. 다만 오늘 당장 에 일용할 한 줌의 곡식과 하룻밤 피곤한 육신을 누일 곳을 위해서 이러한 살육이 거침없이 저질러지고 있다는 것이 슬펐던 것이다. 한 끼니의 조석을 변통하기 위해 이러한 살육이 주저없이 자행된다 하 면 감히 이름하여 장부라 할 수 있을까. 천봉삼은 문득 자신의 처지 가 한없이 누추해진 것을 깨달았다.

화승총에 당하고 표창 맞은 동패들 중에 이미 명줄이 끊어진 사람 이 둘이나 되었다. 비명에 간 동패를 수시(收屍)하고 네 사람을 조발 하여 고산(高山) 지경까지 앞서 내려 보냈다. 경황중에 혼겁을 한 소 다섯 마리가 코뚜레를 풀고 달아났으나 눈길 속이라 멀리 가지 못하 고 산기슭에 우두커니 서 있었다. 수괴라는 자와 서넛을 삼줄로 엮 어서 고산 지경에 당도하니 벌써 한밤중이었다. 마침 고산 지경에는 감영에서 나와 있는 토포군(討捕軍)들이 인근의 민간인들에게 나가 시와 초장료(草狀料)*를 수월찮게 뜯으면서 둔주(屯駐)한 채 아침저 녁으로 뜨거운 밥이나 죽여 내고 있었다. 그들은 시신을 떠메고 먼 저 당도한 동패들에게 봉적한 전말을 대강 얻어듣고 고산 지경 초입 에서 홰를 켜 들고 소 상단이 당도하기만을 기다리고 있었다. 붉은 상모 너울거리는 전립 쓰고 패영(貝纓)*을 아금받게 당겨 꿴 장교가 흑색 쾌자 꾀죄죄한 나졸들을 좌우에 거느리고 섰다가 쇠전꾼들이

* 초장료 : 관헌들이 도적을 잡는 데 드는 짚신값 명목으로 민간에서 뜯어내던 돈.
* 패영 : 산호, 호박, 밀화, 수정 따위를 꿰어 만든 갓끈.

뒤죽박죽 길목으로 내려오자, 등채*를 높이 쳐들고는 길을 막았다. 난데없는 토포군을 만난 소 상단들의 발걸음이 주춤하였다. 횃불 아래로 피칠갑이 된 선머리의 일행을 시늉 삼아 훑어본 장교가 등채로 더그레 자락 위로 늘어뜨린 병부(兵符)*를 툭 쳐보이면서 목청 한번 호기 있게 내질렀다.

「게 섰거라, 어디서 온다 하는 상대들인가?」

선머리에서 향도하던 곰배가 관디목지르는 흉내를 하고 나서,

「평강에서 오르는 쇠전꾼들입지요.」

장교가 갈지자걸음으로 두어 발 앞으로 나서면서 한속에 턱을 떨고 있는 곰배의 행색이 상종하기엔 심이 차지 않았던지 더 큰 목소리로,

「너희들 행수는 어디 있으며, 저기 포박당한 무리들은 무엇이냐?」

「포박한 자들은 철령에서 만난 흉비들입지요.」

「흉비들이라니? 너희들이 철령의 초적(草賊)들을 포착하였더란 말이냐?」

「초적이 아니라 가위 대적(大賊)들을 잡았습죠만 우리 동패들도 수월찮게 흉변을 당했습지요.」

「초적이든 대적이든 그건 나중에 발기 잡을 일이다. 어서 너희들 행수나 어디 있는지 대거라.」

「저의 행수님을 가려내는 것보다 저 흉비들을 서둘러 압상(押上)하시는 게 발등에 떨어진 불똥이 아닙니까.」

「적도들 압상이야 어련하겠나. 너희들 행수부터 만나 봐야 사단의 순서가 밝혀지지 않겠느냐.」

---

* 등채 : 무장할 때 쓰던 채찍.
* 병부 : 발병을 신중하고 정확하게 하기 위하여, 왕과 병권(兵權)을 맡은 지방 관이 미리 나누어 가지던 신표(信標).

「사단의 시말을 따질 것도 없습지요. 철령에서 화적 만난 것이 일의 시초이고 저놈들 포착한 것이 결말입죠.」

「누가 나가서 저놈 입 좀 닥치게 조처하렷다.」

그때, 동패들 사이에서 천봉삼이 앞으로 나섰다.

「시생이 명색 상대의 행수로 주변한다는 천가입니다.」

「원상(原商)이라면 자문을 내보이게.」

천봉삼이 소매를 뒤져 자문을 내보이자, 장교는 홰를 가까이 하게 하고 횡보지 않으려고 한동안 고개를 갸우뚱거리다가 던지듯 다시 건네주면서,

「그렇다면 겸인들은 마방으로 가서 하처들 잡게 두고, 자넨 잠시 나를 따라와야 하겠네. 여기서 몇 행보 안 되는 보행객주를 복처(伏處)로 정한 것이니 얼추 어한도 할 겸 따라와 보게.」

적당들의 범증을 가리자면 행수의 공초를 받는 것도 당연한 일이라 갈지자 두꺼비걸음에 게트림하는 장교의 뒤를 따라 천봉삼은 자못 삼엄한 보행객주의 봉노로 들어갔다. 아랫목에 좌정한 장교가,

「상대들이 만났다던 흉비들은 수가 몇이나 되던가?」

「경황중에 당한 일이라 수를 짐작할 수는 없었으나 눈어림으로 보아서 서른은 넘어 보이는 자들이었습니다.」

「적당들이란 근본부터가 남의 재물을 털자고 나선 불령의 무리들일진대 나름대로 삼엄한 병장기를 갖추었을 것이다. 그런데 이렇다 할 병장기도 갖춘 것이 없는 상대가 감히 적당들과 대적할 수 있었겠는가? 게다가 상대에선 살변을 당한 자들이 둘밖에 없다는 것이 도대체 해괴한 일이다. 또한 잡을 수 있었다면 모두들 근포하지 않고 잔당 몇 놈은 장달음을 놓게 버려 두었다니 심히 수상쩍고 애석한 일이 아닌가.」

「우리의 상대가 워낙 울 센 결찌들이라 간담과 배포 때문에 얼추

와중을 빠져나왔다 할 수 있을 뿐입니다. 무슨 도섭을 부린 것도 아니요, 진법도 모르는 주제들이 천행으로 명을 부지한 것만도 천만다행인데, 나으리께선 어찌 근포하지 못한 것을 트집 잡아 추문(推問)하려 하십니까.」

「자네들을 추문하려는 것은 아니네만 애석한 일인 것만은 틀림없네. 조만간에 우리가 나아가서 그 대적들을 모조리 근포해서 중인소시(衆人所視)*에 효수에 걸어 경중(警衆)케 할 계책이 자네들로 하여 수포로 돌아갔으니 그것이 아쉽다는 얘기가 아닌가.」

장교의 말에 천봉삼은 내장이 뒤틀리고 메스꺼웠으나 아닌 체하고,

「대적을 근포하면 어찌해서 효수에 걸 것만을 능사로 아신다는 것입니까. 그들을 회유하는 일도 그들을 잡는 일과 같이해야 하지 않을까 합니다. 화적질한 자들을 포착하는 대로 저자에 끌어내다 회를 뿌리고 효수하기를 그치지 않았습니다만 오늘날까지 적폐는 근절되지 아니하고 가위 욱일승천이라 할 만합니다. 또한 적당에 가담한 자는 잡힐 것이 두려워 대적(大賊)에 가담하게 되기를 바라게 되니 효수로 경중케 하여 결코 얻으신 것이 없지 않습니까.」

「봉적하여 동패가 살육을 당하고 또한 병신 된 자가 많거늘 어찌 잡은 도적을 효수에 걸지 않고 회유하란 말을 늘어놓고 있는 것인가. 행수 된 자의 흉회를 알지 못하겠군. 차후 봉적할 것이 두려워서인가?」

「저로서는 적당들의 압상은 서두르지 아니하고 저를 잡고 타박이신 나으리의 의중을 가늠하기 어렵습니다.」

장교가 천봉삼의 힐문에는 이렇다 할 대꾸를 않고 슬쩍 말머리를 돌렸다.

---

* 중인소시 : 여러 사람이 다 같이 보고 있는 형편.

「내가 알기로는 적당들이 화공(火攻)까지도 불사했던 무리들로 아는데 저들로부터 취탈한 병장기는 없었던가?」

「눈밭 속에서 뒤엉켜 엎치락뒤치락하는 중에 화승총이 어디에 있는지 분간할 방도가 없었고 혹여 병장기를 취탈하였다 하나 부러뜨리고 망가뜨려서 상대에서 거둔 것은 없습니다.」

「그 또한 애석한 일이군.」

그때 덧문이 열리면서 난데없는 주안상이 방 안으로 들어왔다. 상을 든 중노미를 뒤따라 기생퇴물 같은 코머리 하나가 뒤따라 들어왔다. 도적 잡아 온 양민에게 관원이 내리는 상급으로 봐서 놀랍지는 않았으나 조금의 처지가 기생의 술잔을 받고 앉아 있을 경황이 아닌지라 천봉삼은 서둘러 자리에서 일어났다. 그러나 장교가 허겁지겁 반몸을 일으키며 천봉삼의 소매를 잡아채는 일변, 기생퇴물을 노려보면서 호통을 치는 것이었다.

「너는 어찌 꿰다 놓은 보릿자루 모양으로 빈객을 잡지 못하고 빤히 쳐다보고만 앉았느냐. 오늘 밤 네가 수청을 들어야 할 분이 아니냐.」

화들짝 놀란 계집이 장교와 합세하여 떤다는 것이 볼품없는 아양이어서 가위 수작할 잡이가 못 되었으나 장교의 언사가 괴이한지라 천봉삼은 다시 주질러 앉았다. 딱 술 한 잔을 받고 난 다음 나가지 않겠다고 바동거리는 기생을 칠촌에 양자 빌듯 하여 내쫓고 은근히 장교에게 말하였다.

「나으리께선 제게 은근히 당부하실 말씀이 없지 않으신가 보군요. 지체 마시고 말씀을 해주십시오.」

눈자위를 크게 뜨고 한동안 천봉삼을 바라보던 장교는 주저하는 빛이더니 그만 손사래를 치고,

「내가 행수께 당부할 말은 없네. 당부할 말이라니, 행수는 나와 초

면부지가 아닌가.」

「걱정 마시고 속내를 토파하십시오. 우리의 신세야 마의 하휴(馬醫夏畦)에 비견될 만한 것들이 아닙니까. 우리의 손으로 도적을 잡았다 하나 그것으로 공명을 얻으려는 심사는 추호도 없습니다. 공명이란 나으리 같은 분이 얻으셔야 할 것이 아닙니까. 오늘날까지 보부상들이 혹간 화적을 잡았다 하나 상급을 내린 적이 없고 혹여 화적들에게 살변을 당했다손 치더라도 또한 동패들 외에는 환난 상구한 적이 없었습니다. 그러한즉 오늘 밤 이 자리에서부턴 우리 상대가 철령 화적 떼 잡은 일은 씻은 듯 잊어버릴 것이니 나으리께서 좋으시도록 주선하십시오. 저희들은 다만 마장목(馬裝木)*이나 초장료를 뜯기지 않았다면 그것으로 흡족입니다.」

「행수는 어찌해서 내 속에 들어갔다 나온 사람처럼 말하는가.」

「소싯적부터 타관으로 유리되어 조선 팔도의 저잣거리만 발섭하면서 끼니를 구처하다 보니 남의 눈치 한 가지는 손금 들여다보듯 꿰뚫을 수 있게 된 것이지요.」

「그렇다면 나 역시 툭 털어놓고 얘길 하겠네. 자네야 차후 입을 닥친다 하지만 동패에 성깔이 뒤틀린 축들이 없지 않아서 관변에 조명이라도 나게 된다 하면 내겐 전만 같지 못할 일이 되지 않을까?」

「제가 원체 부실한 위인이라 하나 명색 평강 마방의 행수로 처신한다는 것이 수하 동무들 입정 하나 닦달하지 못하겠습니까. 그건 염려 놓으시고 저 또한 동패들 하처 잡은 곳으로 가봐야겠으니 길이나 막지 말아 주십시오.」

봉삼이 퇴로 나서자 장교는 문턱에 턱을 걸고는 잘 가란 말을 귀에 따갑도록 지껄이는 것이었다. 명줄이 끊어진 두 동무의 시신은

---

*마장목 : 말을 꾸미는 데 비용으로 쓰이는 무명.

숫막 싸리바자 아래에 초빈(草殯)하여 두고, 총창(銃創) 입은 동무들
은 가근방의 고명 의원을 수소문해 불러다가 구완하는 중이었다. 초
빈한 시신들은 고산 읍치 근방 잔풍하고 해 잘 드는 산기슭에 초장
(草葬)으로 가매장하였다가 내년 봄에 다시 와서 뼈를 거두어 평강
으로 면봉(緬奉)하자는 의견들이 많았지만, 고산 지경에서 초장을
한답시고 분주를 떨다 보면 저희들 손으로 대적들을 잡았다 장담하
고 나설 토포군 일행의 입장이 난처해질 것 같았다. 천봉삼이 나서
서 기왕이면 목전인 원산포까지 운구(運柩)를 하자고 우겼다. 그러
나 내막 모르는 곰배가,

「성님, 원산포로 운구해 보았자 내년 면례할 적엔 번거롭기만 할
터, 여기다가 우선 초장을 할 일이지 구태여 원산포까지 전체(傳
遞)송장할 까닭이 무엇입니까. 성님은 왜 자꾸 일을 번거롭게 만
들려 합니까?」

꾸며 댈 대꾸가 궁하던 중에 마침 떠오르는 것이 없지 않아서,

「우리가 화적 떼들에게서 취탈한 화승총들은 어찌하였나?」

「토포 군사들이 눈치 채지 못하게 혹은 덕석 속에 숨기고 배자 속
에 감추어서 발각되지 않았지요.」

「우리가 여기서 동패들의 시신을 초장한답시고 지체하는 중에라
도 혹여 화승총 취탈해서 숨긴 것이 토포 군사들에게 탄로 나는
날엔 환난 입기 십상이 아닌가. 그렇게 되면 변해할 방도가 없으
니 구린 입도 떼지 말고 있다가 내일 아침 서둘러 발행하세나.」

천봉삼의 말이 그럴듯한지라, 곰배는 더 이상 따지고 들지는 않았
다. 천봉삼이 토포 군영의 장교를 하직하고 하처 잡은 객점으로 돌
아온 지 한 식경이 못 되어서 장교가 묵고 있는 보행객주에서 푸짐
한 주효(酒肴)가 날라져 왔다. 보행객주의 사노로 보이는 사내 셋이
객점으로 들어서는데, 내려놓은 것이 동이술과 대처의 범절 있는 기

방에서가 아니면 볼 수 없는 주찬(酒饌)이었다.

「누가 보낸 것이냐?」

마당에 술동이를 내려놓고 쭈르르 달려 나가던 사노 녀석들이 이구동성으로,

「저의 집에 묵고 계시는 장교 나으리인뎁쇼.」

천봉삼을 빼고는 모두 어인 영문인지 몰랐지만 어쨌든 동무님들이 뼛골까지 쑤시는 듯하던 한속을 달래게 되었으니 대회하여 동이 술을 헐었다. 술들을 퍼먹으면서도 작반하던 동료가 홍변으로 삽시간에 저승과 이승으로 흩어지고 말았으니 닭의똥 같은 눈물을 뚝뚝 떨구는 동무들도 있었고, 평강으로 회정하면 식솔들을 솔거(率去)하여 산협으로 들어가 따비밭이나 일구면서 농투성이로 살아야겠다고 벼르는 축들도 없지 않았다. 그날 밤 자정이 넘어서야 모두들 잠이 들고 화톳불 가에는 천봉삼과 곰배만 남았다. 사추리는 불에 익을 것같이 뜨거웠으나 달이 기울수록 등허리는 얼음에 기댄 것같이 차가웠다. 곰배가 목청을 낮추고 물었다.

「성님, 저희들에게 숨기고 있는 일이 있을 것 같소.」

「무엇을 숨긴단 말인가?」

「어째서 화승총을 숨기고 원산포로 오르는 일에 대해서는 이렇다 할 말씀이 없으시오? 앞으로 봉적할 것에 대비하여 화승총을 숨겼습니까?」

「우리가 화승총을 지니기로 하였다면 벌써 구처할 수가 있었지. 용처에 대해서는 원산포에 무사히 떨어진 다음에야 얘길 하지.」

「여기라면 원산포 턱밑이 아니오?」

「원산포에 득달해서 물정을 살핀 다음에야 할 수 있는 말이니 너무 조급증 내지 말게.」

「이상한 일이오. 격 난 사이도 아닌데, 성님의 속내를 내게도 털어

놓지 않는 것은 이번이 처음이오. 어디 그것뿐이오? 보행객주에선 장교 명색과 오랫동안 숙덕거리고 나왔으면서도 일언반구 말이 없으시었고 또한 남의 것이면 비상(砒霜)인들 사양 않을 장교가 주찬을 풀어 상없는 우리 패를 흔연대접해 준 것도 만고에 없던 일이라, 덕택에 주린 배는 불리었습니다만 스산하고 울적한 마음은 가셔지질 않습니다.」

「술로 마음을 달래게나.」

「그것이 쉽지가 않을 것 같습니다. 동패 둘이 귀신도 모를 죽음을 당하는 것을 목도하고 나니 저도 이젠 평강 처소에 붙박여서 마방 시궁이나 치고 살았으면 하는 마음이 꿀 같다오.」

「자네 좋을 대로 하게만, 이는 모두가 겪고 있는 환난인 것이지 어디 우리뿐인가. 그렇게 속절없이 죽어 간 보부상들이 어디 한둘이 겠는가. 각고와 환난이 겹겹이 닥치고 설한풍에 살갗이 찢겨 난다 하더라도 우리가 이 상로를 버린다 하면 우리와 유명(幽明)을 달리한 동패들에게 욕을 돌리는 일이 아닌가.」

「그건 저도 알고 있소.」

「우리는 잠시 이 땅에 태어나서 이 땅을 빌려서 살아갈 뿐일세. 내가 버티고 서 있다 하여 그것이 내것일 수가 없고 나는 새를 떨어뜨릴 권세를 잡거나 세상을 살 만한 거만(鉅萬)의 재화를 쌓은들 어찌 그것이 내것이 될 수 있겠나. 모두가 그 모색조차 짐작할 수 없는 후세들의 것일세. 우리가 겪고 있는 이 환난 역시 마찬가지가 아닌가. 내가 겪지 않으면 내 곁에 있는 백성들이 또한 치러야 할 곡경이 아니겠나. 그것으로 이 땅이 굳어질 것이고 굳어진 땅을 우리의 후사들에게 물려주게 될 것 아닌가. 다만 태평성세에 태어나지 못한 것은 운명일 뿐 갖은 환난 속을 살아야 한들 지금에 태어난 이상 이 환난을 모피할 수는 없지 않겠나. 그러니 남이

당할 것을 내가 당했다고 통분한다 하면 그것은 곧 자기를 더럽히
고 핑계 치는 일과 다름이 없는 것일세. 자네 역시 자네 한 몸의 안
위가 곧바로 태평이란 못난 생각만은 버려야 할 것이네. 오늘에
태어났으면 오늘의 사람이 할 일을 하다가 죽는 것이 부끄럼 없는
명분이 아니겠나.」

화톳불이 이젠 사그라져 들어가서 썰렁하였다. 눈보라가 불어와
서 화톳불 위로 내려앉았다.

5

일행은 그 사흘째 되던 날에도 해가 져서야 겨우 원산포 어름에
당도하게 되었다. 척후들의 통기를 받은 강쇠가 원산포 아랫녘 남대
천 목교(木橋)에까지 나와서 일행을 장맞이하였다. 밤이 길었다 하
나 남대천 숫막에 들 수는 없었다. 쇠여물 변통하기가 여의치 않았
기 때문이다. 숫막거리에서 장국밥과 한잔 술로 한속을 달랜 상대는
내처 남대천을 건넜다. 몰이꾼들을 빨랫줄 길이만큼 앞세우고 천봉
삼과 강쇠는 뒤로 처졌다.

「일행이 득달하는 길로 산역(山役)부터 치르려고 토역장이들을 수
배해서 기다리게 조치하였습니다만 당초에 알 수 없는 노릇이 아
무리 울 센 대적(大賊)들이라 하나 감히 평강 상단과 상대할 생의
를 한다는 것이 놀라운 일입니다. 어쨌거나 행수님 뵙게 되어서
경황중에서도 다행입니다.」

「나 같은 천격이야 홀딱 벗겨서 바위 위에 올려놓아도 달포쯤은
살아갈 수 있을 위인이 아닌가. 그러나 동패 둘이 몰사죽음당하는
흉변을 목도하고 나니 수하 동무님들에게 면목이 서질 않고, 그렇
다 하여 앞날의 계책이 딱 부러지게 떠오르는 것도 아니니 그것이

당장 낭패일세.」

「화적들이 나날이 기승입니다. 평안도와 황해도 지경에서는 백주에 삼문이 빤히 바라보이는 곳에서도 곡식과 포목을 털어 간다 하니 그냥 두고만 볼 일이 아닙니다.」

「원산포의 곡가(穀價)는 어떠한가?」

「저자에 나가면 혹간 시게 자루에 됫박 곡식을 짊어진 농투성이들이 어슬렁거리는 것이 보입니다만 포구에는 왜국 상선으로 실려 가는 곡식섬들이 쌓여 있을 뿐이지요. 원산포가 해물 저자가 서는 곳이라고는 하나 곡식이 풍성하지 못하니 해물 저자인들 흥청거릴 수가 없지요. 쇠전도 마찬가지입니다. 객주들이 모두 왜상들과 배를 맞추어서 시세를 저희들이 좌지우지하고 있는 판국이니 우리 마방은 옘병 훑고 간 마을처럼 썰렁하답니다.」

「이러다간 삼백육십 고을 뿌리까지 뽑힐까 걱정이군.」

「왜상들은 저들의 거류지에서 이십 리 밖을 나오지 못하게 되어 있지만 원산포는 고사하고 인근 대처의 저자에까지 활개를 치고 다닌다오.」

「우리가 적폐를 당하긴 하였네만 그로 하여 화승총 다섯 자루를 탈취하게 되었네.」

「그런 위태로운 병장기를 관아에 속공(屬公)시키지 않고 왜 지니고 오셨단 말입니까?」

「장차 소용될 곳이 있을까 하여 고산 지경에서 만난 토포 군사들에겐 아닌 체하였네.」

「우리 상대가 그런 병장기를 숨기고 있다는 것이 관아에 입문되면 당장 역모를 꾀하는 불령의 무리들로 몰아붙일 것이니 그것은 화근을 자초하는 일이 아닙니까.」

「화근이 될 것도 없고 우환을 부를 일도 아닐세. 잠시 원산포에 묵

으면서 물정을 살핀 뒤에 작정할 일이긴 하지만 화승총 가진 것은
자네만 알고 있게.」

원산포 처소에 당도하고 보니 벌써 이경(二更) 어름이었다. 썰렁
하고 스산한 세월을 보내고 있던 탑삭부리는 구면인 동패들을 만나
자 죽었다 살아난 친척을 만난 것처럼 반기었다. 우선 마방에다 소
들을 몰아 매고 두어 장도막까지 여물을 먹여서 원기 찾도록 하는
일변 원매자(願買者)들을 물색할 작정이었다. 이튿날은 하루 종일
산역에 시달리다 보니 상대는 그대로 기진맥진이었다. 포구가 크다
하나 60여 두의 소가 당도하였으니 원산포의 쇠살쭈들은 이튿날부
터 마방으로 찾아와 명함을 들이대고 부산을 떨었다. 그러나 홍정은
강쇠에게 맡긴 채 천봉삼은 내리 사흘 동안 새벽참에 나갔다가 밤중
에야 처소로 돌아오곤 하였다. 나흘째 되던 날 강쇠와 곰배를 데리
고 포구의 도선목 어름으로 나아갔다. 도선목에 있는 숫막의 호젓한
골방 하나를 얻어서 술상을 들이라 하였다. 술이 몇 순배 돌아간 뒤
에 불콰하게 취한 천봉삼이,
「우리 세 사람은 평강 처소 동패들 중에서도 오랫동안 동고동락하
기를 친동기간이나 진배가 없었지. 때로는 성깔이 어긋날 때도 없
지 않았고 때로는 환난을 겪을 제 서로 목숨마저 아끼지 않던 때
도 없지 않았지.」
곰배가 불쑥 내지르는 말이,
「다 알고 있는 일을 새삼스럽게 되뇔 건 뭐요?」
「그래서 자네들에게만 토파할 말이 있었는데 사실은 가슴에 넣어
두고 오랫동안 굴리기만 하였다네.」
강쇠가 술잔을 내려놓고 곰방대에다 막초를 다져 넣으면서,
「요지간에 행수님의 거동을 은근히 엿보아 왔습니다만 나대로는
행수님 심지에서 무엇이 싹트고 있는지 어렴풋하게나마 짐작 가

는 것이 없지 않소.」

「자네 눈치가 재빠르다는 것은 알고 있네만, 글쎄 무슨 계책이 도
사리고 있는 것인지 한번 알아맞히게.」

「차린 술상이나 비위 내고 흥회를 털든지 하십시다.」

「그렇게 주저하실 거 없네. 지금 당장 털어놓는다 하여 놀랄 사람
이 누구겠나.」

곰방대에 불을 댕기다 말고 다시 내려놓고 술 한 잔을 죽 들이켠
다음 강쇠는 뻘게진 눈으로 천봉삼을 한동안 바라보았다.

「이번에 몰고 온 소들을 행매하고 나서 그 판화전(販貨錢)으로 포
목이나 북태를 사지 않고 곡물을 도집(都執)하시겠단 계책이 아니
십니까? 그래서 계책이 들어맞으면 토선(土船)을 한 척 사시겠다
는 것이겠지요.」

천봉삼은 정곡을 찔린 터라, 한동안 웃고 있다가,

「자네의 말이 나와 입을 맞춘 듯하군. 그만하면 상쟁이로 나선대
도 굶지는 않겠네.」

「감히 원산포의 왜상들을 한번 을러 보겠다는 뱃심인 듯하군요.
그러나 손쉬운 일이 아닙니다. 원산포에도 뼈대 억센 조군(漕軍)
붙이들이 득실거릴뿐더러, 왜상들 수하에서 턱찌끼를 얻어먹는 통
사(通詞)*와 왈짜들을 평강 쇠전꾼들이 당해 낼까 싶소?」

강쇠가 퉁기는 말에 미처 대꾸를 못하고 있는 천봉삼의 소매를 와
락 잡아당기면서 이번엔 곰배가 물었다.

「아니, 성님, 강쇠의 말이 적실하오? 왜상들과 겨루자고 한다면 가
위 미친 수작이오. 성님이 서울에서 곤장맛을 보고 나더니 콩팥이
뒤집힌 거로군. 그들과 겨뤄 보다가 근력에 부칠 것 같으면 상선

---

*통사 : 사역원에 속하여 의주나 동래 등지에서 통역하는 일을 맡아보던 구실
아치.

94

(商船)의 곡식도 털자는 것 아뇨?」

가만히 맞은편 바람벽을 건너다보고만 앉았던 천봉삼이,

「그렇다네, 내 계략이란 게 그것일세.」

「성님도 분수를 알려면 환진갑을 모두 해먹어야 하겠군. 화승총
다섯 자루를 속공시키지 아니하고 여기까지 숨겨 온 연유가 그것
이었구려. 이러다간 종국에 가선 패가망신 톡톡히 당할 것 같소.」

그때, 촐싹거리는 곰배가 보기에 딱했던지 강쇠가 한마디 쏘아붙
였다.

「자넨 좀 촐싹거리지 말게. 오늘 당장 일을 꾸미자는 얘기도 아니
지 않은가. 우리가 왜선의 동태를 살피어서 허를 찌를 만한 사혈
처(事歇處)를 알아만 낸다 하면 배 한 척 털기란 앉은 소 타기가
아니겠나.」

강쇠의 말에 힘을 얻은 천봉삼이,

「그럼 자네, 나와 동사하겠단 것인가?」

「행수님이 말씀하지 않았소? 우린 동기간이나 진배없다구. 가담
하였다가 구천에 떨어지는 한이 있더라도 행수님 혼자 버려둘 수
는 없는 것 아닙니까. 그러나 제가 한 가지는 알아야 할 게 있소.
그들의 곡식을 취탈해서 어떻게 처분하자는 것이오?」

「내가 왜상들의 곡식을 취탈하자는 것이 아닐세. 그 곡식이 왜국
으로 실려 가는 것을 막자는 것이지.」

「취탈하자는 것이나 막자는 것이나 그게 그거 아뇨? 그들의 곡식
을 취탈하지 않는 이상 어떻게 실려 가는 것을 막자는 것입니까.
몇 마디 어설픈 회유의 말로는 되지 않을 일이오. 그렇다고 위협
하고 대들었다간 무룻매당하기 십상이겠으니 복처(伏處)에 숨었
다가 그놈들 멸구시키는 것밖엔 딴 방도가 없겠군.」

「굴러 온 돌이 박힌 돌 친다더니 이 사람 말을 듣자 하니 죽지 못

해 상성을 한 것이야. 자네 우스갯소리로라도 그런 말은 하지 말게. 우리가 수적(水賊)이 되자는 것 아닌가? 아니, 우리가 뭣이 궁해서 수적이 된단 말인가?」

「인근 고을의 백성들이 먹을 양식이 요족하게 되고 장시가 황폐해지지 않을 도리만 있다면 어찌 내 한 몸 수적 되기를 사양하겠는가.」

그들은 숫막을 나와 포구로 나아갔다. 왜국으로 발묘(拔錨)를 서두르고 있는 화륜선(火輪船)들이 포구에 정박해 있었다. 갑판에서 피워 올리는 연기가 하늘을 찌를 듯하였다.

「외돌토리로 살아가는 것도 서럽고, 상것으로 살아가는 것도 또한 역겨운 판에 종국에 가선 수적질까지 하게 되다니. 그러나 나는 이미 외돌토리가 아닐세. 벌써 언문책 읽는 초성 좋고 후사까지 배태한 내자가 있는 몸일세.」

「그렇다면 자네는 가담하지 말게.」

「이런 불뚱가지 있는 사람을 보았나. 그렇다고 날 두고 자네들끼리 일을 도모하겠다는 것인가?」

「자넨 소생까지 밴 내자가 있다면서 그러나?」

「내가 언제 가담하지 않겠다고 했던가. 내 사정이 그러하다는 얘기였지.」

처음부터 손사래를 치고 나서던 곰배가 심지를 바꿔 앉힌 까닭을 강쇠는 알 수 없었다. 그러나 곰배는 곰배대로 퍼뜩 뇌리에 떠오르는 일이 있어서 가담하겠다고 나선 것이었다. 두 사람이 관상에 투철하다 하나 당장 곰배의 속내를 꿰뚫어 볼 재간만은 없었다.

우선은 원산포 쇠살쭈들에게 넘긴 판화전으로 인근의 곡식들을 사들이자는 데 의견이 일치되었다. 포구로 들어오는 길목을 지키고 섰다가 인근의 저자에서 흘러드는 곡식들을, 왜상들과 끈이 닿아 있는 객주에서 건네는 시세보다 한 시세를 높게 잡아 주고 중로 도집을 꾀하자는 것이었다. 그렇다면 함흥, 덕원 지경의 곡가가 등귀할 것은 물론이었다. 당장 눈앞의 셈평으로선 부질없고 우둔한 짓이었다. 또한 객주들의 빈축도 사게 될 것이었다. 그러나 구태여 강행하기로 한 근저에는 왜상들의 주목을 받아 보자는 속셈이 있었다. 연안에 정박한 화륜선의 발이 묶이게 되면 왜상들이 기필 천봉삼에게 접근하게 되리란 것을 예견할 수 있었기 때문이다. 수하 동무님들을 모조리 풀어 두 장도막 동안 인근 저자의 시게전을 돌면서 장주릅들에게 인정전을 건네어 곡식섬이라고 명색한 것은 참빗으로 서캐 훑듯 죄다 사들였다. 사들인 곡식은 모두 포구의 객주에다 맡기고 임치표(任置票)만 받아 쥔 것이 3백 석이 되었다.

세 장도막이 지나간 계미년(癸未年) 1월 초순이었다. 조정은 무척 어수선하였다. 인천의 제물포가 개항 이후 외국인의 조계(租界)*를 둘 것에 불응하여 왔으나 왜국의 압력에 견디다 못한 조정에서는 변리공사(辨理公使)와 부교리(副校理) 서상우(徐相雨)가 이를 위한 회담을 가졌다. 안으로는 이액(吏額)*이 범람해서 각처에서 무문농필(舞文弄筆)이 옴처럼 번져 포흠(逋欠)이 낭자하니 폐단이 하늘에 닿았다. 아문(衙門)의 기강을 모두 식전(式典)의 기록대로 하고 그 외에는 모두 제태(除汰)*하도록 8도(道)와 4도(都)에 신칙하였으나 수령과 벼슬아치들의 손발이 이미 이속들에게 묶여 버린 지경에 그것이 바로잡혀질 리 만무였다. 또한 변지의 백성들이나 괴롭히고 재물을 약탈하던 명화적들은 이제 서울의 턱밑까지 그 세력이 뻗치게

---

* 조계 : 19세기 후반에 영국, 미국, 일본 등 8개국이 중국을 침략하는 근거지로 삼았던, 개항 도시의 외국인 거주지.
* 이액 : 이속(吏屬)의 정원(定員).
* 제태 : 칠반천역(七般賤役)에 종사하던 사람의 구실을 그만두게 하던 일.

되니 장안에서도 왕왕 적폐가 일어났다. 조정에서는 부랴부랴 한성부(漢城府)에다 신칙을 내려 순경부(巡警部)를 설치케 할 지경에까지 이르렀다.

좌우변 포도청에서 포촉한 적한(賊漢) 20여 명을 장안의 백성들을 모아 놓고 한꺼번에 효수한다는 소문이 근기 지경을 거쳐 온 쇠전꾼들의 입에서 들려오기도 하였다.

막 저녁상을 물리고 막초 한 대를 꼬나물려는데 수하 동무 한 사람이 모이 쫓는 닭처럼 쭈르르 쫓아오더니 낯선 사내들이 문밖에 와서 천 행수를 뵙자고 한다는 연통을 놓았다. 십분 예견했던 일이라 따져 물어볼 것도 없이 방 안으로 안동하라고 일렀다. 네 사내가 방 안으로 들어와 좌정하였다. 도포 입은 두 사내는 왜통사(倭通詞)였고 두 놈은 왜인이었다. 왜인은 뒤로 물러앉아 있었고 수작은 왜통사란 자와 주고받았다. 초인사 얼버무린 뒤에 왜통사란 놈이 흡사 제 수하 사람 다루듯,

「행수께서는 구레나룻이 세고 또한 세력도 구차해 보이지는 않으나 무슨 배포로 원산포에까지 와서 곡물들을 독식하겠다고 중로 도집하고 있는 것이오? 요란하고 무례한 행동이 아니오?」

「내게 허물이 많은 것처럼 말씀하나 나는 이 땅에서 태어나서 이 땅에서 잔뼈가 굵어 이 땅 소산의 곡식으로 지금껏 섭생을 꾸려 왔소. 내가 조선 팔도 어느 고을에서 물화를 거둬 어느 고을에다 내다 팔든 이제까지 한 번도 빈축을 받아 온 일이 없거늘, 오늘 의외로 투정하고 나서는 분이 있구려.」

대꾸 나오는 제도가 호락호락하게 다듬어질 위인이 아니란 것을 알아챘던 왜통사는 한동안 곁에 앉아 있는 강쇠를 물끄러미 바라보더니,

「그렇게 고가로 곡물을 사들이기로 한다면 인근의 곡가가 등귀하

여 상리를 꾀할 빌미가 없게 될 것은 차치물론하고서라도 포구의 백성들이 금쪽 같은 곡식을 사먹어야 할 판국이 아닙니까. 이게 어찌 국량이 있다는 장사치가 할 도리라는 것이오.」

「우리가 시세를 가봉(加奉)해서 곡물을 사들인 것은 사실이오. 그러나 시세보다 고가로 사들인 버릇에 맛을 들인 것은 원산포에 하류한 왜상들이었지 우리가 아니었지 않소? 사경(私徑)을 저지른 것은 왜상들이었고 또한 빙릉(憑陵)하여 우리 백성들의 배를 곯게 한 장본인들이 누구였소?」

「명색하여 장사치란 사람 셈술이 그래 가지고서야 어느 구석에서 길미를 남기겠다는 것인지 도대체 짐작 가는 바가 없소이다. 기백석의 곡식을 도집할 만한 배포가 있는 대상이라면 행매할 곳이라곤 일본국의 상선뿐이란 것을 번연히 알 터인데 이런 폐단을 저지른단 말이오? 그런 곡식을 우리가 사들일 성싶었소?」

「우리가 곡물을 왜국의 상선에 넘기겠단 말을 한 적이 없소. 댁네들이 어디서 소문을 듣고 처소를 찾아왔는지는 알 길이 없으나 우리가 말감고들을 놓아서 은근히 추파를 던진 적도 없고, 또한 기백 석의 곡식을 도집했다 하고 저자 모퉁이에 왜자하게 소리치고 다닌 적도 없소이다. 애당초 왜국의 상선을 겨냥하여 도집해 들인 물화가 아니었으니 공연한 걱정들은 잡아매시오.」

「천 행수가 수하 동무란 사람들을 풀어서 인근 저자의 물화를 빗자루로 쓸듯이 긁어 가서 벌써 발묘를 서두르던 상선 한 척이 포구에 발이 묶여 있지 않소?」

「그 또한 우리와는 상관없소.」

「그러시다면 물화를 어디다 넘기시려 하오?」

「구태여 내가 발기 잡아 주지 않더라도 알고 있는 일이겠지만, 장사치란 길미가 남는 일이라면 용천뱅이의 마목(痲木) 자리에다가

입이라도 맞출 수 있는 사람들이 아닙니까. 소득이 찬다 하면 뉘게 팔아도 무방하지요.」

「객주 곳간에 임치해 둔 곡식들은 너무 고가입니다. 물계 모르는 산협 사람들이라면 모를까, 우리가 반타작하려고 그걸 사들일까요?」

「우린 배부른 흥정이외다. 곡식이 썩을 만하면 황해도와 평안도 지경으로 태가 먹여 실어 가서라도 본전치기나마 해야겠지요. 우리가 그만한 끗발이나 배포가 없고서야 어찌 장사치로 자처할 수 있겠소. 상리를 꾀하다 보면 왕기가 있어 의외의 소득을 취할 수도 있겠고, 또한 밑전을 몽땅 날리고 낙본(落本)을 당할 수도 있겠지요.」

「행수의 말은 포구에 발이 묶인 상선을 겨냥한 듯하오. 배가 포구에 오래 두류(逗留)하게 되면 그 손해가 또한 막심하다는 것을 알고 계시단 배짱이군요. 그러나 우리가 무턱대고 억매로 사들일 수는 없는 것, 길미를 조금만 남기고 우리에게 넘기시오. 면부득 태가 조로 몇백 냥 가봉해 드리리다.」

이상한 일이었다. 통사의 그 한마디가 떨어지는가 하였더니 그때까지 신둥거리고만 있던 천봉삼이 싹 안면을 바꾸는 것이었다. 천봉삼은 뒤틀고 앉았던 몸을 바로잡으면서,

「그렇다면 차후로도 우리 상단이 도집한 곡식은 단골로 사주겠소?」

「단골 화객 간이 된다는 것은 어렵지 않으나 이번처럼 곡가를 무단히 올려놓는다면 되레 앙숙 되어 우리의 입가심거리 되기 십상이겠지요.」

「좋습니다. 이번은 안면을 튼다는 명분도 있고 하니 오백 냥의 웃전을 얹어 준다면 넘기겠소.」

「그럼 객주로 가서 물화나 간색해 보이시오.」

너무나 수월하게 흥정이 이루어지니 통사들은 되레 낙맥이 되는 모양이었다. 네 사람을 데리고 포구로 나가서 객주 곳간에 임치해 온 곡물섬을 모두 조수(照數)해 보이었다. 우선 앞전으로 받은 은자를 얼추 셈해 보니 3백 섬 값이며 서너 장도막간에 부비 쓴 것과 거의 맞먹어 들어갔다. 5백 냥을 사흘 뒤에 받기로 한 어음을 받고 그날 밤으로 왜상들에게 임치표를 넘겨 버렸다.

왜상들이 천봉삼과 물화 보관하던 객주들과 거래를 끝내고 포구를 나서서 저들의 거류지로 떠난 것은 날이 희붐하게 새기 시작할 무렵인 오경(五更) 인시께였다. 피둥피둥 살이 찐 왜인 둘을 뒤세우고 통사들은 포구의 갯벌이 끝나는 어름에까지 걸어갔다. 옷자락을 헤집고 살갗으로 스며드는 바닷바람은 몹시도 추웠고, 사방에 인적이라고는 없었다. 파도 소리를 뒤로하고 저들의 거류지가 바로 목전인 솔숲으로 막 행보를 들여놓을 즈음이었다. 어디서 나타났는지 느닷없이 길을 가로막고 나서는 10여 명의 장정이 있었다. 모두들 눈만 빠끔하게 내밀고 코와 입을 수건으로 막아 동였다. 왜인들과 두 통사는 그 순간 가슴이 덜컥 내려앉았다.

장한들 중에는 물꼬 같은 목봉을 어깨에 걸친 자들도 있었고 화승총을 겨냥하고 있는 자도 있었다. 혼백이 하얗게 뜨는 것 같았으나, 감히 뉘게다가 행짜를 놓으려 하느냐고 앞선 통사가 핏대를 곤두세우고 소리 질렀다.

「이놈들, 어디서 굴러든 왈짜들이관데 감히 우리를 작경(作梗)하려 드느냐?」

「길을 막고 선 것은 네놈들이지 우리가 아니지 않은가.」

「이런 억지를 부리다니. 길을 가로막은 것이 아니라면 어서 길을 터라.」

뒤에 섰던 왜인 둘이 앞으로 나와서 왜말로 장황하니 으름장을 놓았으나 패거리들 중에는 왜말을 알아듣는 자가 없는 것 같았다. 삽시간에 열 명이 넘는 장골들이 네 사람을 튀지 못하게 둘러쌌다.
「비켜라, 이놈들. 얻다 대고 작경이냐?」
「내 땅에서 네놈들이 비켜야 하는가 우리가 비켜야 하는가, 삼척동자에게 물어봐도 자명한 일이다.」
「우리 네 사람이 여기에서 횡액을 당한다 하여도 네놈들 역시 끝내 살아남지 못하리라.」
「그래? 살아남는가, 않는가 한번 두고 볼까.」
　한 작자가 냉큼 빈정거리는가 하였더니, 패거리들 중에서 불쑥 목봉을 쳐들어 지금까지 입심 좋게 대꾸하고 들던 왜통사의 정수리를 정통으로 내리치는데 박이 터지는 소리가 날 정도였다. 한 사람이 속절없이 쓰러지자, 연이어 목봉들이 네 사람의 정수리로 날아드는데 그런 난장판이 없었다. 아쿠 소리 한 번에 네 사람 모두가 기를 꺾고 쓰러졌다. 아무리 날쌔고 민첩한 사람들이라도 10여 명이 결진한 사이를 빠져 장달음을 놓는다는 것은 불가한 일이었다.
　이튿날 아침에는 포구에 소문이 짜하게 퍼졌다. 왜통사 두 놈과 왜인 두 사람이 그들의 거류지 한복판에서 척살을 당했다는 것이었다. 걸레처럼 흩어진 그들의 시신을 거류지 한복판에서 거두었기 때문이다. 원산 포구가 발칵 뒤집혔다. 그들의 거류지 안에서 왜인들이 흉변을 당한 것은 처음 있는 일이었기 때문이다. 그러나 그들의 거류지에서 일어난 변괴라 하되 범증을 두기는 포구의 왈짜나 장사치들과 객주의 겸인들이 한 짓이라는 것이었다. 서옥(庶獄)*이라 하나 왜인들이 당한 일이니 도선목이며 통구마다 동달이 교졸들이 지

---

*서옥 : 일반 민간에서 일어난 형사 사건.

키고 서서 기찰을 펴는데 자못 삼엄하였다. 검색을 당하는 자마다 일없이 따귀를 얻어맞거나 다리를 걸어차이었다. 조금만 수상쩍어 보여도 삼문 안으로 끌고 들어가서 엄중한 추달을 받았다.

덕원 부중에서 달려온 장교와 졸개들이 강쇠의 마방에 들이닥쳤다. 범소(犯所)를 검색하던 중 흉변을 당한 왜인들이 죽기 전에 강쇠의 마방에 와서 곡물 거래를 한 사실이 드러났기 때문이다. 처음엔 포도수(逋逃藪)를 찾겠다 하고 마방이며 부엌간이며 봉노마다 문을 젖히고 검색을 하더니 종국에 가선 강쇠를 잡아 엎쳐 단사(丹絲) 자리가 움푹하도록 오라를 지워 가지고 관아로 끌고 갔다. 강쇠는 잡혀가는 대로 추고방(推考房)*으로 끌려가서 하루를 지내다가 이튿날 좌기(坐起) 형틀 차린 옥뜰에서 형방의 초벌 공초를 받게 되었다. 보통은 살위봉 몇 대를 내리어 초주검부터 시킨 다음 공초로 들어가는 법인데 오라만 지웠을 뿐 왠지 볼기는 내리지 않았다. 아무래도 죄정(罪情)에 자신이 서지 않는 탓이리라.

장교가 좌기하고 좌우에 사령들을 벌려 세우고 앉았다. 계대 아래로 강쇠를 잡아 꿇리고는 공초를 받기 시작하였다.

「네가 그 마방을 차리고 쇠살쭈 된 지는 얼마나 되었느냐?」

「쇠전꾼으로 행사한 지는 벌써 오래전 일입니다만, 원산포에 올라 마방을 경영한 지는 반년도 채 못 됩니다.」

「반년이 채 못 된다는 작자가 그만한 규모의 떡 벌어진 마방을 경영한단 말이냐?」

「저의 행수 어른께서 경영하시던 마방을 시생이 맡아서 주변할 뿐입니다.」

「너의 행수란 누구냐?」

---

*추고방 : 형방.

「지금은 근기 지경 송파에 가 계시는 조성준 어른이라 합지요.」
「그자와 한통속이란 말이냐?」
「시생이 그분과 또 여러 동무들과 동사하고 있는 사이입지요.」
「길미는 어떠하냐?」
「우리 행중이 끼나 굶지 않고 꾸려 갈 만합죠.」
「왜상들이 너의 마방에서 나간 것은 몇 경이었나?」
「이경 초였습니다.」
「왜상들과 헤어진 연후에 너희놈들은 어디 있었더냐?」
「어디 있다니요? 우리 행중들은 마방 처소에 있었습지요. 어렵사리 곡물을 넘긴 터라, 성애를 먹고 있었지요.」
「성애는 그들과 같이하여 마시는 것이 풍속이거늘 어찌 너희들끼리만 모여서 먹었느냐?」
「그들이 우리가 동석하기를 꺼리고 또한 갈 길이 바쁘다고 금방 돌아섰으니 우리끼리라도 객회를 풀어야겠기에.」
「성애술은 언제까지 마시었나?」
「달이 기운 것으로 보아 삼경은 넘긴 듯합니다.」
「이놈아, 삼경에 이르기까지 술을 퍼마신 놈이 달이 기울었는지 떠오른 것인지 어찌 알 수 있다는 것이냐.」
「구태여 달을 쳐다보지 않아도 해와 달을 지붕 삼은 지 사십 년이 가까운 처지라면 짐작만으로도 알 수가 있지요.」
「이놈아, 여기선 범증을 잡자는 것이지 어림짐작으로 얼렁뚱땅 넘어갈 계제가 아니다. 너의 처소에 있는 동무인지 상고배들인지는 모두 같이 있었더냐?」
「처소의 동무들이 한결같이 배를 곯아서 성애술이라면 비상을 풀었다 하더라도 당장 맛이나 보자 하고 덤빌 위인들인데, 한 사람인들 빠질 턱이 없습지요. 아침에 일어나 보니 모두들 취해 자빠져

104

있더이다.」

「너의 처소 상고배들이 모두 성애술을 먹었다는 것을 이웃이나 혹은 객주에서 증거할 수 있겠느냐?」

「십수 명이 성애를 먹는다면 삼이웃이 들썩하리란 건 미루어 짐작할 수 있는 일이지요. 아마 증거할 수 있는 사람이 한둘 아니겠지요.」

「이놈, 거짓말이 난당이로구나. 성애는 먹지도 않았다는데?」

「우리가 먹은 성애술을 어찌하여 나으리께선 먹지 않았다고 윽박지르고 계십니까. 서울의 남대문을 두고 우기기로 한다면 서울 안 가본 사람이 이긴다더니 그 짝이 아닙니까.」

「이놈, 얻다 대고 감히 능멸이냐. 성애를 먹었다는 것은 분명 거짓이요, 너희들 중에 누가 작당하여 그들을 척살한 게 아니냐.」

「나으리, 애간장이 타는 판에 아무리 이름 없는 백성이라 하나 억탁의 말씀은 거두어 주십시오.」

「애간장이 타다니? 눈엣가시 같은 왜상들이 흉변을 당하였는데, 잘코사니라고 여길 너희들이 애간장 탈 것이 무어냐. 아니래도 비위짱 사나워하던 터에 잘되었지 않느냐.」

「잘코사니라니요, 낙심천만의 말씀입니다. 그들 몇 사람이 변출을 당한다 해도 대세를 거슬러 오를 수 없다는 것은 안맹하다 하나 짐작하고 있습니다. 그들이 죽고 없어지면 우리가 받을 물대(物代) 오백 냥이 공중으로 날아갈 판인데 만약 원혐이 있어 그들을 몰사죽음시킬 일이 있다 하더라도 물대를 챙긴 다음에 일을 벌였을 것이 아닙니까. 가히 상전처럼 받들어야 할 처지의 사람들을 그조금에 요정을 낼 만큼 숙맥들은 아닙니다요.」

「물대를 모두 넘겨받지 못했다는 것은 금시초문이다. 어찌해서 물대를 모두 넘겨받지 않았더냐?」

「사흘 뒤로 약조하였습지요.」

들고 보니 그럴듯하였다. 5백 냥이나 되는 물대를 받아 낼 장본인을 척살할 위인들이 어디 있겠는가. 일을 저지르고 싶다 하여도 나중으로 미루었을 것이다. 곧이어 군졸을 보내어 굴신을 못하고 누워 있는 왜통사에게 가서 공초를 받아 보니 그것은 사실이었다. 강쇠를 잡아 두고 사실(査實)을 해보았자 소득이 없을 성싶자, 잔소리 몇 마디 꾸짖어서는 방면하고 말았다. 방면되어 나오면서도 강쇠는 5백 냥을 공중에 날려 버렸다고 투덜대기를 그치지 않았다. 삼문 밖에서 밤을 새워 기다리던 동무들이 뛸 듯이 기뻐하며 강쇠를 얼싸안았다.

6

원산포에서 그런 난리를 겪는 중에 광주 송파 처소에서도 역시 근심이 없지 않았다. 안동 지경 친정으로 내려갔다던 월이가 약조한 날짜에도 다락원은 물론이요, 송파에도 감감무소식이었기 때문이다. 송파 처소가 그로 인하여 뒤숭숭하였다. 불길한 예감도 없지 않았다. 마방의 단골 화객인 상주 쇠전꾼에게 수소문해 달라고 떠먹듯이 당부해 두었으나 그 쇠전꾼 역시 송파로 회정하자면 두 장도막을 더 기다려야 할 판이었다. 이래저래 심란하여 천소례는 가사가 손에 잡히지 않았다. 걱정은 조성준도 마찬가지였다. 아이가 하루 종일 잘 놀다가도 문득 두리번거리면서 눈을 굴리다가 느닷없이 울음을 터뜨리는 거조가 분명 월이를 찾는 것이었다. 그러나 아이의 성품이 워낙 무던한지라, 달래고 얼러 주면 금방 울음을 그치긴 하였다. 아이를 다독거려 준 다음 천소례는 윗목에 앉아서 담배를 피우고 있는 조성준을 편잔하였다.

「담배 좀 그만 태우시오. 그 막불경이는 어른도 앉아 있으면 눈이 따갑고 목이 칼칼할 지경인데 아이에겐 어렵하겠소.」

조성준이 서둘러 담뱃불을 끄고 바라지를 열었다.

「이러나저러나 안동에 내려갔다는 아이어멈의 말은 아무래도 아닌 것 같소.」

「아닌 것 같다니?」

「안동으로 내려간다 빙자하고 다른 곳으로 잠주한 것이나 아닌지요.」

「임자, 그런 상서롭지 못한 말은 그만두오. 처남댁이 그런 여자가 아니란 건 임자도 알지 않소? 우리가 모르고 있는 일이 처남댁에게 있을 수가 없지 않소?」

「이상한 일입니다. 이렇게 오래 집을 비우고 아이를 떼어 놓을 일이 있다면 다락원에다가 아이를 맡기고 달아나듯 할 게 아니라 응당 천 행수나 아니면 나에게라도 상의한 뒤에 출타를 할 것이 아닙니까?」

「딴은 그럴듯한 말이군.」

「그럴듯한 말이 아닙니다. 아이어멈이 그렇게 자취를 감춘 것에는 무슨 야료가 있었던 것입니다.」

「야료가 있었다니? 처남댁이 우릴 기망했다는 말이오?」

「아이어멈이 야료를 부린 게 아니라 누가 파놓은 허방에 빠진 것이오.」

「처남댁을 허방에 빠뜨릴 사람이 도대체 누구란 말이오?」

「그걸 짐작할 수 없으니 애간장이 타는 것 아닙니까. 혹여 혜화문에 있다는 나랏무당이 무슨 야료를 부린 것이나 아닌지 모르겠습니다.」

「임자가 소명하고 총명하다는 것이야 나도 알고 있네. 그러나 지레짐작이 과하면 그것도 우환을 부르기 십상일세. 임자를 놓아준

귈녀가 또 무슨 억하심정이 들어 처남댁을 불러들여 고초를 안기겠는가. 그건 어불성설일세.」

「어찌 되었든 어불성설이란 말씀은 옳습니다. 남진어미가 원행을 하면서 제 서방에게 일언반구 말이 없었다는 것도 그러하고, 그토록 지성껏 기르던 어린것을 다락원 대장간에다가 허술하게 맡겨 버린 것도 지나쳐 볼 일이 아닙니다. 또한 이제까지 소식 돈절된 것도 어불성설입니다. 세상에 너무 희한한 일이 많으니 어불성설을 두고도 생각을 깊이 해볼 일이 아닙니까.」

「임자는 사람을 믿지 못하는 병통이 있군그래. 지레짐작만으로 처신하다 보면 실패가 잦은 법이오.」

「사람을 너무 믿는 것도 병통이지요. 세상 풍파에 부대끼다 보면 중용을 지키기가 어렵다는 것을 이녁도 모르지는 않으리다.」

「엉뚱한 짐작 말고 며칠만 더 기다려 봅시다. 나는 처남댁을 데데한 여자로는 보지 않소. 얼음판에 갖다 팽개친다 하여도 살아남을 사람이오. 한번 아금받게 먹은 마음이면 쉽게 변할 사람이 아니니 조급증 부리지 말고 더 기다려 봅시다.」

안해 된다는 사람이 남편을 상종하여 너무 드세게 고집을 부리고 나선다는 것도 못된 조짐머리인지라 소례는 그만 입을 닥치고 말았다. 그러나 월이의 신변에 변고가 있다는 생각은 떨쳐 버릴 수 없었다. 조성준이 광주 아전붙이들의 모임인 계방의 것들과 버티고 어르고 있는 판이라 다른 일에 정신을 빼앗길 틈이 없으니 이 사단만은 소례가 나서서 해결하는 것이 옳을 성싶었다.

천소례는 이튿날 아침 겸인 한 사람과 동행하여 송파나루로 나갔다. 한수(漢水)를 건너서 혜화문 북묘에 당도한 것은 중화때가 되어서였다. 그러나 진령군 매월이는 마침 입궐하고 없었다. 전사의 안면을 빙자하여 몸채에 들어가서 기다려 보자 하였으나 청지기가 허락하지 않았다. 행랑의 헐숙청에서 기다리자니 해가 기울어서야 퇴궐한 매월이가 당도했다. 하속들과 같이 나아가서 매월이를 맞이하였다. 매월이는 천소례를 보자 적이 놀라는 것이었다. 다시 헐숙청에서 기다리자니 몸채로 오르라는 분부가 내려졌다.

천소례가 맞은편에 공손하게 좌정하는 것을 기다린 매월이가 칭송도 빈정거림도 아닌 말투로,

「자네 간담이 그만하다면 뼈대 드센 장부란들 감히 흉내 낼 수가 없겠구나. 자네에겐 호랑이 굴과 같은 내 집을 서슴없이 찾아들다니, 그러다가 내가 다시 덜컥 사주뢰라도 안긴다면 어찌하려 하였나.」

천소례가 고개를 숙이고 앉았다 하나, 분명한 말로,

「쇤네와 같은 미물에게 어찌 그런 두려움이 없겠습니까. 그러나 마님께서 쇤네에게 사주뢰를 안기기로 작정하신다면 쇤네가 팔도 어느 한미한 고을로 달아나 잠적해 있으나, 혹은 몇 발자국 앞에 있으나 어려울 것이 없지 않겠습니까.」

매월이가 입귀에 웃음을 지으면서,

「옳은 말이다. 자네 견문이 이미 거기에까지 미치는 것을 보니 자네도 수월한 여자는 아니로군. 그렇지 않아도 퇴궐해서 돌아오면 사방에 남자들뿐이어서 흥회를 털어 담소할 사람이 없더니 잘되었다. 이미 일색도 다하였으니 오늘은 우리 집에서 쉬고 가도록 하게.」

「밤이 늦더라도 돌아가야지요. 헐숙청에는 마님 퇴궐하시는 길로 현신하겠다고 기다리는 선비들이 여럿이었습니다. 쇤네 같은 천격을 상종하여 담소하실 틈이 있겠습니까.」

「그 사람들이야 내일 봐도 어렵지 않네. 나 보겠다고 명함을 걸고 있는 위인들이 한둘이어야 말이지. 겨우 천자문이나 깨우쳐서 까

막눈이나 면하고 바둑돌이나 가려낼 줄 알면 모두들 사판(仕版)에
턱을 걸겠다고 아귀다툼이니, 요사이는 귀찮고 어수선하여 잠자리
까지 뒤숭숭하다네. 그래, 천 행수는 요사이 어찌하고 지내는가?」
「예, 달포 전부터 함경도 지경 원산포에 내려가서 행매에 종사하
고 있습지요.」
「그래?」
한마디 되뇌던 매월이가 한동안 천소례를 빤히 건너다보고 있다
가 고쳐 앉으면서,
「내가 오늘 입궐해서 별로 달갑지 못한 소문을 들었다네.」
「무슨 말씀이시온지요?」
「원산포에 하륙해서 조선의 상고들과 거래하던 왜상들이 한밤중
에 척살을 당하였다더군. 원산포 인근에 기찰을 펴고 검색들 하는
데 난전꾼 여럿이 욕을 보고 있다는 소문을 들었네. 물론 천 행수
야 상관된 것이 아니겠지만 모진 놈 곁에 섰다가 날벼락 맞더라고
장차 그 해독이 천 행수에게 미치지 않는다고 장담할 수야 없지
않은가.」
「신변의 위태로움이 있겠습니다. 그러나 수백을 헤아리는 행중의
동무들을 부추기고 수발하고 이제까지 공력 들여서 일으킨 상로
(商路)를 지키자면 어찌 천 행수 일신의 안위만을 도모하고자 하
겠습니까. 원산포로 내려갈 때부터 이미 그런 고초쯤은 감내할 작
정이 된 것 같았습니다.」
그때 문밖 계대 아래에 청지기가 와서 연통하였다. 어인 일이냐고
묻자, 청지기 대답이,
「마님, 조 대감께서 오셨습니다.」
「조병식(趙秉式) 대감 말이냐?」
「예, 방금 당도하시어 시방 바깥마당에 계십니다.」

110

「바깥사랑으로 뫼시어라.」

천소례에겐 잠시 앉아 기다리라 하고 매월이는 옷매무시를 고치는 것이었다.

그즈음 혜화문의 북묘를 무상으로 출입하는 사람은 조병식뿐만이 아니었다. 윤영신(尹榮信), 정태호(鄭泰好) 같은 사람들도 북묘 출입이 잦았다. 그들이 진령군 매월이와 한통속이 되어 직첩(職帖)을 파는 일에 부동하고 있는지는 알 수 없었지만, 매월이와 반연을 트고 의자하게 지내고 있는 것만은 틀림없었다.

한때 김병시(金炳始)는 왕에게, 수령을 자주 체개(遞改)*하는 폐단은 지방의 민요(民擾)를 일으키는 원인이 되고 단 하루라도 수령의 자리를 비워 두는 것은 있을 수 없는 일이니 교체하는 일을 자세히 살펴볼 일이다, 자리에 궐이 나면 빨리 택차(擇差)하여 보내되 부임을 재촉하여야 한다고 주청(奏請)한 일이 있었다. 골자는 지방의 수령 자리가 돈으로 바뀌고 있다는 폐단을 지적한 것이었다.

요즈음 외직(外職)으로 감사(監司), 유수(留守), 병사(兵使), 수사(水使)로부터 아래로는 수령(守令), 진장(鎭將)의 직첩을 파는 것은 예사처럼 되어 버렸다. 돈을 많이 내는 사람일수록 좋은 자리를 얻었으니, 혹은 한 자리에 1만 냥을 주선해 주면 제수(除授)되었다. 뒤에 또 몇천 냥을 더해 주는 사람이 있으면 먼저 제수 받은 사람을 쫓아낼 수도 있었다. 벼슬자리의 순서를 끌어올리는 데도 더 보태 준 연후가 아니면 바라볼 수 없는 일이었다. 시골에서 가계가 요족하고 알음깨나 있다는 위인들이 서울로 올라오고, 서울로 올라온 위인들 중에서 그런대로 시비 분간이 분명하고 연줄을 제대로 잡았다는 자들만이 북묘 어름에서 맴돌았다. 그나마 견문이 투철하지 못한 어리

---

*체개 : 관원을 다른 사람으로 갈아들임.

보기들은 북묘 어름에까지 닿기도 전에 끈도 제대로 찾지 못하고 빈손이 되어 돌아서기 일쑤였다. 혹은 직책을 얻어 채 부임하지 못하고 중도에서 어름어름하다가 삭직(削職)을 당하기도 하였다.

지방의 신연하인(新延下人)이며 이속(吏屬)들이 보내고 맞아들이는 일에 고달플 지경인데, 영남의 한 고을에서는 1년 사이에 네 번이나 신관(新官)을 맞이하였다. 그들은 몇 날이나 자리에 있게 될지 몰라서 부임하는 길로 재물을 빼앗는데, 그 바쁘기가 마치 소나기 만난 나무꾼과 진배없었다. 기름등잔에 기름 마르듯 융감* 앓고 난 사람 머리털 뽑히듯 고을이 쇠진하고 피폐하게 되니 가난한 자는 거릿송장이 되었고 부자들도 곤궁해서 살아갈 뜻이 없게 되었다.

서울의 벼슬아치들은 간혹 문직(文職)을 팔기도 하였다. 음도(蔭道)*로 처음의 벼슬은 도사(都事), 감역(監役), 참봉(參奉), 감찰(監察) 등이고 품계(品階)의 우열에 따라 정가에 고하가 있었다. 혹은 2, 3만 냥에 이서배(吏胥輩)들까지 발붙여서 농간을 일삼았다. 관직의 공명첩(空名帖) 하나를 건네받는 데 몇십 냥의 용채를 찔러 주거나 혹은 푸짐하고 질탕하게 잔치라도 베풀어 주어야 건네주었다. 이런 폐단이 처음 시작된 것은 시골의 돈 있는 자들이 천한 신분으로부터 벗어나 보려는 것으로서 이미 오래전부터 있어 온 것이었지만, 요즈음에 이르러서는 워낙 조명이 왜자하고 깨끗하지 못한 작태가 여러 고을에서 벌어지니 직첩을 살 만한 기회가 있다 하여도 회피하는 경향까지 생겨나게 되었다. 그러하자 낭자패(浪子悖)라는 왈짜 부류들이 경향에 출몰하여 복종(覆宗)을 저지르고 농간하며 혹은 이문을 넘겨다보게 되니, 당사자도 알지 못하는 사이에 억지로 벼슬을 주어서 관아에 가만히 알려 주게 되었다.

*융감: 장티푸스.
*음도: 조상의 공덕으로 얻은 벼슬길.

지방의 수령들은 낭자패의 행패가 두려워서 봉행(奉行)하며 그동안 빼앗은 재산을 가만히 나누어 가졌다. 이를 일컬어 벼락감투[別惡龕套]라 하는데, 한번 억지 벼슬을 하게 되면 곱다시 망하게 마련이니 그 망하기가 벽력(霹靂)과 같다는 뜻이었다. 충청도 어느 강변에 강씨(姜氏) 성 가진 과수댁이 살고 있었다. 가계는 빌리러 가지 않고 견딜 만하였으나 자식이 없어 개 한 마리를 데리고 집을 지키며 살았다. 그 개의 이름이 복구(福狗)였다. 어떤 낭자패 하나가 그 집 앞을 지나다가 복구를 부르는 소리를 듣고, 남자 이름인 강복구(姜福九)로 잘못 알고는 억지 감역(監役)을 만들었다. 급기야 그 값을 받으려고 과수댁을 찾아갔다. 과수댁이 웃으면서 복구를 만나 보시렵니까 하고 소리 높여 불렀다. 개 한 마리가 꼬리를 흔들면서 뛰어오는 것을 보고 낭자패는 한바탕 크게 웃고 떠났다. 그로부터 호서(湖西)에는 난데없는 개 감역이 생겨나게 되었다.

　남원에 최석두(崔錫斗)란 자가 있었다. 그는 뜨내기 약주부(藥主簿)로 몹시 궁박하여 약주머니를 꽁무니에 차고 다니며 근근이 살았다. 중궁이 오랫동안 체증으로 고생하다가 최석두의 처방으로 효험을 보자, 민비는 크게 기뻐하여 고산(高山) 군수를 제수하였다. 보성 사람 정순묵(鄭淳默)은 품관(品官)으로 죄를 짓고 도망하여 서울에 피신해 있었다. 마침 민비가 한감(寒感)*이 들어 시령탕(柴笭湯) 두 첩 바친 것으로 쾌복이 되어 즉시 영평(永平) 군수를 제수하였다. 북묘를 드나드는 사람들은 비단 벼슬을 사겠다는 사람들뿐만 아니었다. 관직에 제수된 자들이라도 북묘에 끊임없이 드나들면서 뇌물을 동대어야만 그 자리를 부지할 수가 있었기 때문이다.

　진령군 매월이가 막역하게 지내는 조병식을 만나러 바깥사랑으로

─────────────
* 한감 : 추운 것을 참다가 걸린 감기.

나간 사이에 혼자가 된 천소례는 곧장 옆의 안잠자기 방을 열어 보고 싶었다. 그러나 꾹 눌러 참았는데 한 발자국 잘못 떼어 놓았다간 또다시 어떤 우환이 닥칠지 몰랐기 때문이다. 일색이 다하고 어둑발이 내리기 시작하니 이젠 싫더라도 북묘에서 하룻밤 신세를 져야 할 판인데 매월이가 들어왔다.

「자네가 벼슬자리를 탐하여 나를 찾아올 리는 만무이겠고 또한 궁핍을 겪는다 하여도 내게 설궁하려 들지도 않을 터, 무슨 일로 찾아왔는가?」

「한 가지 일이 없지 않습니다. 쇤네의 짐작으로서는 알 수 없는 일이기에 영험하신 마님께 하소연이나 할까 하고 허둥지둥 달려왔습니다만 막상 청쫍고자 하니 주저됩니다.」

「전사에 자넬 안잠자기로 박아서 고초를 안기었네만 지금은 자넬 빈객 대접 깍듯이 하여 파탈하고 담소하려 함이 아닌가. 주저 말고 애길 하게.」

천소례가 한동안 웃고만 앉았다가, 거역할 수 없어하는 체하고,

「실은 달포 전에 동기간인 천 행수가 떨구고 간 피붙이를 이제까지 지성껏 돌봐 온 비녀와 해로하기로 작정한 것 같습니다. 우리 같이 막된 것들이 반가의 규수를 얻어 속현할 수도 없고 또한 팔자에 없는 규수를 맞이한다 하여도 가화(家和)를 이루고 금슬을 누릴 수가 있겠습니까. 쇤네 역시 사방을 둘러보아도 우리같이 무명색한 데다가 슬하에 소생까지 달고 있는 천 행수를 반겨 가시버시 되어 줄 여인이 없을 것 같았습니다.」

「무슨 말인지 어취는 대강 짐작하겠네.」

「서로 간에 층하할 것도 없고 또한 심법이 그런대로 무던하고 지각 들고 영리해 보이는지라 인연을 맺기로 작정해 버린 것 같습니다. 또한 전취(前娶)가 떨구고 간 소생도 흡사 제 어미처럼 따르는

지라 장차 별다른 우환이 없을 것으로 알았겠지요. 그런데 이 사람이 천 행수와 단 하룻밤 합방하여 침석을 같이한 이후로 아이를 팽개치다시피 하고 집을 나간 이후 종무소식이니 처음에는 답답하나 나중에는 야속하여 마님을 찾아오면 혹여 그 사람이 잠주한 좌향이라도 짐작할 수 있을까 하여 외람되고 방자한 것을 무릅쓰고 뵈러 온 것입니다.」

천소례가 그동안의 경위를 소상하게 얘기하는 동안 매월이는 때로는 눈을 크게 뜨며 놀라고 때로는 탄식을 늘어놓는 것이었다. 그동안 저녁상이 들어왔다. 주칠(朱漆) 소반에 밥과 국이 놓이고 고추전과 김치 보시기와 초간장·간장·초고추장 종지가 놓이고, 회 접시에 콩자반 전복조림이 놓이고, 두부찌개에 조기구이에 북어찜에 무생채와 묵나물 숙채(熟菜)에 마늘장아찌가 범절 있게 놓인 7첩반상이었다. 저녁 드는 밥상머리에 앉아서 일일이 수발하면서 만수받이하고 때로는 눈물로 넋두리하면서 매월이의 심기를 가라앉히었다.

「천지간에 믿을 것이 못 되는 것이 사람 중에는 계집들일세. 하물며 본데없고 근본 없는 천출의 계집이라면 더할 나위가 있겠는가. 궐녀가 혹시 샛밥이나 낼름낼름 주워 먹는 색골이나 아닌가.」

「아니옵니다. 처신이 그렇게 문란한 사람이 아닙니다. 가뜩이나 천 행수를 가군(家君)으로 모시게 되기를 바라던 사람이었는데 그런 죄업을 저질러 기망하겠습니까.」

천소례가 불손하게 굴지는 아니하되 월이를 극력 두둔하고 나서는 데는 매월이도 심기가 뒤틀렸다. 그런데도 내색하지 않은 것은 천소례란 여자의 됨됨이에 놀라고 갈피 잡아 헤아릴 줄 아는 총명에 감복한 바 없지 않았기 때문이다. 그리고 궐녀의 말에는 푼어치의 속임도 없었기 때문이다. 매월이와 만나는 모든 사람들의 언사가 감언이설이고, 일신의 안위만을 도모하려는 시간배들의 요언영색(妖

言令色)*이 아니던가. 그런데 천소례의 말은 자신을 바쳐 남이 잘될 것을 바라는 말들뿐이니 하늘을 찌르는 권세인들 이 진실을 무너뜨릴 수가 있을까. 매월이가 웃으면서,

「복채나 두둑하게 놓아 보게. 복채 놓는 범절을 보아서 옛적 하던 육효라도 뽑아 궐녀의 행지를 맞추어 볼 테니.」

「농이시겠지요. 거만의 재산을 누리시는 분께서 어찌 몇 푼의 손때 묻은 복채를 청하신단 말씀입니까?」

그 말에 매월이도 웃다가,

「그것이 아닐세. 이제 와서 내가 만금 재산을 다스린다 하나 소싯적 버릇이 없지 않아서 복채를 놓아야만 무력(巫力)을 부릴 수가 있다네. 그러한가 하면 거만이 생기는 것은 재물로 보이지 않으나 몇 푼의 복채는 재물 같은 생각이 든다는 것일세.」

「참 농도 잘하십니다.」

그날 밤 천소례는 행랑채에 내려와서 하룻밤을 지내게 되었다. 달이 기울고 모두들 잠들기를 뜬눈으로 기다렸다. 삼경쯤 해서 옛날 조성준이 천소례의 소식을 듣자 하고 천량을 찔러 준 일이 있는 행랑채의 사노를 마방 뒤꼍으로 불러내었다. 불과 두 달포 전에 취한 인정전이 있으니 바른대로 일러 주겠거니 하였다. 곧장 쏟아지는 하품을 손등으로 가로막고 있는 궐한에게,

「이 댁에 옛적에 나처럼 잡혀 와서 울 밖 출입을 못하고 있는 여인네가 있겠지요?」

「거시기를 내가 어찌 알겠소? 상전을 뫼시는 우리야 입이 있다 한들 요긴할 때 쓸 수 있겠소, 눈이 있다 한들 보이는 대로 볼 수가 있겠습니까? 입과 눈을 엄중하게 다스리지 못하면 우리네가 달고

* 요언영색 : 요사스러운 말과 알랑거리는 태도.

있는 모가지야 낙엽이지요.」

「내게 바른대로 직토한다 하여 성가시게 굴 것도 없다오. 다만 사정만 알고 갈까 하니 본 대로 얘기해 주오.」

「아무리 거시기해서 나를 꼬드긴다 하여도 안 될 일입니다. 밑절미가 없는 거시기를 어찌 꾸며 댄단 말입니까.」

「그렇게 뻗댈 사람이 내가 찔러 준 용채는 어찌 챙기었소?」

「거시기야 건네주니까 받았지, 손이 모자라서 못 받겠소?」

「이 집에서 비부를 산다는 하님이 그걸 모른다면 어떡하오? 그 여인네가 이 집에 있다는 것만 알면 그만이라오.」

「정말 사정을 알기만 하고 무단히 야료를 부리거나 다시 내게 성가시게 굴 건 아니겠지요?」

「내가 야료를 부려 본다 합시다. 마님의 진노가 서릿발 같을 터인데 나라 해서 살아남을 것 같소?」

「하긴 그렇겠지요. 옥관자 금관자를 양태에 붙인 거시기한 대감들도 마님께 아유를 하고 있는 판에 댁네 목숨 하나 날리는 것이야 손바닥 뒤집기가 아니겠소? 사실은 행랑채 저쪽 끝 봉노에 한 여인이 와서 묵고 있다오.」

「그 여인네의 신수가 어떠하오?」

「끼니를 굶기지 아니하고 봉노에 군불도 지펴 주어서 별 우환 없이 지내기는 합니다. 그러나 마님 허락 없이 문을 딸 수가 없다오.」

「간혹 들여다보는 사람은 있소?」

「서사 격인 선다님이 하루에 한두 번씩 들여다보고 있지요. 그러나 우리들이야 그 어름에는 얼씬도 못한답니다.」

궐한에게 다시 몇 닢 찔러 주면서 송파 처소에서 다녀갔다는 말만 궐녀에게 연통해 달라고 당부하였다. 그제서야 천소례는 자신이 왜 그렇게 쉽게 풀려날 수 있었는지 깨닫게 되었다. 시누이와 가군을 구명하기 위해 월이는 스스로 고초를 자청하고 나선 것이었다. 천소례는 숙연하였고 눈물이 앞을 가렸다. 이 사단을 어찌하면 좋을까. 그러나 당장은 내색하지 않는 것이 방도였다. 이튿날 아침 천소례는 몸채로 나아가서 하직을 여쭈었다.

「이제 하직 여쭈어야겠습니다. 어젯밤에는 잘 쉬었습니다.」

「그러지 말고 며칠 더 쉬었다 가도록 하게.」

「오래 지체할 수가 없습니다.」

「자네의 힘이 거기까지 미치게 될지는 모르겠으나 원산포 지경이 매우 뒤숭숭하다니 천 행수를 송파로 불러오도록 하게. 어제 내게 당부했던 일은 내가 백방으로 수배해서 단서가 잡히면 송파로 기별해 줄 것이니 너무 걱정 말게. 그러나 어디 절간에라도 들어가서 살보시라도 한 흔적이 있다면 내 자네 대신으로 그 자리에서 계집을 요정 내어 줄 것이니 그리 알게.」

「절대로 음분에 빠질 여인이 아닙니다.」

「천 행수의 일인데 내 어찌 심란하지 않겠나. 설령 음분한 계집이 아니더라도 지아비 기망한 죄벌은 받아 마땅하겠지.」

「설령 아이어멈이 닦달을 받아야 할 흠절이 있다손 치더라도 그것은 하찮은 상것들의 가내사일 것인즉 마님께서 나선다면 되레 안면만 깎이십니다. 고정하십시오.」

두고만 볼 수 있는 처지라면 얼마나 좋을까 하고 매월이는 속으로 되뇌었다. 매월이가 아무 대꾸 없자, 소례는 일어설 채비를 서둘렀다. 월이를 놓아 달라는 간청이 입 밖에까지 기어 나오는 것을 참느라고 퀄녀는 몇 번인가 입술을 깨물었다. 하직하고 돌아서는 소례를 매월이는 대청 끝에 나와 서서 한동안 바라보았다.

7

서둘러 송파로 회정하였는데, 조성준은 심기가 무척 편치 않았던 모양이었다. 결발부부는 아니랄지라도 지아비를 둔 계집이 허락도 없이 나가서 하룻밤을 새우고 돌아온 것이야 꾸중 듣고 괄시받아 마땅하리라. 개구멍서방을 보고 온 것이라고는 여기지 않았겠지만 하룻밤 사이에 경위를 소상하게 털어놓아도 입을 열댓 발이나 빼물고 모 꺾어 앉아서 귀여겨들으려고도 하지 않았다. 그러다가 충청도에서 쇠전꾼들이 당도했다는 통기를 받고는 뒤도 돌아보지 아니하고 마방으로 나가 버렸다. 조성준이 연만(年晚)하여 중늙은이라 하나 신등머리진 것이며 불뚱가지 내뻗치는 것은 젊은이들 성깔 못지않았다. 그렇다고 맞대 놓고 증을 내었다간 식지를 내뻗치고 큰 소리가 오가고 손찌검까지도 사양치 않을 것 같아서 소례는 그만 입을 닥치고 말았다.

마방으로 나간 조성준은 원산포 인근에서 올라온 난전꾼들로부터 천 행수의 소식을 듣게 되었다. 상대가 원산포로 가던 도중에서 화적 떼 만난 것은 얼추 있을 법한 일이긴 하나 동패가 둘이나 목숨을 잃게 되었다는 데는 걱정이 앞섰다. 게다가 원산포의 왜인들이 척살당한 것은 거래하던 장사치들의 소행으로 보아서 통구를 막고 외장꾼들을 검색한다 하니 걱정거리였다.

천 행수가 왜 원산포로 가려 했던 것인가를 확연하게 알고 있는 조성준이었다. 그러나 막상 그런 소식을 듣고 보니 만류하지 못한 것이 후회되었다. 조성준이 원산포에서 은거할 때 당한 수치와 욕을 분풀이해 주고 있다는 것은 속 시원한 일이었다. 그러나 왜상들과의 사이에서 벌어진 사단이라면 허술하게 보아 넘길 데데한 소간사는 벌써 아니었다. 또한 앞으로도 도처에서 그런 불상사가 벌어진다면 이것은 소소한 외장꾼 사이에서 벌어지는 싸움과는 바탕부터 다른 것이 아니겠는가. 그럴 경우 천 행수는 적굴이 아니면 숨을 곳이 없지 않겠는가. 적당에 가담하여 얼마간 목숨을 부지하든지, 아니면 그런 불상사를 벌이지 못하도록 권면하든지 두 가지 일이 있었다. 그러나 오랜 풍상을 겪은 나머지 작정한 일인데, 이제 와서 만류한다 하여 쉽사리 바꿀 사람이 아니란 것을 누구보다 잘 알고 있는 처지였다. 마방의 가겟방에 앉아 하루 종일 분주하게 드나드는 외방의 난전꾼들과 동패들을 바라보고 있는 조성준은 심란했다. 해가 지고 난 다음, 들락거리는 사람들의 발길이 다소 뜸해진 틈을 타서, 옆에서 산가지를 놓고 있는 최송파를 바라보며,

「자넨 어떻게 했으면 좋겠나? 천 행수가 이제 고집대로 일을 크게 벌이려는 것 같은데, 일이 번거롭게 되면 다시는 천 행수를 보지 못하게 될지도 모르게 되었네.」

원산포 인근에서 회정한 외장꾼들에게서 들었던 소문 끝에 나온 말이라 최송파도 어취를 금방 알아차리고,

「저도 하루 종일 심란하여 도대체 셈술이 엇갈리기만 하였지요.」

「나 역시 날포간에 심란하기 짝이 없었다네.」

「아지마씨가 장안에서 자고 온 일 때문에 그렇소, 정말 천 행수가 저지른 것 같은 그 소문 때문에 그렇소?」

「이 사람아, 시방 그런 농지거리나 하고 있을 처지가 아니지 않은가.」

찔끔하던 최송파가 고쳐 앉으면서,

「애당초 작심하고 원산포로 내려간 분이 아닙니까. 심지 한번 굳은 분이니 설령 그것이 잘못된 것이라 한들 쉽사리 작정을 바꿀 분이 아니지요.」

「저러다가 대역죄라도 뒤집어쓰게 되는 날엔 이제까지의 일이 모

120

두 허사일세.」

「그렇다 하더라도 딴 방책이 없지요. 다만 우리가 쫓아가서 힘이 되지 못하는 것이 한스러울 뿐이지요.」

「장차의 일이 지난 일보다 더욱 난감하다네. 그러나 이제 와서는 딴 도리가 없지. 천 행수 나아갈 길이 그 길뿐이라네.」

「그 길뿐이라니요? 시속이 이러한 판에 이제 와서 벼슬을 산다 하여도 망령 들었다고 빈정댈 사람은 없을 것입니다. 장안에서는 관포주(官庖廚)*에서 칼 들고 뛰던 놈들이며 관변에 있는 칼자들도 벼슬을 산답시고 이리 뛰고 저리 뛴답니다.」

「시속이 그러하다고 천 행수에게 벼슬 사기를 권면할까? 그 사람이 갓철대를 이마에 붙이고 전은자모가(錢銀子母家)나 진배없는 권문세가에 부동하여 그들의 가산 불리는 방도나 일러 주고 다니랄까? 아니면 양안(量案)*에 오르지 않은 은결(隱結)*을 뒤져 토호들에게 팔아넘기는 방도를 일러 주고 다니랄까? 만약 천 행수가 진작에 그런 심지를 품었다 하면 모르긴 하여도 지금쯤은 장안의 주문가 청지기들이 모두 천 행수의 행지를 수탐해서 문자 그대로 천세가 났을 것이네. 그러나 천 행수의 뜻이 진작부터 거기에 있지 않아서 자네들만 잘되는 것이 아니라 장차 이 나라에 상고(商賈)로 행세하려는 자들이 반 푼어치의 잇속을 챙김에 있어서도 도리의 됨됨이가 어떠해야 하며 설산한 상고의 처신이 어떠해야 한다는 것을 뼛골 깊게 가르치고 있다는 것일세. 몇 사람의 명철한 정승 판서가 난 것보다 훨씬 다행한 일이라네. 자네들이 천 행수를 각별

---

*관포주: 수령(守令)에게 쇠고기를 바치던 푸줏간.

*양안: 조세 부과를 목적으로 논밭을 측량하여 만든 토지 대장.

*은결: 탈세 목적으로 전세(田稅)의 부과 대상에서 부정·불법으로 누락시킨 토지.

히 모시고 위해야 하는 까닭도 바로 그런 일에 있는 것일세.」

「그렇다면 장차 우리는 어찌할까요. 행수님 말씀 듣자 하니 송파 처소 사람들도 원산포로 오르란 말씀 같아서 말씀입니다.」

그때야 모 꺾어 앉아 애꿎은 담배만 푹푹 피워 대던 조성준이 입 귀에 웃음을 흘리면서,

「자네가 이제야 귀가 똑바로 뚫린 거로군. 천 행수가 장차 뭘 하려 는 사람인지 알아들을 만한 얘기 한 가지가 있네.」

「말씀해 보시지요.」

조성준이 느릿느릿하나 힘담 주어 들려준 얘기는 이러하였다.

여생(呂生)은 궁한 선비로 목멱산 아래에서 살았다. 가계는 찢어 지도록 궁박하였으나 천성이 글 읽기를 놓을 수 없는 사람이었다. 경국제세(經國濟世)할 재질은 갖추었다 할 수 있었지만 쓰임을 얻지 못한 처지였다. 집을 팔아서 입에 풀칠을 간신히 이어 나갔고, 종국 엔 행랑채 단칸방에서 부부가 거처하였다. 기한(飢寒)을 이기지 못 할 지경에 이른 여생은 그런대로 말없이 잘 견디고 있는 내자에게,

「임자, 내가 출입할 소간사가 생겼는데 명색 걸칠 만한 의관이 없 겠소?」

듣고 있던 아내가 그나마 눈살을 찌푸리지 않고 예사롭게,

「참 딱도 하시구려. 의관을 전당 잡힌 지가 벌써 오래전 일이 아닙 니까. 남아 있는 의복이라고는 지금 당장 몸에 걸친 누더기뿐이랍 니다.」

「딱하긴 나 역시 마찬가지라오. 가만히 앉아서 죽기를 기다릴 수 도 없고 참 낭패구려.」

「다 해지고 동정만 겨우 흉내로 붙어 있는 도포 한 벌이 사당(祠 堂) 참배할 때 입으셨던 것인데 입고 나가실 수 있겠습니까?」

「그것이면 족하오.」

여생이 그 도포를 주워 입고 나서니 길거리의 악다구니들이 여생의 걸음걸이를 흉내 내면서 뒤따르고 손가락질하며 웃어 대는 것이었다. 종가(鐘街)에 나가자 시전의 가게 앞에 나와 섰던 여리꾼들이 무슨 물화를 팔겠느냐고 여생을 에워쌌다. 여생은 흡사 팔 물화가 있는 것처럼 점방으로 따라 들어가서 시전의 상인을 만났다. 여생은 상인에게,

「내 꼬락서니를 보시오. 내가 물화를 매매하러 온 사람 같아 보이오? 지금 서울에서 당대 제일가는 부자가 누구인지 그것이나 가르쳐 주시오.」

쫓아낼 욕심이 앞선 상인의 대답이 다방골의 김동지(金同知)라고 얼른 대답하였다. 김동지의 집으로 찾아가니 과연 주인의 얼굴에 기름이 흐르고 의복이 화려했다.

「주인이 근래 시정간에 부자로 이름이 난 김동지요?」

「그렇소.」

「내 소청이 있는데 들어주시겠소?」

김동지는 헐벗은 꼴이 양식이나 구걸하겠다는 뱃심이겠거니 하여 선뜻,

「어려운 일이 무엇이오?」

여생이 서슴없이 대답하였다.

「내 곤궁한 형편에 경륜(經綸)을 좀 펴볼까 하오. 주인께선 내게 만 꿰미의 돈을 좀 빌려 주시오. 만 꿰미가 못 되면 곤란합니다.」

김동지는 여생을 뚫어지게 바라보더니 돈을 내주마고 허락하였다. 허락이 떨어지자 여생이 말했다.

「먼저 천 꿰미는 목멱산 아래에 있는 우리 집으로 실어 보내시오. 내 집에 가서 채비하고 곧 돌아와서 오늘 중으로 떠나겠소.」

집으로 돌아간 여생은 천 꿰미의 돈으로 해서 눈이 휘둥그레져 넋

이 나간 내자더러,

「이것을 십 년 동안의 생계로 삼으시오. 내 오늘 집을 나서면 십 년 뒤에나 돌아올 것이오.」

내자에게 신신당부하고 다방골로 돌아올 제, 그사이에 김동지는 주찬을 마련하고 기다리고 있었다. 한 순배가 돌아간 뒤에 김동지가 은근한 말로,

「어디로 가려 하시오?」

「내가 겨냥한 곳은 영남이오.」

「내가 이제까지 수발을 맡겨 온 노속 하나가 있소. 노속이 꽤나 민첩하고 근면한데 데리고 가시겠소?」

「좋습니다.」

「영남의 연해 지방에 내 판화전을 싣고 있는 배가 수 척 있다오. 내 어음을 보면 두말 않고 환전해 줄 것입니다. 그렇게 하면 물화를 운송하는 데 노자가 절감되리다.」

김동지가 의관 일습을 내어다가 여생에게 갈아입도록 하니 여생 또한 조금도 사양하지 않았다. 그러나 다 떨어진 옷가지는 싸서 행장 속에 간직하는 것이었다. 김동지가 문밖까지 나와서 여생을 깍듯이 전송했다.

여생은 영남 땅 하동, 사천 등지의 영남과 호남의 물산이 모이는 곳으로 내려갔다. 그곳에서 그는 장날을 따라다니며 매양 물가를 올려 사들이니 저자에 나온 물화가 죄다 그의 수중에 들어오게 되었다. 물화를 사들여 김동지에게서 빌려 온 9천 꿰미의 돈이 거의 바닥날 즈음에는 인근 3백 리 지경의 물화도 바닥날 지경에 이르렀다. 이제 물화가 달려서 나오지 못하게 되자 사들인 물화를 되팔아서 수배의 이득을 보았다. 여생의 장사 수완은 별다른 묘수가 아니고 그저 헐가일 때 사들였다가 귀할 때 저자에 내는 것뿐이었다. 돈이 자

꾸 불어 갈수록 그 용도도 더욱 무궁해져서 몇 년 사이에 설산한 것
이 미처 헤아릴 수 없을 지경이었다. 대로변에 있는 부잣집을 보고
여생이 객주를 삼자고 청했더니 부자가 난색을 보였다.

「우리 집이 촌중에서 가장 크기 때문에 종전까지는 부상대고(富商
大賈)들이 연락부절이었습죠만, 수년 이래 무뢰배들이 작당해서
가근방에 출몰하니 부상대고들이 모두 발길을 끊고 아예 이 마을
엔 왕래조차 하지 않는답니다.」

「도적들이 얼마나 되며 그놈들 적굴이 어디라 합디까?」

「도적들이 수백 명을 헤아린다 합디다. 여기서 서쪽으로 십 리를
가시면 지세가 험준하고 숲이 울창한 산이 나서지요. 그 산을 따
라 북쪽으로 들어가면 골짜기가 툭 트인 곳에 토굴이 보인답니다.
그곳이 바로 도적들이 웅거하는 곳이지요.」

여생은 서울에서 같이 온 차인에게 분부하여 돈을 가지고 연해의
배가 닿아 있는 곳으로 가 있으라 하고 약속하기를,

「내 어음을 받게 되거든 돈을 보내어라. 기간이 오래거나 금방이
거나 오직 나를 기다리고 함부로 그곳을 떠나서는 안 되느니.」

차인이 분부를 받아 떠나고, 여생은 단신으로 입산하여 골짜기 상
하 10리를 들어가 도적의 소굴을 찾아냈다. 산허리에 토굴이 있어
굴 밖으로 돌문이 달려 있고 수십 보를 들어가니 굴이 점점 넓어지
고 있었다. 이우명(二牛鳴)의 상거에 당도한즉 초가 40, 50칸이 나오
는데 쑥대머리 밤송이수염들이 그곳에 우글거리고 있다가, 여생을
보고 깜짝 놀라 몽둥이를 들고 나섰다. 여생이 만류하며,

「놀랄 것이 없네. 나는 관패자(官牌子)*를 지닌 포도군관이 아닐
세. 내가 자네들을 잡으러 왔다면 어찌해서 단신으로 이 소굴에

---

*관패자 : 체포 영장.

들어왔겠나. 못 믿겠으면 돌문 밖에 나가서 나와 동행한 자가 있는지 살펴들 보게.」

도둑들이 나아가 살펴보니 과연 아무도 없는지라, 비로소 안심하고 물었다.

「우리를 잡으러 온 것이 아니라면 무슨 청승으로 이 토굴 속까지 찾아왔단 말이오?」

「내가 자네들을 위해서 할 일이 있다네. 나를 용납할 수 있겠는가?」

여생의 말에 뭇 도적들이 대희하여 줄을 지어 절하며,

「우리들이 지금까지 뫼시던 두목을 잃어 통솔할 만한 사람이 없어 곧 흩어질 판국이었는데 오늘 두목이 오시었으니 천만다행이올시다.」

여생은 곧 상좌에 뫼시는 바 되어 두목에 추대되었다. 3일이 지난 뒤에 한 도적이 쫓아와서 아뢰었다.

「장중(藏中)*에 시량(柴糧)이 떨어진 지가 오래입니다. 무슨 대책이 없겠습니까?」

여생이 스무 꿰미의 어음을 연해의 배가 있는 곳으로 보냈더니, 즉시 돈이 와서 여러 도적들이 크게 기뻐하였다. 다시 돈이 떨어졌음을 알리매 다시 서른 꿰미의 어음을 보냈고 다시 돈이 돌아왔다. 이러하기를 여러 번이었다. 어느 날 여생이 도적에게 묻기를,

「너희들 중에 공양할 부모처자를 둔 사람이 몇이나 되느냐?」

「과반수입죠.」

「그들이 어떻게 견디고 있느냐?」

「저희들이 춥고 배고픔을 이기지 못하여 집을 버리고 이곳에 들어

＊장중: 광이나 창고의 속.

온 지가 여러 해 지났습지요. 그사이에 식구들의 생사를 알 길이 없었습지요. 문득 생각날 때마다 가슴이 미어질 듯하답니다.」

여생은 돈 만 꿰미를 가져오게 하여 한 사람마다 백 꿰미씩 나누어 주고는,

「이것을 가지고 너희들 집으로 돌아가서 부모처자를 구원하고, 각기 곡식 종자, 농기구를 구처하는 대로 사가지고 돌아오너라.」

여러 도적들이 감동하여 눈물을 흘리면서 흩어졌다. 기한이 되어 도적들이 모이는데, 각종 곡식과 농기구 등속이 두루 구비된 것이었다. 이에 도적들과 함께 배가 닿아 있는 곳으로 가서, 그곳에 있던 돈을 선적하고 농우(農牛) 40, 50두를 사서 배를 띄워 서남 대해로 나아가 폭 10리에 초목이 무성한 섬을 발견하고 배를 대었다. 초가를 세워 거처를 마련하고 불을 놓아서 생땅을 일구어 농사를 지었더니 곡식의 소출이 열 배나 되어 동산만 한 노적이 쌓이게 되었다. 몇 년을 이같이 농사를 지었다. 때마침 관북 지경에 흉년이 들자, 벌목하여 배를 만들어 곡식을 싣고 가서 팔았다. 또 수년 후 평안도가 대기근이라 다시 곡식을 싣고 가서 교역하였다. 돈을 배로 계산해야 할 지경에 이르렀다. 소를 들에다 놓아먹였더니, 새끼를 쳐서 무리를 이루어 수백 두를 헤아리게 되었다. 이에 돈과 곡식과 소를 선적하고 경기 해안에 정박하게 되었다. 여생이 뭇 도적들에게 말하기를,

「너희들도 역시 모두 양민인데, 하필 괴롭게 도적질을 일삼겠느냐? 오늘부터 각기 너희들 집으로 돌아가 다시 양민이 되거라.」

돈꿰미와 곡식을 분배하였다. 여생이 차인과 함께 나머지 돈을 셈해 보니 10여만 민이 되었다. 다시 배를 띄워 경강(京江) 위에 닻을 내렸다. 차인에게 배를 지키라 이르고 여생은 행리 속에서 옛날의 다 해진 옷을 꺼내 입고 곧장 김동지의 집으로 찾아갔다. 여생이 서울을 떠난 지 꼬박 10년 만이었다. 김동지가 깜짝 놀라 묻기를,

「어찌하여 이 꼴이 되었소?」

「제 행장에 다소간 여유가 생겨서 옷 한 벌이야 수월하게 마련할수가 있겠지만 옛날을 잊지 않는다는 뜻으로 갈 때 싸둔 옷을 다시 꺼내 입은 것입니다.」

김동지가 성찬을 베풀자, 여생은 그제야 10년 동안 겪은 고락과 기쁨을 거짓 없이 털어놓았다. 김동지는 다시 크게 놀랐다.

「당신은 실로 일세를 경륜할 선비시구려. 기껏 농사와 장사에 조금 시험해 보고 말았으니 참으로 애석한 일입니다.」

김동지는 가져왔다는 돈을 반으로 가르자고 하였다. 그러나 여생이 문득 태연한 얼굴로 사양하였다.

「그럴 것 없습니다. 나도 이젠 늙었다오. 매일 한 꿰미의 돈을 대어 여생을 마치도록 의식의 걱정이나 없으면 그것으로 족하오.」

「그야 물론 명대로 거행하다뿐입니까.」

여생이 자기 집을 찾아가 보니, 단칸 행랑은 온데간데없고 웬 난데 없는 솟을대문이 서 있었다. 문밖에서 안쪽을 기웃거리자 하니, 안팎 저택이 굉장했다. 하인이 나와 어디서 오시는 손님인가 하고 물었다.

「이 집이 뉘댁이신가?」

「양반댁입죠.」

「주인은 계시는가?」

「바깥어른이 출타하신 지 십 년 지났으나 아직 종무소식이옵고 안방마님뿐입지요.」

「내가 이 집의 주인일세.」

여생이 안으로 들어갔다. 내외가 손을 부여잡고 한동안 서럽게 반기었다.

「임자, 어떻게 되었기에 이렇게 거창한 저택을 짓고 사는 거요?」

「제가 천 꿰미 중에서 다섯 꿰미로 노복을 사고 사백 꿰미로 집을

지었으며, 그 나머지 돈으로 먹고 살면서 지금은 수십만 냥이 되는
이만한 가업을 이루었습니다.」

여생이 웃으면서 말했다.

「임자가 가진 바가 적었는데, 여기 앉아서 치부를 나보다 많이 한
셈이구려.」

조성준이 얘기를 하는 중에 천소례가 들어왔고, 차인 행수들도 서
넛 봉노로 들어와서 얘기를 듣고 있었다. 조성준의 어취가 어디에
있다는 것이 확연하게 짚여 오는 얘기라 할 수 있어 봉노 안의 사람
들이 모두 숙연한 얼굴이었다.

「천 행수의 작정이 그러하다는 것을 알고 자네들도 차후로 일어날
변고에 대해 가볍게 처신해서는 아니 되네.」

그날 밤 천소례는 북묘에 월이가 수금되어 있다는 것을 다시 말하
고 궐녀를 구명하는 일은 자기에게 맡겨 달라고 하였다.

조성준의 성깔이 녹어진 다음날 아침이었다. 광주 관아 작사청에
서 왔다는 늙은 통인 하나가 덜렁 마방으로 들어섰다. 궐자가 조심
스러운 언행으로 조 행수를 뵙고자 하였다. 취의청 봉노로 불러들였
더니 괴춤에서 간찰 한 통을 꺼내 건네주었다. 언문으로 쓰인 간찰
은 광주 작사청의 도서원(都書員)이 보낸 것이었다. 간찰을 가져간
통인을 안동하여 광주 관아 작사청까지만 와달라는 내용이었다.
간찰을 천소례에게 건네주었다. 읽어 본 소례가,

「안 됩니다. 가지 마오. 길청의 간세(奸細)*한 아전배들이라면 또
무슨 죄를 나직(羅織)하여 이녁에게 몽두(蒙頭)를 씌울지 알 수
없는 일입니다. 아예 그런 간세배들과는 상종을 마십시오. 긴히
이녁을 만나 볼 의향들이 있다 하면 제 발로 걸어올 일이지 길 몰

---

* 간세 : 간사하고 도량이 적음.

라서 찾아오지 못한답디까.」

「먼저 겁부터 집어먹을 일이 아니오. 그들이 내게 이득을 안기려
고 부르는 것은 아니라는 것쯤이야 나도 알고 있소. 그러나 나도
장사치요, 장사치란 눈앞의 구투(苟偸)*를 탐냄이 아니라 먼 장래
에다 안목을 둬야 하는 법이란 건 임자도 알지 않소? 그들이 간계
를 부린다 하면 숙맥처럼 바라보고 있다가 잇속을 차리는 것도 장
사치가 할 일이 아니오? 나는 옛날 아전보다 더 무서운 호랑이와
밤길 동행하여 칠십여 리를 간 적이 있소. 처음에는 혼백이 허공
에 뜨는 것 같고 눈앞이 아찔하였으나 칠십 리 길을 동행하여 장
거리에 당도하고 보니 호랑이 동행도 없었던 것보다는 낫다는 생
각이 듭디다. 그놈들이 호랑이보다 더 무섭겠소?」

「심지를 돌려 앉히어서 아이어멈 구명해 낼 방도나 찾읍시다요.」

「그 일은 무리해서는 안 될 일입니다. 내 잠깐 다녀오리다. 저들이
나를 부를 때에는 뭔가 속내가 있는 듯하고, 설사 잇속이 없다 하
더라도 가서 거동이나 보고 돌아올 금어치는 있는 일이오.」

「물색 모르고 길청으로 뛰어들었다가 덜컥 왕수(枉囚)*라도 당해
버린다면 그땐 탕척(蕩滌)해 줄 사람도 없답니다.」

「그들이 나를 수금할 양이면 관패자 꼬나든 장압관(長押官)을 앞
세워 들이닥쳤을 일이 아니겠소? 통인을 은밀히 보냈을 리는 만무
가 아니겠소?」

앙탈하는 소례를 달래고 문질러서 주질러 앉히고 통인을 따라 나
섰다. 송파에서 광주 관아로 가자 하면 이천 지경으로 우회하지 않
고 곧장 산성(山城) 쪽으로 오르는 지름길이 있었다. 아침나절에 발
행하여도 중화 전에 당도할 수 있었다.

＊구투: 일시적인 안일을 탐냄.
＊왕수: 부당하게 잡아 가둠.

삼문 밖에서 기다리자 하니 혼자 들어갔던 통인이 곧장 되돌아 나왔다. 삼문으로 해서 동헌 쪽으로 안동하는 것이 아니고 긴 담장을 돌아 곧장 작사청 안마당으로 통하는 협문으로 안내하는 것이었다. 작사청으로 들어가니 뒤쪽으로 동헌의 운각(雲角) 기와가 햇볕에 번쩍거렸다. 방이 여럿인데 그중에서도 이목이 번다하지 않은 한갓진 방으로 취편케 하고는 통인은 온데간데없어졌다. 한 식경이나 기다리자니 조 행수와 맞잡이 연갑이나 되어 보이는 갓짜리 두 사람이 소리 없이 방 안으로 들어섰다. 힐끗 관상을 살피자니, 두 사람 모두 간계한 위인들로는 보이지 않았다. 심덕도 무던해 보였다. 조성준은 공손하게 초인사를 올렸다. 둘 중에 한 사람이,

「나는 명색 광주 길청의 도서원으로 주변한다는 사람일세. 여기까지 행수를 오라 하고 기별지를 보낸 이가 바로 나일세. 나도 길청에서 주변한 지 이미 십수 년이 되어 항간의 풍문으로나마 행수가 송파 저자의 쇠전 마당에서는 명자한 쇠살쭈라는 것을 알고 있었네만, 상면이 늦었네.」

「서로 섭생의 방도가 다르고 또한 상종이 틀리고 너름새가 틀리다 보니 딱부러진 인연이 없는 바에야 상면하기가 수월하지 않겠지요. 그러나 이렇게 불러 주시어서 생광입니다.」

「겸사의 말이군. 서로 섭생의 방도가 다르다 하나 나라님의 덕화 속에서 살기는 우리나 자네들이나 마찬가지 아니겠나. 앞으로 우리 자주 상종하여 서로 격의 없고 척이 지지 않게 살도록 하세.」

「이를 말씀입니까. 기왕 말이 났으니 얘깁니다만, 우리 송파 난전 꾼들이야 행세하시는 분들과 척을 지고 살고자 하는 것이 아니라, 한올지게 살자 하나 항상 난경(難境)에 부대끼고 시비총중*에 휩

---

* 시비총중 : 시비가 자주 생겨 말썽이 많은 가운데.

싸이어도 이모저모로 발리기만 하다 보니 자연 소원(疏遠)해지게
마련이지요. 그것이 우리같이 무명색한 난전꾼들의 탓인지, 아니
면 행세하려는 분들의 탓인지 알지 못합니다.」

도서원이 껄껄 웃으면서,

「행수의 말이 언중유골일세. 사실 행수를 보자 한 것도 그런 일과
무관하지 않다는 것일세.」

「무슨 말씀입니까?」

「근기 지경의 도접장(都接長)의 자리에 궐이 나서 다음 권점(圈
點) 때에는 십중팔구 난전꾼들의 추앙을 받는 행수가 도접장의 자
리에 올라 인근의 도고(都賈)들을 거느리게 된다는 소문이 파다한
데, 그 소문이 적실한 것인가?」

「시생도 알고는 있습니다. 그러나 권점에서 차정이 될지는 지나 봐
야 알 일이고, 또한 시생도 굳이 권점에 나설 의향이 없습니다. 요
중회(僚中會)에 출중한 인물이 있으면 그런 분이 맡아야겠지요.」

「행수야말로 적격자가 아닌가.」

조성준은 그 순간 적이 놀랐다. 작사청에서 자기를 불러들인 까닭
이 거탈수작이 아니었구나 싶었기 때문이다. 대세가 조성준에게 기
울게 되면, 작사청의 계방것들이 갖은 훼방을 놓고 패리를 저지른다
하여도 별무소용이란 것을 몇 번의 경험으로 터득하였기 때문이다.
먼저 조성준을 문지르고 달래서 계방이 살아날 방도를 찾자는 심산
일 것이었다. 조성준이 그것을 깨달았다는 것을, 작사청 물을 십수
년이나 먹어 왔다는 이속배들이 모르고 있을 까닭이 없었다.

「물론 행수도 선뜻 내키지 않으리란 것이야 짐작할 만하네. 그러
나 장차로는 행수도 살고 우리 또한 체모가 깎이지 아니하고 살아
갈 수 있는 방도를 모색하자는 것일세. 행수가 송파로 되돌아온
뒤로 지성껏 계방을 드나들던 상고들이 딱 발길을 끊고 말았다네.

지금에 와서야 말이지만 행수의 뒷배를 봐주고 두호하고 있는 분이 경조(京兆)에서도 소소한 벼슬아치가 아닌가 보더군. 켯속을 따지고 보면 벼슬아치의 두호 아래 밥술을 뜨고 있기는 행수나 우리나 마찬가지가 아닌가. 이른바 우리도 한통속에서 동락한다 할 수 있겠지. 또한 우리가 서로 삿대질 아니하고 사화를 하자는 것도 서로 모질게 겨루고 척을 지고 살아 보았자 소득이 없다는 것을 알기 때문이 아닌가. 어떤가? 내 말이 심에 차지 않고 격식에 온당치 못하다면 당장 얘기한다 하여도 행수께 곤욕을 안길 사람은 없네.」

뇌까리는 말을 듣자 하니 어쩐지 그럴싸하고 서로 의지하고 지낼 만한 사이들이란 작심도 들었다. 그러나 이 간활한 이속들에게 속아 온 것이 어디 하루이틀이며 난전꾼, 도붓쟁이들뿐이던가. 농투성이들은 뼛골이 부러지도록 지은 농사를 이들로 인하여 수탈당하였고 공장(工匠)들이 또한 이들의 농간에 알거지 된 자가 부지기수가 아니던가. 조성준은 대꾸를 않고 묵묵히 앉아 있었다.

요사이 와서 그들의 발호가 점점 심해져 가고 있었다. 숨겨 놓은 은결(隱結)들을 관장 모르게 토호들에게 팔아서 작전하였고 명색도 없는 명하전(名下錢)을 거두는데 족징(族徵)까지도 불사하고 있었다. 통인이나 칼자들을 풀어서 암암리에 연여를 장시에다 내다 팔고 있었다. 출륙(出六)이 되지 않는다면 공명첩이라도 얻어서 반열에 끼여 보겠다는 것이 벼슬아치와 살갗 비비며 살아온 이속배들의 뼈에 사무친 포원이었기 때문이다. 눈앞의 안일을 탐하는 자들이 눈자위가 뒤집히고 나면 모가지를 내다 거는 것이 법이었다. 그러나 도서원은 참을성 있는 위인이었다.

조성준이 끝내 시원한 대꾸가 없자,

「당장 이 자리에서 우리가 반연의 의를 맺자는 것도 아닌 터, 대답

못해 난처할 것도 없네. 돌아가서 며칠 두고 셈술을 놓아 보시게. 불원간 우리가 한번 송파 행보를 하게 될 것일세. 그때 차차 얘기하기로 하세나.」

관아나 작사청에 가서 몰골 흉한 꼴을 당하지 않고 온전하게 되돌아서기는 그때가 처음이었다.

8

조성준이 광주를 다녀온 이튿날은 아침부터 찌뿌드드하던 날씨더니 눈발이 날리기 시작했다. 천소례는 아이를 들쳐 업었다. 눈이 내리는 날 한수(漢水)를 건너는 것도 무리려니와 아이가 콧물을 흘리고 있어서 마방의 아낙네들이 극구 만류하고 나섰다. 그러나 천소례는 별도리가 없었다. 이렇게 눈이 내리면 매월이도 입궐 않고 집에 있으리라는 짐작이었고, 행랑 골방에서 신고를 겪고 있을 월이를 생각하자니 한순간인들 따뜻한 구들장에 엉덩이를 붙이고 앉아 있을 염의가 없었기 때문이다. 집을 나서는 길로 성기던 눈발은 하얗게 눈앞을 가로막으며 무더기로 내리기 시작했다. 날씨는 맵짜게 추웠다. 차렵이불에 싸인 채 업혀 있는 아이가 칭얼거리고 배는 쉽게 오지 않았다.

겨우 송파나루에서 배를 얻어 타고 세철리에 내렸다. 시구문 밖 갖바치 석쇠의 집에 들러서 어한을 한 뒤 곧장 북묘로 찾아갔다. 예견했던 대로 매월이는 입궐하지 않고 집에 있었다. 아이 업은 여편네가 헐숙청에 들어가 앉아 현신할 때를 기다리고 있을 수도 없어서, 추녀 아래에서 퍼붓듯 하는 눈발을 바라보고 섰자니 눈시울엔 저절로 눈물이 괴었다. 젖먹이 때부터 어미를 잃고 자라고 있는 아이도 가긍하고 청승스럽거니와 단 하나뿐인 피붙이를 바로 건사하지도 못하면서 대의에 몸을 걸었다는 봉삼의 처사가 허황되고 원망스러운 것이었다. 게다가 젖어미인 월이마저 이 드넓은 집 어딘엔가 갇혀 겨우 연명하고 있다는 사실이 도대체 믿어지지 않았다. 그때 헐숙청의 문살 안에서 가만가만 지껄이는 사내들의 목소리가 들려왔다. 매월이를 현신하려고 명함을 걸고 기다리고 있는 도포짜리들의 한담이었다.

「원산포 인근에서 상도(商盜)들이 창궐하고 있다는 것은 조정은 물론이요 관변에서 은밀하게 떠도는 소문이라 하더이다.」

「상도가 났다는 말은 저도 풍편으로 들었습니다만 그런 적도들이 났다 하면 세력이 커지기 전에 잽싸게 포도군(捕盜軍)을 풀어서 애저녁에 근포를 해야지 은밀한 소문만 떠돌 뿐 포도군을 풀었단 말은 들리지 않으니 적도들의 세력이 보통이 아닌 모양이지요.」

「그게 아니랍니다. 포도군사를 풀어 보았자 별무소득이라는 것이겠지요. 그들이 원산포에 하륙한 간활한 왜상이나 그들의 끄나풀 노릇으로 연명하는 자들만 골라서 욕을 보이는 데다가 또한 재물에는 손을 대지 않는다는 것입니다. 그런 데다 도대체 범증을 남기지 않아서 간범은 물론이요 정범이 누구이며 사주한 자도 누구인지 도대체 오리무중이란 것입니다.」

「어허, 저런 낭패가 있나. 그럼 그 적도들의 소굴조차 찾지 못했다는 것입니까?」

「소굴이 뭡니까. 소굴을 찾아냈다 하면 근포를 하였겠지요.」

「왜상이나 그 수하에서 연명하는 자들만 겨냥해서 도륙 내려 드는 자들이라면 그들이 거래하던 객주나 임방의 장돌림들의 거동을 눈여겨 살펴본다 하면 당장 덮쳐서 근포할 수는 없더라도 단서가 잡히지 않겠습니까?」

「그런 예견이야 덕원 부중에서도 짐작하고 있을 터이지요. 그러나 짚신 자국은 물론이요, 범증이라고는 귀쌈지 하나 떨구는 법이 없는 데다가 객주들 가게에다 복처를 정하고 살펴보았자 거동 수상한 자를 찾지 못했다는 소문이더군요.」

「그건 알다가도 모를 일이오. 대저 범법하고 살인한 자들이란 물증을 남기거나 거동에서 의심쩍은 것을 보이기 마련이 아닙니까.」

「인근의 백성들이 진작부터 원산포에 하륙한 왜상이나 그들 수하에서 대궁이나 먹는 통사들이며 객주들을 무던하게 보아 오질 않아서 그런 적폐가 벌어질 적마다 속으로는 은근히 잘코사니야 하는 데다 심지어는 숨기기까지 하는가 봅디다. 또한 조정에서도 마찬가지가 아니겠습니까. 원산포를 저들에게 내어 줄 적에 우리가 좋아서 자청한 일이 아니지 않습니까. 저들의 강압에 이기지 못해서 한 짓이니 상감께서도 속으로는 은근히 적도들을 두둔코자 하시는지도 모를 일이지요.」

「그러나 사사로운 심사로 대처할 일이 아니지 않습니까. 나라에 율이 없지 아니하고 또한 강상에 법도가 엄연한 터에 이름하여 상도들이 저잣거리나 포구에 횡행한다 하면 민심이 소란해질 것은 물론이요, 기승을 하도록 버려둔다 하면 미욱하고 막된 것들이 종래엔 범권조차 하려 들지 모를 일이 아닙니까. 잠시 귀에 달고 입에 고소하다 하여 가만두고 본다면 시라소니 자라듯 해서 화근을 자초하는 일이 되겠지요.」

「그러나 어찌하겠소. 덕원의 부사가 패단(牌團)을 적은 관문을 띄워 상감의 윤발이 내려지기를 주청한다 하지만 상감께서 묵묵부답이시랍니다.」

「대신들의 안목이 길지 못하고 대의가 무엇인지 미처 모르고 있는 탓입니다. 그로 인하여 닥칠 혼란을 예상하지 못하는 까닭입니다. 왜국이란 나라가 가만두고 볼 성부르지 않다는 것이지요.」

「가만두고 보지 않는 것이 비단 왜국뿐이겠습니까. 아라사도 있고 청국도 있습니다. 제사상에 떡 괴듯이 이쪽이 찌뿌둥하면 저쪽으로 괴면 된다는 생각들이겠지요.」

「나라가 낭패로군요.」

「낭패라 하나 그만한 결기를 가진 적도들이 없지 않다는 것이 적이 안위가 되는 것도 사실이 아닙니까.」

처음에는 시색 좋은 재상가나 찾아다니며 구사(求仕)하려는 자들의 하찮은 풍담이겠거니 하였으나 차차 듣고 보니 원산포의 봉삼을 두고 하는 말이었다. 의견들이 서로 맞지 않았으나 한 사람의 한마디 공치사가 그런대로 두둔하고자 하는 편이어서 천소례는 한 가닥 위안이 되었다. 그때 헐숙청 방문이 열렸다. 도포짜리 하나가 신방돌 위로 내려서서 갖신을 발에 꿰려다 말고 추녀 아래서 눈발을 피하고 있는 천소례의 뒷모습을 힐끗 쳐다보았다. 대문 쪽으로 나서다 말고 되돌아선 도포짜리는 천소례의 뒤통수에다 대고 깍듯한 공대말로,

「내외간에 거북하오만, 말씀 좀 묻겠습니다.」

천소례가 뒤돌아보자 하니 난데없는 이용익이었다. 전사에 조성준과 동행하여 만난 일이 있었다. 구면이었다. 속으로는 반가웠으나 난데없는 곳에서 맞닥뜨려 거북한지라,

「나으리께서 어쩐 일이신지요?」

「알고 계시듯이 녹을 먹는 입장이고 이 댁 마님과는 친숙하게 받드는 사이여서 출입이 잦습니다. 사나흘에 한두 번씩은 출입이 있지요. 노중에서 다시 만나 예가 아니긴 합니다만 천 행수를 만난 듯 반갑기 그지없군요. 그런데 천 행수는 지금 어디에 있습니까?」

「쇤네는 잘 모르고 있습지요.」

「말씀하시기가 거북하시겠지요. 그러나 나 또한 오래 만나지 못하

였습니다만 천 행수가 어디서 무얼 하고 있는지 대강은 짐작하고 있지요.」

천소례가 화들짝 놀라자, 이용익은 뜻밖에도 빙그레 웃었다.

「혹여 천 행수를 만나게 되거든 안부나 전해 주시오. 지금 관부 주변에서는 원산포에서 대적이 났다는 풍문이 은밀하게 돌고 있습니다. 한 가지 유념하실 것은 진령군을 뵙는다 하여도 그 일에 대해서는 함구하는 게 좋을 것입니다.」

봉삼의 행적을 소상하게 알고 있는 듯한 이용익의 말에 발뺌만 하고 있을 수도 없는 노릇이어서,

「나으리께선 어찌 그 일을 자상하게 알고 계시는지요?」

「제가 눈으로 본 것도 아니고 누가 귀띔한 것도 아니지요. 이 나라에 숱한 난전꾼들이며 장돌림들이 있습니다만 그런 일을 벌일 만한 인물이 있다 하면 누구이겠습니까. 그러나 조정에서 시방은 강 건너 불 보듯 할지 모르지만 장차 세력들이 다부지다 싶으면 포도군사를 풀든지 장압관을 내려 보내든지 조치할 것입니다. 그것을 염두에 두라고 당부해 주십시오.」

「쇤네가 같은 피붙이 동기간이라 하나 장부가 하는 일에 어찌 아녀자가 나서서 이래라저래라 할 수가 있겠지요. 그런 데다가 한번 작심한 일을 누이가 타박하고 달랜다 하여 쉽게 돌려 앉힐 것 같지가 않습니다. 다만 천 행수가 명이나 오래 보전하도록 빌 뿐입지요.」

이용익이 내리는 눈발을 적이 바라보고 섰다가 가슴 패는가 싶게 한숨을 내쉬고 나서,

「달걀로 바위 치기입니다. 나 역시 속내는 천 행수와 별다를 바가 없습니다만 조정을 지키고 나라를 보전하는 길이 그뿐이라고는 할 수 없지요. 얼른 보기에는 나 또한 시류를 타는 벼슬아치에 지

나지 않는다는 지탄을 면치 못할지는 모르지만…… 천 행수의 일이 걱정입니다.」

「나으리 같으신 반연을 둔 것이 천 행수에겐 크나큰 복덕입니다.」

이용익이 그 말에는 대답을 않고, 천소례의 어깨 너머로 잠들어 있는 아이를 넘어다보면서,

「이 한절에 아이까지 업고 나다니시다니요. 천 행수의 소생인가요?」

「어미 잃은 아이라 본데없이 자라고 있답니다.」

「그럼 나는 여기서 하직하겠습니다.」

이용익을 하직하고 대방으로 오르자 하니 매월이는 반갑게 맞이하였다. 이 눈 속에 어인 일이냐고 묻다 말고 등에 업힌 아이를 보자, 안면이 싹 바뀌는 것이었다. 천소례가 아이를 내려놓고 예를 차리는 동안, 매월이의 시선은 줄곧 윗목에 누인 아이에게로 꽂혀 있었다. 그러나 천소례는 그 눈치 모르는 체하고,

「쇤네 번거롭게 해서 죄만스럽습니다.」

「자네가 찾아온 것이야 또한 반가운 일일세만 자네가 잉태하였다는 소문도 듣지 못하였는데 난데없는 아이는 웬일인가?」

「몇 번인가 떼어 놓고 오려고 갖은 수완을 다 했습니다만 어미 잃은 송아지가 그러하듯이 쇤네에게서 떨어지지 않으려고 갈팡질팡 뒹굴고 자반뒤집기로 앙탈하는 꼴을 차마 그냥 두고 볼 수만은 없었답니다. 쇤네는 자궁이 기박하여 아직 잉태한 적이 없습니다만 어미를 잃고 지향 없이 뒹굴며 천덕꾸러기로 자라고 있는 아이의 눈망울을 바라보자 하니 저절로 눈물이 솟구치고 아이 잃은 어미의 심사가 소태같이 탈이 난 걸 얼추 짐작할 수 있었지요. 밤마다 두 손을 허우적거리는 것은 젖어미의 가슴을 찾는 듯하여 차마 두고 볼 수 없을 지경이랍니다.」

「자네가 스스로의 팔자를 타박하면서 나 또한 싸잡아서 폄하려는 심사가 아닌가.」

「쇤네가 어찌 감히 망령된 마음을 품겠습니까. 참으로 이상한 일이 있어서 말씀드리는 것뿐입지요.」

「이상한 일이라니?」

「아이가 어미를 찾아서 밤낮으로 보채고 밤잠 설치며 안채우기를 한사하더니 오늘 마님 뵈옵겠다고 길 떠난 이후부터는 어찌 된 영문인지 끽소리 한 번 없이 잠들어서 한강의 칼끝 같은 바람 속에 차렵이불 하나를 등거리 삼았는데도 깨어나는 법이 없었답니다. 말 모르는 어린것도 마마님의 덕화에는 어찌할 도리가 없었던 모양입니다. 이것은 필경 마님의 무력(巫力)이 어린것에까지 미친다는 것이겠으니 마님을 찾아오는 쇤네의 발길이 살과 같을 수밖에 없었습니다.」

「아이가 그동안 부대끼다가 제풀에 기신하여 잠이 든 거지.」

「그렇지만도 않답니다. 어떤 땐 사흘 밤을 뜬눈으로 새우고도 버틴답니다.」

매월이는 천소례의 등 너머로 잠들어 있는 아이에게 시선을 떨구었다. 그토록 사모하는 정인의 소생이 바로 한 사람 등 너머에서 천연스럽게 잠들어 있다는 사실이 얼른 믿어지지 않았다. 매월이는 눈을 감았다. 옛날의 강단 같았으면 벌떡 일어나서 차렵이불째로 아이를 내던졌을 것이었다. 그러나 지금은 이렇게 눈을 감고 앉아 있을 수 있게 되었다. 참으로 이상한 일이라는 것을 매월이는 그때야 느꼈다. 천봉삼과 겨뤄 온 것에 대한 결과라면 자기는 패배한 사람이었다. 언제 자기가 패배한 적이 있었던가. 아니, 그런 일은 없었다. 사람과 겨뤄서 실패 본 적이 없었을 뿐만 아니라, 자신의 신분과 체모로서 이제 더 이상 오를 수 없는 자리에까지 올라 있었고 숱한 세

140

월이 흘러간다 하여도 자기와 같은 사람이 생겨날 것 같지 않았다. 천지개벽이 된다 하여도 일개 외대머리 시골 들병이가 봉군(封君)을 바라볼 수는 없을 것이었다. 그런데 단 한 가지 실패한 것이 천봉삼과의 인연이었다. 봉군이 되었어도 정인의 자리를 지키지 못했다는 것은 여인으로선 크나큰 가슴의 상처라 할 수 있었다. 매월이는 가장 큰 것을 얻지 못했다는 것을 뼛골이 아리도록 느꼈다. 궐녀는 가만히 눈을 떴다. 실패를 당한 것은 천소례에게서도 마찬가지였다. 천소례 역시 아무런 권세도 손에 쥔 것이 없고 또한 이렇다 할 견문도 없는 항간의 이름 없는 계집일시 분명하였다. 그러나 매월이의 뒤틀린 심사를 소상하게 알고 있으면서도 이 아이를 북묘에까지 업고 온다는 것은 어지간한 배포로썬 할 수 없는 일이었다. 이런 대담함은 도대체 어디에서 비롯된 것일까. 자기는 세상을 얻어 거칠 것이 없는 듯한데 그런 자기를 배포 있게 상종하고 있는 이 하잘것없는 신분의 계집은 무엇에 기대어 저토록 당당하고 대담할 수 있는 것일까. 아마도 그것은 속세의 욕됨에서 벗어난 여인으로서만 할 수 있는 일일 것이었다. 매월이는 감았다 떴다 하던 눈을 다시 뜨면서 나직이 말했다.

「그 아이를 한번 안아 볼 수 있겠나?」

천소례가 대꾸 없이 차렵이불 속의 아이를 보듬어 안아 올려 매월이에게 건네주었다. 자고 있는 아이를 한동안 적이 내려다보던 매월이의 눈시울에 이슬이 맺혔다. 자기의 죄업이 이 아이로 인하여 탕감된다 하면 그런 천행이 어디 있을까. 갑자기 그런 마음이 솟구쳤던 것이다. 감기 든 아이의 숨결이 가팔랐다. 매월이는 장지를 열었다. 바깥에는 산지사방으로 눈발이 흩날리고 있었다. 청지기가 쭈르르 달려와서 계대 아래에 부복하였다.

「네가 경각간에 약고개를 다녀와야겠다.」

「마님, 어인 일이십니까. 미령하십니까?」

「이 아이를 위함이야. 약고개에서 고명하다는 의원을 수배할 수 있겠나?」

「수배할 수 있구말굽쇼.」

「아이에게 감기 기운이 있네. 의원을 데려와서 진맥하고 벽재(僻材)로 구완을 해야겠으니 꼬리에 불 달린 듯 다녀와야겠다.」

청지기가 불 달린 듯 거행하라는 분부에 제풀에 놀라 펄썩 뛰어 방죽갓끈 덜렁대며 휘돌아 나간 뒤, 매월이는 다시 나지막하게 물었다.

「내가 이 어린것을 위해 할 수 있는 일이 무엇인가?」

고개를 조아리고 있던 천소례가,

「마님께서는 벌써 알고 계십니다.」

「알고 있다니? 내가 아이를 위하는 일에 대해서는 묻는 것이 처음이지 않느냐?」

「그렇지 않습니다. 마님께서는 벌써 그 아이를 위해서 하시려는 일을 마음먹고 계시지요.」

「자네가 경위 밝고 소명하다 하나 아는 척을 하여도 분수 나름이지 어찌 동 닿지* 않고 드러내 보이지도 않은 내 속내를 꿰뚫고 있다는 것인가?」

「마님께서 이 아이에게 덕화를 내리시기로 작정하시었다면 하실 일이란 오직 한 가지뿐이 아니겠습니까.」

「내가 대답해야 할 말조차 궁금할 판이다. 그렇다면 내가 다잡아 먹은 심지가 어떠한지 소견껏 알아맞혀 보아라. 만약 말이 틀리다 하면 자네에게 곤욕을 안길 터이니 작정 잘해서 토설하게.」

「마님께선 시방 이 아이에게 제 어미를 돌려주시려고 마음을 가다

---

*동 닿다 : 조리가 맞다.

듣고 계실 터이지요.」

방 안에는 한동안 납덩이같이 무거운 침묵이 흘렀다.

「과연 영험하구나. 자네가 나를 이겼네. 내 명색 나랏무당으로서 곤전의 총애를 한 몸에 받고 있으며 숱한 주문 세가의 명공거경(名公巨卿)*들이 내 앞에서 갖은 간릉을 떨며, 내 영험한 것을 침이 마르도록 칭송하고 내 안택굿 한 번 받으려고 사시장철 내 집 출입이 번다하거늘 그런 내게 영험하단 말을 들었으니 자넨 가위 내 선생일세. 그러나 어찌 그것이 서로 비견되겠나. 자네는 본심으로써 영험을 얻은 것이고 나는 복채가 넘치고 모자라는 데 따라 귀신을 부르는 매복(賣卜)이니 격이 서로 다른 것이지.」

「쇤네로서는 미처 아뢸 말씀이 없습니다.」

「내 어찌 이 아이와 자네의 소원을 모른 척할 수 있겠나. 이 아이에게 어미를 찾아 줌세.」

매월이가 장지를 열고 아랫것들을 불렀다.

「행랑에 있는 그 여인을 불러오너라.」

얼마 기다리지 않아서 행색이 남루하고 모색이 초췌한 월이가 노복의 뒤를 따라 방으로 들어섰다. 월이는 뜻밖에도 시누이와 아이가 방 안에 있는 것을 보자, 그만 참았던 포원이 울음으로 터져 소례의 치맛자락을 잡고 흐느끼는 것이었다. 한참을 기다렸다가 매월이가 아이를 월이에게 건네주면서,

「자, 아이를 안아 보게나. 자네가 배태한 아이는 아니었으되 그토록 지성껏 거두어 온 보람이 없지 않아서 내 마음을 움직인 것이니, 그리 알게.」

아이를 안고 볼을 비비던 월이가 눈물 자국이 밴 얼굴을 방바닥에

---

*명공거경 : 이름난 정승과 훌륭한 판서라는 뜻으로, 높은 벼슬아치를 통틀어 이르는 말.

깊숙이 조아렸다.

「마님, 이 은덕을 평생 뼈에 아로새겨 간직하겠습니다.」

「어찌 그것이 은덕인가. 패리(悖理)한 심지를 품어 남볼썽 없던 여자가 심지를 고쳐 잡은 결과일 뿐 자네가 은덕을 기릴 곳은 없네. 시누이를 구명하려 했던 자네의 갸륵한 마음도 항간에 있는 여자로선 하기 어려운 일이려니와 자네 시누이의 기특한 마음도 내가 이승을 지나면서 얻게 된 보화이겠으니 내 육신이 진토 되기 전에는 결코 자네들을 잊지 못할 것이네. 내 소싯적부터 독하고 패리한 여자로 행세해 왔건만 오늘은 웬일인지 서럽게 한번 목놓아 울었으면 좋겠네. 그동안 내 홀대로 인하여 자네들이 겪은 신산이야 말할 수 없겠지. 그러나 내가 후회한들 자네들에게 무엇을 줄 수 있겠나. 그것이 또한 막막할 뿐일세.」

천소례가 이슬 맺힌 눈시울을 치맛자락으로 훔치고 나서,

「마님께선 이제 더 이상 저희들에게 베풀 것을 생각지 않으셔도 됩니다. 저희들이 소원하던 것을 모두 받았지 않았습니까.」

「그런 게 아닐세.」

「아닙니다. 저희가 마님을 얻은 은혜를 입었을 뿐 아이는 전사에서부터 있어 온 것이 아닙니까.」

「마음가짐 나름이겠지. 내가 자네를 부러워할 것이 없게 되었네만 단 한 가지 그 마음가짐 하나에 욕심이 나는구먼. 그동안 자네가 겪은 풍파와 고락이 많았고 또한 괄시와 신산이 있었고 얻은 것보다는 빼앗긴 것이 더 많았을 것인데, 어찌 자색에 흐트러짐이 없고 아이 적 마음을 고스란히 간직할 수가 있었더란 말인가.」

「아닙니다. 쇤네도 사악한 계집이었습지요. 다만 일신이 부귀하게 될 것을 떨쳐 버리고 나니 마음이 편해지고 눈앞에 보이는 것이 있게 된 것뿐입니다. 다만 그 번뇌를 벗어나는 길이 어렵고 아프

다는 것만은 알고 있습니다.」

「내 자네에게 한 가지 부탁이 있네.」

「말씀하십시오.」

「앞으로 내가 원할 때 자네를 볼 수 있겠는가?」

「외람되더라도 그렇게 하겠습니다.」

「내 곁에 와서 며칠이고 있어 달라 한대도 그렇게 하겠나?」

「그리 합지요.」

「이것은 자네와 나 사이의 약조일세. 앞으로 내 집에 와서 내 설령 없다 하여도 자네가 옛날에 쓰던 방에서 마음 놓고 기거하도록 하게.」

「그렇게 거행하겠습니다.」

날이 어둑어둑해서야 약고개에 갔던 청지기가 몸집이 부대하게 생기고 허연 수염이 앞가슴을 가리는 의원 한 사람을 안동해서 돌아왔다. 의원이 한동안 아이를 진맥하더니 약 두어 첩이면 금방 대세를 돌리겠다고 대답하였다. 빨리 약을 지어 오게 하여 그날 밤으로 북묘 반빗간 앞에는 약탕기 하나가 더 얹혀지게 되었다. 월이는 사뭇 들락날락하였다. 북묘에 있기가 호랑이 소굴 같아서 아이야 어찌 되든 들쳐 업고 시구문 밖 갓바치 석쇠의 집에까지만이라도 가야겠다고 눈짓으로 앙탈하였다. 천소례는 그때마다 면박하여 주질러 앉히었다.

「거동을 진중하게 가지게. 마님의 심지가 아직은 바뀐 게 아닐세. 앞으로 우리의 거동이 진중하지 않으면 모든 것이 허사일세. 우리가 무슨 여력이 있다고 호랑이를 힘으로 달래겠는가. 마님이 놓아 줄 때까지 진득하니 기다려야 한다네.」

매월이의 눈치가 아이 감기 든 것이 어지간히 쾌복되어서야 길을 떠나보낼 눈치였기 때문이다. 매월이가 쉽게 심지를 돌려 앉히게 된

것은 천우신조(天佑神助)라 할 만하나 한 가지 난사를 아퀴 짓고 나
니 사람의 마음이 간사한지라 또한 원산포 봉삼의 일로 매달리고 싶
었다. 그러나 천소례는 이용익에게서 들은 말이 있는지라 수월하게
발설할 수는 없었다. 그날 밤 월이는 몸채로 올라와서 안잠자기 방
을 쓰게 되었고 안방에는 매월이와 소례가 나란히 누웠다. 눈이 워
낙 많이 내려서 아이뿐이 아니라도 사나흘은 북묘에서 묵어야 할 것
같았다. 자리 펴고 누웠으나 두 사람은 똑같이 잠이 쉽게 들지 않았
다. 소례로선 비단 이불에 몸뚱이를 묻어 본 것이 강경 이후로 처음
이었다. 매월이가 가만한 목소리로,

「자네, 내 의자(義子) 명색인 유인(裕寅)을 알겠지?」

「예.」

「며칠 전에 고을 하나를 주어서 내보내었다네.」

「……」

「자네만이 알고 있는 사실이지만 내 여인의 몸으로 공방살이 고적
함을 달래지 못해 한두 번 의자 명색이란 것과 곁을 같이하지 않
았던가. 그러나 어찌 내 심사가 편할 수가 있었겠나. 그런 일이 한
번 있고 나면 온 몸뚱이가 물에서 건져 낸 솜이불같이 땀으로 절
었다네. 색사(色事)에 부대껴서가 아니라 눈앞에 악귀들이 몰려와
서 날 괴롭혔기 때문일세. 신벌(神罰)을 받아 마땅한 일인 줄 알지
만 천성으로 도화살이 긴 사악한 육신을 타고났으니 제출물로 내
육신을 다독거리지 못하고 또한 이겨 내지 못했던 불찰이었네. 그
러나 밝은 날 하늘을 우러러 얼굴을 들 수 없었고 천둥 치는 날마
다 가슴을 죄게 되니, 내 아무리 음분한 여인으로 사주를 타고난
입장인들 참아 넘길 수가 없었다네. 고심하던 끝에 유인에게는 너
무나 과분한 벼슬을 주어 고을로 내려 보내었다네. 과분하지 않으
면 그놈이 선뜻 떠나려 하지 않을 눈치여서 그랬다네. 이미 젊지

않은 내 몸에서 악귀를 내쫓자 하면 요원한 일이니 이 일을 어찌 하면 좋은가.」

「아닙니다, 마님. 이젠 염려하실 것이 없습니다.」

「염려할 것 없다니?」

「그런 말씀을 천격인 쉰네에게 곧이곧대로 털어놓으셨다는 자체가 악귀에서 벗어난 것이지요. 사대부의 존귀하단 여인네들도 일생에 서너 번은 뜰 안을 오가는 젊은 노복이나 길거리의 건달들과 마음속으로 사통을 했을 것입니다. 율이 무섭고 체통에 똥칠하고 이목이 무서워 못했을 뿐, 그것이 아니었다면 은밀히 사통을 자행했을 마나님들이 어디 한둘이었겠습니까.」

「자네의 안위하는 말이나마 듣고 보니 조금은 후련하구먼.」

「잊어버리시는 것이 심질을 치유하는 길입니다.」

그런데 이상하게도 천봉삼에 대한 안부의 말은 단 한마디도 묻지 않았다. 원산포에서 들려오는 소문이 봉삼과는 무관하다고 생각하고 있는지, 혹은 그의 말을 꺼내면 가라앉은 마음이 다시 걷잡을 수 없게 되리라는 것에 스스로 겁났기 때문이었는지는 몰랐다. 감기 든 아이의 병세가 탕약 몇 첩 복용한 후로 씻은 듯이 대세가 돌려지고, 눈이 녹아서 발행할 때까지 두 여인네는 매월이의 빈객 대접을 받았다.

천소례와 월이는 송파로 회정하는 길에 시구문 밖 석쇠의 집에 들렀다. 석쇠도 그랬지만 석쇠의 안해는 아이를 보듬어 안았다가 월이를 쓰다듬었다가 도대체 좌정을 못하고 눈물만 찔끔거렸다. 석쇠의 핀잔을 몇 번이나 듣고서야 중화 대접을 하겠다고 부엌으로 나가는 것이었다. 석쇠는 상종하는 이들이 대갓집의 청지기나 겸인들인지라 원산포에 떠도는 소문을 대강 짐작하고 있었다. 갖신을 맞추거나 찾으러 들락거리는 주문 세가의 아랫것들이 흘리고 간 말들을 주워들었기 때문이다. 안해가 지어 온 한동자*를 먹도록 권하고 나서도

석쇠는 공방(工房)으로 건너가지 않았다. 두 여자가 수저 들기를 기다렸다가,

「나는 천 행수님의 심사 돌아가는 이치를 알다가도 모르겠습니다. 강원도 지경이며 함경도 아랫녘에서 부상 도고로서 명자깨나 드날리는 판인데, 저렇게 소명하시고 총기 있는 부인 두셨겠다, 달덩이 같으신 후사 있겠다, 그렇다고 조석 끼니 끓일 걱정을 하시게 되었나. 수하에 있는 동무들이며 겸인들이 이젠 장돌림으로선 이골이 났고 그들 또한 살 만하게 되었지 않습니까. 무엇이 답답하고 억울한 일이 많아서 그런 고역을 자청하는 건지 알 수가 없습니다. 태어나실 적부터 우리 같은 어리보기들과는 오장을 달리한 것 같소.」

말이 나온 김에 평생에 장가처 하나만 바라보고 살아왔으나 아직 팔삭둥이 배냇병신일망정 소생 하나 떨구지 못한 안해를 싸잡아서 빈정거리는 말투가 분명했다. 석쇠의 안해 역시 그런 말에는 말귀가 밝아져 있어 입귀를 한 번 삐죽하고는 석쇠를 외면해서 모 꺾어 앉았다.

대강 얼요기를 하고 배를 타러 세철리까지 나오는데 나룻목까지 석쇠의 안해가 배웅해 주었다. 한 식경이나 기다려서 송파진으로 나아가는 뗏배를 얻어 탈 수 있었다. 뗏배에는 송파 마방으로 드나드는 쇠몰이꾼들도 서넛 있어서 수인사를 나누었다. 뗏배의 짐바리 곁에 두 여자는 쭈그리고 앉았다.

「어멈이야 지금 당장 살같이 평강이나 원산포로 달려가고 싶겠지만 들려오는 아이아범의 소문이 심상치 않으니 송파에서 지체하게.」

뗏목에 넘쳤다가 빠져나가는 여울물을 내려다보며 아이와 놀고

-----

*한동자 : 끼니를 마친 후에 새로 밥을 짓는 일.

있는 월이는 금방 눈시울에 눈물이 괴었다.

「성님 말씀이 부모님 맞잡이인데 어찌 거역할 수 있겠습니까. 그러나 제 마음 같아서는 죽든 살든 원산포로 올라가서 아이아범을 뵙는 것이 도리일 성싶습니다.」

「내자의 도리가 어찌해야 한다는 것을 난들 모르겠나. 그러나 아범이 단신 원산포로 올라간 것은 자네가 송파에 남아 있기를 바랐던 것이 아니겠나?」

「그래도 제 할 도리가…….」

「다음 파수에 가서 뵙는 것도 늦지 않을 것이네. 내가 일차 내려가서 천 행수를 만나 보고 올 것이니 자네는 송파에 닿는 길로 핫옷이나 두어 벌 장만하게. 내가 가서 아범에게 전하게 되면 자네 무사하고 또한 액내 사람들도 태평하다는 것을 보여 주는 것 아니겠나.」

「성님 가셨다가 혹여 봉욕이라도 하신다면 어떻게 합니까. 더군다나 바람도 찬데요.」

「내가 낭패를 볼 성부른가. 그리고 설한풍(雪寒風) 속이라 한들 동기간의 안위를 묻고자 하는 일인데 어찌 가만 앉아 있을 수 있겠나. 아이만 아니면 자네와 동행하자 했을 것일세.」

송파에 당도하니, 며칠씩이나 집을 비운 안해가 돌아오는 길로 아주 혼찌검을 내어 닦달하리라고 마음 다잡아 먹고 있던 조성준은 안해가 월이까지 안동해서 회정한 것을 보자, 저녁 내내 실성한 사람처럼 웃는 낯이었다. 그러나 밤에는 그동안 터지려던 분통을 참아 왔던 앙갚음을 한답시고 소레를 아주 홀랑 벗겨 놓고 방사를 치를 조짐이었다. 전사에는 치마는 입힌 채로 속곳이나 벗기는 시능 하는 둥 마는 둥 구정물에 박씨 담그듯 실그적거리고 말았는데 이번엔 아주 홀랑 벗으라고 짓조르는 품이, 원행하는 소몰이꾼들에게 당부하여 해구신(海狗腎)*이라도 구처해 먹은 사람처럼 설치는 것이었다. 쥐구멍에도 볕 들 날이 있는가 하여 소례는 놀라기도 하고 일변 그렇게 싫은 것도 아니나 옷을 벗지 않으려고 앙탈해 보았다.

「점잖지 못하시게 느닷없이 왜 그러시오?」

「점잖지 못하다니?」

「왜 옷은 자꾸 벗기시려오?」

「이런 망측한 사람을 보았나. 그럼 방구들 농사를 짓자는 데 옷을 벗지 않고 입고 하잔 것인가?」

「대강 흉내만 내시면 되지 않았소?」

「흉내만 내다니, 내가 무슨 개구멍서방인가? 부부가 색사를 벌이자면 옷을 벗는 게 올곧은 일이지, 그럼 벗었던 의관을 갖추란 말인가.」

「왜 전에는 하지 않던 짓을 하시려고 이 성화를 먹이시오.」

「임자가 나와 합환하는 것이 시답지가 않아서 자꾸만 변죽으로 돌고 있는 것 아닌가. 내 한번 본때를 보여 주고 싶어서 그렇다네.」

「본때를 보이시려면 진작 보이시지 불각시에 어인 일이십니까.」

「자넨 불각시라 할지 모르지만 난 벌써부터 벌러 왔던 일일세.」

「팔풍받이나 다름없는 방인데, 외담을 낭자히 하시면 지나가던 식구들이 문구멍으로 들여다보겠소.」

「그놈들 문구멍으로 들여다보려면 보라지. 내가 주눅 들어 하고자 하던 일을 못할까.」

「근기도 없는 양반이 앙심만 가지고 그러지 말고 대강 흉내만 내시구려. 제가 변죽으로 돌았던 것은 이녁에게 무슨 꽁한 마음이

---

*해구신 : 물개의 음경과 고환을 한방에서 이르는 말.

150

있어서가 아니지 않소?」

「잔소리 말게. 임자는 모르고 있었지만 내 그동안 몰래 양기를 보
한답시고 돈푼깨나 날렸다네.」

「저한테 당부하시면 어련히 마련해 올리겠소. 연만하신 분이 체통
을 생각하셔야지 그러시다가 남의 구경 소조가 되시겠소.」

「말 말고 다리나 들썩 쳐들게.」

「못하시는 말씀이 없군요.」

「이 처지에 할 말 못할 말이 어디 있겠나. 부부지간이란 게 알고
보면 모두가 그렇고 그런 게 아닌가.」

「누가 듣겠다니까, 길래 그러시네요.」

「들으라지 않았던가.」

「세상에 별꼴을 다 보이시네. 아랫배에 물꼬를 박은 것 같습니다.」

「임자의 외담도 보자 하니 고수련으로 다루어야 할 여인네구먼.」

처음에 설치고 들 때에는 기둥뿌리라도 뺄 것 같았으나 막상 일을
치르려 하자니 근력이 부치는 모양이었다. 그러나 두 사람이 부부
된 이후로 찡한 맛은 그중 으뜸이었다. 작정을 고쳐 하고 정성 들여
신기를 보한다면 4, 5년 장래는 바라볼 수 있을 것 같았다.

땀을 노드리듯 뻘뻘 흘리면서 내려가 눕는 조성준에게 천소례는
걱정이 태산 같은 목소리로,

「혹여 아이어멈이 우리가 방사 벌인 얘기라도 듣게 된다면 늘그막
에 다다른 사람들 환장했다고 할 거요.」

「하긴 처남댁이 풀려나서 내가 쇠하던 근력이 회춘한 것인지도 모
르겠네. 처남댁이 돌아왔다 하나 명색 가군(家君)이란 사람을 상
봉하지 못하였으니 공연히 내가 죄만스러워서 말 붙이기가 버성
기는구먼.」

「이녁이 버성길 것이 없습니다. 제가 가서 아이아범을 만나 보고

올 작정입니다. 원산포 행보를 허락해 주십시오.」

「내가 화첩(花妾)이라도 다시 얻든지 무슨 구처를 내야지 이대로
배겨 나겠는가, 원. 명색 내자라고 점지하고 나니 울타리 구멍으로
족제비 달아나듯 밖으로 돌기만 하고 도대체 진득하니 가택을 지
키는 법이 없으니 어쩌자는 셈인지, 원. 그래도 내가 노망기 있는
늙은이라고 타박할 건가?」

「늘그막에 얻은 계집이 이녁에겐 화근덩어리요 애물단지가 되었
군요. 그러나 집안의 소경사가 대추나무에 연 걸리듯, 난마 엉키듯
하여 이녁을 지성껏 수발하고 공궤해 드리지 못하는 여편네의 심
사도 쓰리고 스산하다는 것을 헤아려 주십시오. 아이아범의 신변
이 위태한 터에 동기간인 이녁이 아니면 저라도 다녀와야 하지 않
겠습니까.」

「쇠뿔도 단김에 빼랬다고 발설한 김에 아주 내일로 발행하지 그러
나. 그래야 나 또한 하루빨리 임자를 보게 될 것 아닌가.」

「이틀 뒤에나 떠날까 합니다. 어멈더러 아범의 핫옷 두어 벌을 지
어 달라고 당부했으니까요.」

「사람의 간장처럼 간사한 것이 없다더니 정녕 그러하군. 옛날 홀
아비로 처신할 적이었으면 내가 열 일을 제쳐 두고서라도 원산포
로 뛰어갔을 것이네. 그러나 이제 내자를 들이고 나니 그 일이 주
저되니 가소로운 일이 아닌가. 내가 최송파와 길소개를 안동시킬
터이니 치행해서 살같이 다녀오게나. 그러나 원산포가 여기서 육
백 리가 넘는 노정이니 걱정이구먼.」

「걱정 마십시오만 길소개와 작반하라는 것은 어인 일이십니까?」

「천 행수가 길 동무를 보고 싶어할지도 모를 일이기 때문일세. 말
문은 막혔다 할지라도 길소개란 사람 꾀보가 아닌가. 게다가 여기
있어 보았자 밥만 죽여 내는 사람 아닌가.」

「최송파가 신실하니 노정에 작경이야 없겠지요.」

매월이에게 구금당한 뒤끝에 신기를 아직 되찾지도 못한 형편이었지만 월이는 송파 처소에 돌아오는 길로 봉노 하나를 도차지하고 천 행수의 의복을 짓기 시작하였다. 아이가 칭얼거리면 달래 재우고, 요때기 아래로 손을 넣어 보아서 써늘하면 나가서 군불을 지펴 가면서 실밥 한 땀 한 땀을 맵짜게 뜨고 지성을 다하여 인두질을 하였다. 하루도 아닌 이틀 밤을 꼬박 뜬눈으로 새워 핫옷 두 벌을 장만하였다. 이틀 밤째는 기력이 다하여 침선하는 실밥조차 보이지 않게 되었다. 그러나 바늘로 무릎 종지를 찔러서 잠을 쫓으니 두 벌 옷이 다 지어졌을 때에는 무릎에 바늘 생채기가 역력하게 되었다.

9

북묘에서 돌아온 지 사흘째가 되는 날 신새벽에 천소례는 최송파와 길소개를 작반하여 원산포로 발행하게 되었다. 중화참에 다락원 득추의 대장간에 들르게 되었다. 득추의 안해는 월이가 북묘에서 놓여났다는 말을 듣고 처음에는 체면 불고하고 서럽게 울고 나더니 나중엔 송파에 가서 달포간이나 놀다 와야겠다고 땅땅 벼르는 것이었다. 진둥한둥 떠들어 대는 여편네의 벼르는 말을 듣고 있던 득추가 참기 어려웠던지 신둥머리지게 쏘아붙였다.

「질정찮은 여편네하구선. 임자가 송파루 내려가고 나면 여기 남은 네 식구 조석 공궤는 누가 하란 말인가? 계집사람이 어찌 그렇게 진중하지 못할까.」

말구멍이 막힐 줄 알았던 득추의 안해가 입귀를 삐죽거리는가 하였더니 콧방귀까지 탕 뀌고 나서 얼른 득추를 외면하고 앉으면서,

「내가 송파로 가면 조석 공궤해 줄 사람 없어서 서럽겠소?」

「이런 맹추가 있나. 손끝이 맵짜고 부엌일 수발할 만한 계집아이라도 떨군 것이 있다면 모를까, 내지른 거라고는 조석 수발에는 손방인 상투짜리 사내아이들 셋뿐이지 않은가.」

「누가 사내아이들 들먹였소. 걔들 아니라도 수발할 사람 있지 않소?」

「있다니, 도대체 무슨 소린가?」

「옹기전머리 최가네 숫막에서 동자치 여편네로 주변하는 그 통지기년과 이녁이 정분 트고 지낸다는 것은 이녁만 몰라서 그렇지 다락원 장터머리에 벌써 파다하게 퍼진 소문이라오. 내가 견문 없는 계집사람이기로서니 투기도 있고 창피한 건 모르지 않는 입장에 다락원에서 낯빤대기를 되들고 살란 말이오?」

그 말에 득추가 펄쩍 뛰는 시늉이다가 억장이 무너진다는 듯 가쁜 숨을 한 차례 돌리고 나서 엉뚱하게,

「옹기전머리 동자치년이라니, 도대체 누구란 말인가?」

「고명 의원 부스럼 딱지 잡아떼듯 시치미 딱 잡아떼는 꼴을 보게. 생사람 열 잡아먹고 비린내도 안 난단 말씀 아녀?」

「임자가 그 집의 식칼을 공전 받지 않고 공다지로 벼려 준 걸 가지고 넘겨짚고 있는 모양인데, 그러지 말게. 성한 팔 부러뜨리겠네.」

「나도 이녁 따라 다락원까지 와서 산전수전 다 겪은 여편네요. 사내 계집 간에 정분 트고 지내는 것쯤이야 눈치 챌 만한 나이란 걸 잊어버렸소?」

「거참, 먼 길 행보하실 손님들 앞에서 이 무슨 경난인가그래. 내가 그 집 동자치 여편네 엉덩이에 손끝이라도 갖다 댄 일이 있다면 내가 저기 가는 개하고 동무하겠네.」

「흰소리로야 별인들 못 딸까. 코 안 뀐 송아지 같은 사내들 말을 누가 준신(準信)한다고 꼴같잖은 맹세요.」

154

듣기 민망하고 바라보기 거북하여 자리가 버성길 듯하자 최송파가 득추의 안해를 안위시키는 말로 달래려 들자, 득추의 안해는 최송파까지 싸잡아서 힐끔거리며,

「말씀도 마십시오. 제가 열여섯에 저 위인에게 시집와서 저 못난 남정네 하나만 하늘처럼 믿고 살아왔소. 그런데 제가 잠깐 한눈을 팔고 있는 눈치라면 어디 굴러다니는 여편네라도 없는가 하여 눈자위를 굴리고 늙어 검버섯이 피었거나 배젊었거나 간에 명색 치마만 둘렀다 하면 살송곳 꿰자고 색을 쓰는 판국이니 제가 무슨 재미로 산다는 것입니까.」

최송파가 득추의 안해를 보고는 득추를 매원하는 말로 맞장구를 쳐주고, 득추를 뒤돌아보고는 눈자위를 끔뻑하고, 소례를 건너다보고는 안쓰러운 시늉을 하면서 두 내외를 대강 주질러 앉히고 겨우 길을 떠나게 되었다.

그날은 첫 발행일이라 60리를 못 가서 객점에 들었다. 조성준이 안해의 안위를 걱정해서 노자를 두둑하게 쥐여 주어, 보행객주가 있는 곳에서는 정한 방을 얻어 들고 보행객주가 없는 길목에서는 널찍한 숫막 봉노를 도차지해 들거나 그것이 마땅치 않으면 여염의 방을 빌려, 노정을 바쁘게 줄이는 일보다는 무사하게 원산포에 닿는 방도를 택하였다.

평강 처소에 당도한 것이 송파를 떠난 지 나흘째 되는 날이었다. 평강 처소에서는 통기도 없이 당도한 세 사람을 보고 적이 놀라는 눈치였다. 서둘러 방자를 놓아서 반 마장 상거인 꽃티[花峴] 처가에 가 있는 유필호를 불러왔다. 소례를 보고 반가워하고 오랜만에 만난 최송파에게 이것저것 송파 소식을 묻고 있는 유필호를 천소례는 자세히 바라보았다. 평강에 당도한 것이 해가 나절가웃이나 기운 뒤라 하나 아직 석식 전인데도 방자를 따라 처소로 들어오는 유필호는 불

콰하게 취해 있었다. 행색이야 몸가축 해주는 안해가 있는 형편이니 초라할 수 없었다. 그러나 마당으로 들어서는 유필호를 일별하건대 전과 같이 늠름하지 못하였고 정기가 서렸던 눈자위도 전과 같이 형형하지 않고 게게하니 풀려 있었다. 유필호의 신색에 기(氣)가 빠져 있다는 느낌을 떨쳐 버릴 수 없었다. 송파 소식은 일순 되묻곤 하면서도 어쩐지 천 행수의 일에 대해서는 입초에 올리기를 꺼리는 눈치가 완연하였다. 아니나 다를까, 속으로 은근히 걱정되던 한마디를 유필호가 불쑥 내뱉었다.

「불원간 서울 내왕을 한번 해야 할 형편이오.」

소례가 가만히 고개를 숙이고 앉았다가 대범하게,

「꼭히 서울 올라가실 소간사가 계시다면 열 일을 제치고 가셔야지요.」

「내자의 성화에 부대끼고 나 또한 솔깃하기도 하여 평강 처소 일을 진득하니 처결하고 있을 처지가 아니랍니다.」

「서울 구경이라도 시켜 달라고 짓조르시는 모양이군요. 그렇다면 시방이야 해토머리이고 하니 꽃이 필 적이면 더욱 좋지 않겠습니까.」

「그것이 아니라, 나보고 구사(求仕)할 방책을 서두르라는 것입니다. 배운 학문이 있는 장부의 꼴이 그게 뭐냐 하고 눈만 뜨면 타박이니 이젠 진저리가 쳐질 지경이랍니다.」

「생원님께서는 일찍이 사판(仕版)에 뜻을 두지 아니하셨고 또한 처가에서도 생원님의 처지를 십분 짐작들 하시고 혼약을 맺었던 것인데, 이제 와서 짓조른다고 될 일이 아니지 않습니까. 생원님의 명분이 따로 있으시고 또한 천 행수가 원산포에 오른 것도 처소에 생원님이 계시기 때문인즉슨 취의청을 비우시게 되면 수하의 동무님들이며 겸인들의 처지가 스산하기 짝이 없을 것입니다.」

「내 처신이 어떠해야 한다는 것이야 모를 턱이 있겠습니까. 늦깎이로 배운 도둑질 날 새는 줄 모르더라고 내가 꼭 그 짝이 되었습니다. 늦게 장가들어 어린 내자를 둥개고 만수받이하다 보니 딱 잡아뗄 수도 없는 처지이고 또한 처소의 일도 돌봐야 하니 이런 낭패가 없습니다. 어서 천 행수나 만나 봐야 하겠습니다.」

「천 행수를 만나는 일이야 어렵지 않겠지만 생원님의 처신이 그렇게 갈피 잡지 못하시면 수하의 동무님들 또한 심지가 흔들리게 된다는 것을 유념해 주셔야 하지 않겠습니까.」

유필호도 쉽게 휘어들려 하지는 않았다. 천소례의 말을 귀넘어듣진 않았지만 이미 작정한 바가 없지 않다는 어취였다.

「내자의 주장에도 일리가 없는 것은 아니랍니다. 글줄이나 읽었다면 벼슬아치로 양명할 길을 찾아야지 보부상의 흉내를 하다 보면 종국엔 물에 기름 돌듯 하게 되고 잘살게 되는 나라를 만들겠다는 것도 한낱 허황된 포화일 뿐 바다 위에 잠시 뜬 해시(海市)*와 다를 바가 없다는 것이지요. 내자의 성화에 부대껴서라도 내가 서울 내왕은 한번 해야하겠습니다.」

「새아씨께서도 보통 분이 아니시군요.」

「내가 아주 혼찌검이 났습니다. 총기 있고 강단 있기도 예사롭지 않은 데다가 벼슬 좋아하기를 까마귀가 오디 즐기듯 한답니다.」

「그러나 천 행수를 일차 상면하신 다음에야 처분대로 하실 일입니다. 그전에는 수하들이 눈치 채지 못하게 하시어야 합니다.」

천소례는 한숨이 저절로 터져 나왔다. 철석같이 믿었던 유필호가 장가든 뒤에 마음을 고쳐 가지게 될 줄을 예견이나 했었던가. 그러고 보니 대낮부터 처가에 가서 술을 들고 있었던 것도 괴로운 심사

---

* 해시 : 신기루.

를 스스로 달랠 만한 강단이 없었기 때문인 성싶었다. 그러나 천 행수를 만나게 되면 마음을 돌려 앉힐 수도 있는 일이니 이래저래 바쁘게 만나야 할 사람이 천 행수일 것 같았다.

평강 처소에서는 유필호가 심지를 가다듬지 못하고 술로 소일하고 있으나 개의치 아니하고 여전히 가근방 장시의 상권을 휘어잡고 있었다. 처음에는 송파에서 올라온 동무들과, 군란 끝에 천 행수가 데리고 온 군총붙이들과 구메 도적 출신들이 모두 저희들끼리 패가 되어 치고받는 일이 잦았었다. 모두가 각아비자식들이니 이해 상관이 틀리고 서로 흘하지 않았지만, 특히 구메 도적 출신들과 군총붙이 출신들이 자주 아귀다툼을 벌여 한 장도막에 한두 사람씩은 박이 터지고 뼈가 부러지는 분란이 일어나곤 하였었다. 그러나 영일(寧日)* 이 없는 분란 속에서도 그들의 내자들 간에는 형님 아우님 하는 사이가 많아지고 격의 없이 친숙하게 지내게 되니 자연 바깥사람들끼리도 사화가 되고 싸움질이 뜸하게 되었다.

평강을 떠난 세 사람은 또다시 나흘 만에 원산포가 코앞인 남대천 다릿목 숫막거리에 득달하였다. 남대천에 당도한 것은 중화때가 막 지나서였는데 다릿목으로 오르는 초입길에는 많은 사람들이 들끓고 있었다. 잡살뱅이 좌고(坐賈)들에서부터 포목짐 바리 얹은 당나귀며 마소들도 있었고 나귀에 경마꾼 잡힌 도포짜리들도 없지 않았다. 세 사람은 다릿목에 인접한 숫막에 들어 장국밥 한 그릇씩을 시켰다. 최송파가 사타구니에 술독을 끼고 앉아 있는 정주간의 주모에게 수작을 건네었다.

「주모, 저 다릿목에서는 웬 행객들이 저렇게들 지체되고 있는 거요?」

---

*영일 : 별다른 일이 없는 평온한 날.

「관아에서 포리들이 나와서 기찰을 펴고 있은 지가 달장간이 가까워 온답니다.」

「그렇다면 애매한 행인들 욕보이기 십상이겠구려.」

「어디 행인들뿐이랍디까. 안면 없는 행인이라면 무작정 행리를 뒤지고 내행들 속것까지 뒤진다고 합디다. 사대부 집 내행이 아니면 알샅까지 내보여야 할 판국이 되었으니 시절이 왜 이렇게 범절 없게 되어 가는지, 원.」

「나도 근기 지경에서 살고 있어서 원산 출입을 몇 번 한 적이 있소만, 전사에는 없던 짓들 아니오?」

「그건 나도 모르겠소만 원산포에서 자꾸 사람이 죽어나고 봉욕을 당하게 되니까 그런가 봅디다.」

「사람이 여럿 죽었소?」

「여럿 죽었는지 한둘만 죽었는지 모르겠소만 액내가 어수선한 건 분명한 모양입디다.」

「무슨 연유로 왈짜들이 사람들을 욕보인답디까. 그렇다면 잡아들이면 되지 않소?」

「마치 도깨비와 같아서 범종도 남기지 아니하는데 누굴 동이겠소? 동에 번쩍 서에 번쩍 하는 것이 마치 옛날에 길동 선생과 같다 합디다.」

「도대체 누굴 욕보이는 거요?」

「왜상에 빌붙어서 이문 노리는 장사치들이며 왜국에서 건너온 상고배들이라 합디다. 그렇단 얘기만 들었을 뿐이지 제가 눈으로 본 것도 아니랍니다. 그저 길목에서 술독을 끼고 앉았으면 밑절미도 없는 소문만 들을 뿐이지요.」

중화하고 남대천으로 나아가서 한 식경이나 기다려서야 기찰포교 앞으로 나아갈 차례가 돌아왔다. 포교가 세 사람을 눈여겨보더니 가

근방 고을에 살고 있지 않다는 것을 먼저 눈치 채고는 등채로 최송파의 행리를 탁탁 치면서,

「세 사람이 동행인가?」

「예, 쉰네들은 근기 지경에서 외장을 돌고 있는 장돌림들입지요.」

「근기 지경 도붓쟁이들이라면 중뿔나게 원산포엔 어인 행보들인가?」

「가근방에 소금을 풀어먹이러 왔다가 이문 쑬쑬한 건어물이나 있으면 사서 지고 내려갈까 해서지요.」

「이 내행도 동패인가?」

「그렇습지요.」

「뒤에 구린 입도 떼지 않고 멀뚱하게 사람만 쳐다보고 있는 이 위인도 동패란 말인가?」

「예, 동패입죠. 사실은 이 사람이 청과나라 말문이 막힌 위인입죠.」

「괴상하지 않은가. 청과나라면 어찌 장사치로 행세할 수 있단 말인가?」

「명색 쉰네와 동사하는 사이라 하나 짐방 노릇이나 하는 형편입지요.」

「정녕 그런가?」

「쉰네의 말을 믿지 못하시면 말을 한번 시켜 보시지요.」

기찰포교가 뒤에 쭈그리고 서 있는 길소개의 행색을 한동안 꼼꼼히 살피는가 하였더니,

「원상이라면 지난가을 추수전 바친 자문을 임방에서 받았을 터, 내놓아 보게.」

세 사람의 자문을 한 손에 받아 쥔 포교는 자세히 살펴보고 나서 금방 돌려주긴 하였으나 뒤가 켕기는 낯짝을 하고 뒤에 선 길소개를 턱짓으로 가리키면서,

「뒤에 선 동패라는 위인은 아무래도 어디서 많이 본 인사인걸.」

「그렇겠습지요. 쇤네들이 본디 지본은 송파라 하나 장돌림의 신세들이라 조선 팔도 어디 발섭하지 않은 곳이 없을 터이고, 나으리께서도 워낙 여러 사람을 상종하여 검색하게 되니 이놈이 저놈 같고 저놈이 이놈 같을 때도 없지는 않겠지요. 나으리, 그러시다가 조카보고 큰절하시게 되겠소.」

「흰소리 그만둬. 저 위인은 이웃 안변 고을에서 사또 행세 하던 길소개란 벼슬아치와는 떡살로 찍어 낸 듯이 모색이 닮았구면.」

「쇤네가 뭐랍디까. 나으리께서 조카보고 큰절하시겠다 하지 않았습니까. 물론 나으리께선 농이시겠지만 안변에서 고을살이하던 벼슬아치라면 아무리 낙척(落拓)을 당하고 펌척(貶斥)을 당한다손 치더라도 막된 것들 틈에 끼여 장돌림으로 처신할 리는 만무 아니겠습니까.」

「그건 옳은 말일세.」

「한때나마 변지 수령을 제수한 분이었다면 그 재물이 불소하지는 않을 것입니다. 지금에 이르러 시세가 야박해졌단들 그런 지체가 시생들에 의탁하여 고린전의 이문을 챙긴다 하면 양반에 가합한 자세가 아니지 않겠습니까?」

「이치가 그러니까 이상하다는 것이 아닌가. 이 위인의 우뚝 솟은 콧대하며 시뻘건 눈깔이며 묏돝의 털 같은 구레나룻이며 생겨 먹은 흉측한 목자가 그 사또를 빼다 꽂은 듯하다는 것일세.」

「나으리께선 그분과 흉허물 없이 평교(平交)하시던 사이였던가 보군요.」

「눈꼴이 시리긴 하였지만 의자하게 지내던 정도가 아니었네. 나자빠져 누워서도 큰대(大) 자를 모르던 그 무식쟁이가 도임하자마자 관장으로서의 몸놀림이며 공사(公事) 처결하는 방도를 가르치고 구색에 맞춰 궁재(弓才)까지 익혀 준 장본인이 바로 날세. 그 위인이 고을의 창고를 몽땅 털어서 서울로 올라간 뒤 종무소식이니 폄출(貶黜)을 당했는지 승천(陞遷)을 하였는지 알 수가 없다네.」

그때 최송파가 두 손을 탁 마주쳐 소리를 내면서,

「고을의 연여를 털어서 서울로 올라가셨으면 십중팔구는 승직을 하고야 말았겠지요.」

「그렇겠지. 침어(侵漁)*하는 재간이 출중하고, 처사가 간활하기 이를 데 없었으니 벌열층 주문가에 드나들면서 좌우 청촉이 여간 요란했겠는가. 낙척을 당한다는 것은 당치도 않은 말이겠지. 갈지자도 그릴 줄 모르던 위인이 고을 관장의 자리에까지 올랐을 땐 현직(顯職)의 재상들 배 문지르고 등 두드리는 재간이 어디 범상했겠는가. 자, 여기서 오래 지체 말고 어서들 가게.」

장교의 분부가 떨어지자 세 사람이 둘러싸고 있던 포리들 사이를 비켜 나가려는데, 장교는 마침 길소개의 등을 딱 치고는 눈을 찡긋해 보였다. 모색이 관장 하던 길소개와 워낙 닮아서 농을 한 것이리라. 그러나 말문은 막혀 있다 하나 귀로는 장교의 말을 죄다 들을 수 있었던 형편이라 장교가 등을 쳤을 때에는 간이 땅에 뚝 떨어지는 소리가 났다. 장교의 말대로 길가가 안변 고을에 도임하였을 때 그에게 궁재를 가르쳐 주었던 장본인이 틀림없었기 때문이다. 또한 그 장교는 천 행수가 철령고개에서 잡았던 화적들을 넘겨받은 장본인이기도 하였다.

남대천을 건너서 원산포에 당도하니 해가 기울기 시작했다. 최송파나 길소개는 초행길이라 눈에 보이는 것마다 기웃거리느라고 살같이 천 행수를 만나고 싶은 천소례의 속을 썩였다. 마방에 당도하

---

*침어 : 침범하여 빼앗음.

였더니 평강 처소에서 그랬던 것처럼 모두들 적잖이 놀라는 것이었다. 천 행수와 강쇠는 보이지 않고 곰배와 탑삭부리가 처소의 가겟방에서 산가지를 놓고 있었다. 한동아리지게 싸잡혀 다닐 줄 알았던 사람들이 가겟방에 앉아 천연스럽게 셈을 놓고 있으니 신기한 일이었다.

마방은 옛날 조 행수가 도맡아서 처결할 때보다는 더욱 흥청거리는 모양이었다. 드나드는 쇠살쭈며 흥정아치들도 꽤나 붐비는 것 같았다. 그러나 마방은 전사에 단골 화객으로 드나들던 소몰이꾼들만 상종하고 있을 뿐 내막은 곡물객주로 바뀌었다는 것을 밖으로 얼른 보아서는 눈치 챌 수가 없었다. 곰배와 탑삭부리는 오랜만에 만난 최송파의 손을 잡고 끌어 정주방으로 건너갔다. 송파와 평강 소식을 겨끔내기로 물어와서 최송파는 조리 있게 대답해 주고 난 뒤 천 행수와 강쇠의 행지를 물었다.

「천 행수께서는 어디를 가신 건가?」

「양덕(陽德), 성천(成川) 쪽으로 출타하였는데 거기서 강동(江東)만 지나면 평양이 코앞이니까, 내친김에 평양 대동강 구경을 하고 오시려는 거지요.」

「평양이라면 여기서 이수로 줄잡아 이백오십 리가 수월한데 거기까지 무슨 소간사가 있다는 건가?」

「우린들 알겠소. 행수님 거취야 본인밖엔 짐작할 수가 없지요.」

「에끼, 아우님들, 아우님들로 말하면 가위 천 행수의 수족 격인데, 몸뚱이 가는 곳을 수족이 모른다 하면 어불성설이 아닌가.」

「누가 아니랍디까. 우리 또한 천 행수의 수족으로 자처하고 남들도 그런 줄 알고 있습니다만 내막을 알고 골자를 캐보면 실상은 그렇지도 않다오.」

「아우님들 귀 좀 빌리세.」

최송파의 은밀한 말에 곰배와 탑삭부리는 최송파의 구린내 풍기는 입에다가 귀지가 덕지덕지 앉은 귀를 바싹 갖다 댔다. 한동안 귀엣말을 듣던 곰배의 눈이 휘둥그레지면서,

「거참, 소문 한번 빠르군. 이미 조정에까지 조명이 나 있는 줄은 몰랐군요. 나라 안 백성들은 걸핏하면 잡아다가 모가지 날리기를 풀 베듯 하면서 왜구들 몇 놈 욕보인 것에는 왜들 그렇게 오금을 펴지 못한다 합디까.」

「나라의 정세가 그렇게 되지 않았나. 어디 왜국뿐이던가. 법국(法國)*이며 덕국(德國)*의 사람들까지도 조정을 부대끼고 있다는 소문일세.」

「천 행수께서 회정하시면 소상하게 여쭤 볼 일입니다.」

「천 행수가 평양 행보 하였다는 것은 난처하여 돌라대는 말은 아닌가?」

「우리가 어디 켕기는 구석이 있어 성님께까지 외대겠소. 성천까지 행보하였으면 벌써 회정하였을 터인데 이렇게 늦는 것을 보면 평양까지 노정을 늘여 잡은 것이 아닌가 하는 거지요.」

「성천 지경까진 왜 갔는가?」

「평안도 지경의 곡가가 어떠한지 살피러 간 것입니다.」

「남대천 넘다 보니 기찰이 빽빽하던데 풀릴 조짐은 없다는 것인가?」

「요사이 와서는 액내가 안돈해서 별다른 사단이 없었으니 머지않아서 풀릴 것이오.」

「그런데 아문에서는 전연 눈치를 채지 못한 것인가?」

「강쇠를 옭아 가서 몇 마디 구초를 받아 보는 시늉만 하고는 범증

---

*법국 : 프랑스.
*덕국 : 독일.

이 없다 하고 그냥 풀어 줍디다.」

「잡아갈 땐 언제고 방송하는 건 또 무슨 꿍꿍이속인가.」

「모르긴 해도 저들 딴엔 꾀를 부린다는 것이겠지요. 방송해 주고 뒤를 염탐하다가 덩굴째 덮치자는 수작인지, 아니면 범증을 잡고도 당분간 두고 보자는 것인지, 초장료나 뜯자는 것인지 도대체가 오리무중이오.」

「설마 아문에서 비호할 리가 없겠지.」

천소례 일행이 당도하여 이틀이 지난 밤중에야 발등에 먼지가 켜로 앉은 천 행수와 강쇠가 회정하였다. 만나자마자 최송파가 남대천 건널 때에 길소개 때문에 십년감수한 얘기부터 늘어놓았다. 천 행수가 껄껄 웃으면서 하는 말이 사실은 자기도 원산포를 벗어날 때에는 남대천의 복처를 거쳐서 나간다는 것이었다. 의아했던 최송파가 물었다.

「아니, 그 장교가 사람 알아보는 눈썰미 하나는 보통이 아니던데 자주 상종했다가 수상쩍은 낌새라도 알아차리고 나면 어떡하시려고 그러시오.」

「사실은 우리 행중에서 잡은 화적들을 자기가 잡은 것처럼 고쳐서 승직까지 한 장교로 요사이 원산 포구 진장(鎭將)의 총애를 받고 있는 장교라오. 첨사(僉使)*만 하여도 종삼품 무관이 아니오? 첨사의 총애를 받는 장교라면 행세하기 거북하진 않지요. 그 뒤에도 인연을 끊지 않고 여러 번 만나서 몇 푼씩 행핫돈 찔러 준 덕분에 복에 없던 무변에다 반연을 두게 되었다오. 나뿐만 아니라 요사이 와선 우리 마방 동무님들이라면 아주 껌뻑 죽는시늉을 한답니다.」

---

* 첨사 : 첨절제사(僉節制使). 절도사(節度使)의 지휘 아래에 있던 군직.

「그 사람이 껌뻑 죽는시늉 아니라 설설 기는 시늉을 한다 하여도
녹을 먹고 살아가는 벼슬아치가 아닙니까. 임시해서야 몇 필의 마
장목이나 초장료를 챙기는 맛에 보고도 못 본 척 알고도 모르는
척 해줄지는 모르겠습니다만 약차할 때 졸개들 풀어 덮친다면 첨
사 자리 하나야 따놓은 당상이 아닙니까. 그게 몇 필 코 묻은 마장
목에 비견이나 될 것입니까. 승직이 될 조짐만 보인다 하면 십 년
반연도 무옥(誣獄)*으로 떨어뜨리던 것이 우리가 보아 온 벼슬아
치들의 행사가 아니었습니까.」

「그럴 법한 말이오. 그러나 위인은 내게 단단히 덜미가 잡혀 있어
서 배심 먹을 경황이 없을 것이오. 벼슬에 오르는 것보다는 상리
를 꾀하는 것이 가문의 발흥에는 첩경이라는 것을 믿는 위인이라
오. 위인이 은근히 나를 선망하고 같은 동접배나 반연들을 업수이
여기는 눈치까지 보입디다. 하니 나로선 고슴도치 살친구 만난 격
이지요.」

「그러나 사람의 심성이란 시세의 흐름에 따라서 조석지변이라는
것을 염두에 새기어야 합니다. 시세가 도리와 분수의 알짬은 다
빠져 달아나고 이해 상관에 따라 마음을 움직이는 세상이 되었지
않습니까.」

「내가 그걸 살피지 않고 무작정 사람을 사귀리까.」

천소례가 대강을 얘기하고 오누이끼리 만나 보았으면 하는 눈치
가 역력한지라 같이 앉아 있던 최송파, 길소개, 탑삭부리, 곰배는 아
랫봉노로 자리를 바꾸었다. 월이가 지어 준 핫옷 두 벌을 내놓자 봉
삼은 한동안 보자기를 적이 내려다보고 앉았다가 끈을 풀어서 윗도
리만 입어 보았다. 품이 들어맞고 침선이 맵짠 것이 용하다 싶었던

---

*무옥 : 아무 죄도 없는 사람을 죄가 있는 듯이 꾸며 내어 그 죄를 다스림.

지 몇 번인가 되뇌어서 아주 꼭 맞는다는 말을 하였다. 그러나 웬일인지 제 소생의 안부에 대해서는 일언반구도 없었다. 아이의 안부를 묻지 않는 것이 아니라 묻지 못하고 있는 쓰린 흉회를 짐작하지 못하는 것은 아니었다. 그러나 한 안해의 지아비로서 또한 그런 일에 대범해야 할 사람이 스산한 마음 잠시 가누기 어렵다 하여 말을 꺼내기 겨워하는 것이라면 장부의 기개가 아니라는 생각을 천소례는 하고 있었다.

「아범의 마음이야 짐작 못하는 바 아니지만 지아비가 소생의 안부를 묻지 않는다는 것은 인륜을 그르치는 일이 아닐까. 그러고서도 대의를 가슴에 품은 장부의 대접을 받겠다는 것인가. 대저 큰것을 보고 소소한 것에 얽매이지 않는 것이 대의에 살아가는 장부의 체통이라고는 하지만 나는 그렇게 여기지 않네. 소소한 것에 연연하지 말아야 할 것일 뿐 작은 것에서부터 큰 것을 바라보는 안목을 길러야 할 것이고, 또한 자상한 성품이란 윗사람으로서 가져야 할 품격이 아니던가.」

「지아비로서 면목이랄 게 없기 때문입니다. 이미 장성하여 제가 누구라는 것을 알고 있는 형편이라면 모르겠습니다만 그 아이는 아직 철든 처지가 아니지 않습니까. 그래서 차마 입초에 올리게 되면 가슴이 멜 것 같습니다.」

「심사에 괴롭다 하여 마냥 덮어 둔다면 그 일에 해결을 볼 리도 만무 아닌가.」

너무 꾸짖는 것만 같아서 말머리를 돌려 북묘에 갔다가 이용익을 만난 일이며, 평강 처소에서 유필호를 만났던 일을 소상하게 털어놓았다. 그러나 봉삼은 쓰다 달다 대꾸가 없었다. 장차 스스로 해결할 길을 찾겠거니 하여 더 이상 채근하지 않고 일찍 잠이나 청하라고 안방으로 건너가고 말았다.

10

바로 그날 밤 삼경 자시 말께였다. 마침 최송파와 잠자리를 나란히 하였던 천봉삼은 문고리를 흔드는 소리에 깜박 들었던 잠이 깨었다. 천봉삼이 일어난 낌새이자, 강쇠와 곰배와 차인 세 사람이 방 안으로 들어왔다. 다섯 사람은 아랫도리가 껑충하게 행전을 죄어 치고 길목들을 아금받게 당겨 신은 꼴이 난데없이 자정 무렵에 먼 길 나설 사람들 같았다. 선잠 깬 천봉삼이 나지막하게 묻기를,

「선창에 복처를 정한 기찰포교들의 거동을 살펴보았나?」

그동안 처소를 지키며 발쇠 섰던 곰배가 얼른,

「제가 사흘 동안 정한 시각에 나가서 살펴보았습니다만 이 시각쯤이면 모두들 경수막(警守幕)으로 들어가서 잠을 청하고 순라는 도선목 어름에만 몇을 세우는 듯했습니다.」

「최씨 객주는 도선목 못미처겠지. 그럼 살같이들 다녀오게.」

다섯 사람이 마방을 나서서 곧장 도선목 쪽으로 내려가는가 하였더니 갯내가 물씬 풍겨 오는 갯가 길로 접어들면서는 뿔뿔이 헤어지는 것이었다. 머지않아서 바람에 부대끼는 파도 소리가 확연하게 짚여 왔다. 최 대주를 만나서 담판하자면 두 사람이면 족했지만 다섯 사람이 조발되어 뿔뿔이 흩어져 다른 길을 잡은 데는 나름대로 까닭이 있었다. 개중에 일진이 나빠서 순라군에게 잡혀 졸경을 치르게 되는 동패가 생겨난다 할지라도 얼추 두세 사람 정도는 기찰을 따돌리고 최 대주의 집에 당도할 수 있으리란 셈속 때문이었다. 그러나 먼저 당도한 사람이 나중 올 동패들을 기다리자니 다섯 사람 모두가 순라에 걸려들지 않고 당도했다.

곰배와 차인 한 사람을 밖에 두어 척후를 세우고 세 사람이 월장해서 집 안으로 숨어들었다. 그리고 잽싸게 행랑을 돌아 몸채로 들

어갔다. 대청을 가운데 하고 왼편과 오른편으로 방이 세 개나 있었다. 행랑채와 몸채를 잇고 있는 담벼락에 몸을 기대고 인기척이 있을까 하고 한참이나 기다리던 세 사람은 그 자리에다 다시 한 사람을 떨구고 두 사람만 대청 위로 성큼 올라섰다. 그리고 안방의 덧문을 열고 장지를 젖히고 방 안으로 들어서는데, 신발은 수건으로 동여서 발자국이 남지 않게 하였다. 뒤꼍으로 난 바라지 문살 사이로 희미한 달빛이 새어 들 뿐 방 안에는 잠들어 있는 사람의 숨소리가 고즈넉하게 가라앉아 있었다. 강쇠가 가만히 이불깃 위로 목을 드러내고 있는 두 사람을 살펴보았다. 강쇠가 손짓하자, 따라온 차인이 냉큼 여인네를 아갈잡이해서 끽소리 한 번 나지 않고 고미다락에다 밀어 넣었다.

설치는 바람에 자연 곁에 있던 최 대주는 잠에서 깨었다. 그러나 월장해서 범방한 자들의 모색을 가늠해 낼 수는 없었다. 방 안이 어두운 것은 고사하고, 패랭이 잔뜩 숙여 쓰고 수건으로 코와 입을 동였으니 범방자들의 정체를 알아낸다는 것은 염라 태수라 한들 별재간이 없을 것 같았다. 적당들이 들이닥친 것임을 눈치 챈 최 대주가 바짓말기를 추슬러 잡고 사시나무 떨듯 하면서도 내자의 행방이 갑자기 궁금해진 듯 한 손을 이불자락 속으로 넣어 부질없이 휘저으면서,

「임자, 임자 어디 갔누?」

최 대주가 다급하게 구는 꼴을 내려다보고 섰던 강쇠가,

「네 내자 되는 아낙은 명을 부지하고 있으니 냅뜨지 말고 묻는 말에 대답이나 외대지 말거라.」

「도대체 임자들은 누구인가? 내 내자 되는 사람은 어디 갔는가?」

「자네 곁에 누웠던 내자는 고미다락에 좌정시켜 놓았으니 과히 걱정 마시게. 그러나 묻는 말에 일호라도 거짓 대었다간 자네와 여

편네를 모두 싸잡아서 어육지변을 낼 것이니 초다듬이부터 작정 잘하게.」

최 대주로 말하면 원산 곡물객주 중에서는 그 세력이 으뜸이라 할 수 있었다. 궐자의 성품이 워낙 억세고 우직스러운 데다가 남의 말 듣기를 비상 먹기보다 싫어하고 놉으로 들인 수하들을 개같이 꾸짖어 부리면서 날공전* 주기는 범같이 무서워하는 수전노였다. 수하에 둔 차인들만 하여도 30여 명에 이르고, 그의 객주에는 함경도 일경과 평안도 내륙의 시겟장수들이 뻔질들락하였다. 한 장도막에 그의 객주에 부려지는 곡물만 하여도 수백 석을 헤아렸다.

원산 장시의 시겟금이 고헐간에 그의 손에서 좌지우지된다 하여도 과히 그릇된 말은 아니었다. 그러자니 자연 원산에 하륙한 왜상들과는 내왕이 잦고 거래가 빈번하게 되고 그들과의 거래가 또한 수백 석에 이르고 있다는 것이야 짐작하기 어렵지 않았다. 덕원 부중의 도서원(都書員)이 그의 객주에 출입이 번다한 판이고 왜통사 두서너 놈이 육장 박혀 있다시피 하였다. 그러나 내막으로는 어느 만큼 왜상들과 결탁되어 있고 덕원 부중 관원들의 비호를 받고 있는지는 염탐해 낼 수가 없었다. 한때는 그 수하에서 수년간 거행하던 서사에게 치하금까지 찔러 주며 거래의 내막을 소상하게 염탐하려 하였었다. 그러나 왜상들과 거래한 장책(賬冊)과 치부(置簿)와 하기(下記)는 최 대주가 손수 알음하기 때문에 수하의 어느 누구도 판세를 알 도리가 없다는 것이었다. 최 대주 역시 부상 도고답게 성품이 음흉한 데다가 동래포를 위시해서 원산포에서조차 곡물이 왜국으로 빠져나가 민간의 인심이 흉흉하자 밖으로는 털끝만 한 허물도 내보이지 않으려고 수하들을 닦달하고 잡도리함이 여간 삼엄하지 않았

---

* 날공전 : 하루를 단위로 계산하여 주는, 물건을 만드는 데 대한 품삯.

다. 어쨌든 뱃심 드센 체하나 저 또한 목석이 아니거늘 사세 다급하게 된 것이야 어찌 깨닫지 못할까. 그러나 원산 포구 대객주의 포주인이란 체통에 똥칠할 수는 없는 노릇이어서 의연하게 버티고 앉아서 범방한 도당들을 노려보고 있었다. 그때 강쇠가 뇌까렸다.

「네 혼자서 은밀히 적바림해서 다루는 장책과 치부, 그리고 하기를 모두 내놓아라.」

「그런 것은 객주 가겟방에 두고 지내는 터, 구태여 침소에까지 끼고 들어올 처지가 아니지 않은가.」

「차인 행수는 물론이요, 서사까지도 알지 못하는 장책이 있다는 것을 알고 들어온 사람들에게 어찌 서투른 발뺌을 한단 말인가.」

「내가 원체 장책은 시종 서사에게만 맡겨 온 터에 그런 것 따로 다 들어 온 일이 없다네.」

「대답이 그러한즉슨 우리도 네 말을 믿을 수밖엔 없겠군. 그러나 한 가지 아퀴 짓고 넘어가야 할 일이 없지 않네. 만약 우리가 이 방에서 그 장책을 찾아내기라도 한다면 자네의 모가지는 달아 두겠지만 자네 내자는 우리가 업고 가겠네.」

「입에 구접이 돌고 흙냄새가 나는 늙은이를 업어다 어디다 쓰겠다는 건가?」

「우리 둔소로 데려가서 벗겨 보고 잠자리에 두고 희롱할 만한 금어치가 없다면 물어미나 동자치로 박으려네. 어디 그뿐이겠나? 네가 육장 끊이지 않고 찾아가서 가다듬고 쓰다듬어 주고 있는 창거리의 네 화첩까지도 업어 가서 우리 동패와 가약을 맺어 주려 하네. 그래도 좋다는 것인가?」

원체 수전노로 호가 난 위인이라 내자와 화첩까지 업어 가서 능욕을 하겠다고 엄포를 놓는데도 까딱 않고 버티었다.

「이미 몰골이 후줄근한 내자를 업어 가려거든 좋을 대로 하게. 또한 한동안 임의롭게 지내던 천기 하나가 있었다 하나 세상에 육덕 있는 젊은 계집이 어디 한둘이던가. 자네들이 날 두고 육포를 뜨겠다고 벼른들 없는 것을 어찌 내놓겠는가.」

「하초에 뜨거운 변을 당하구서야 직토를 하겠다는 것이군. 그러나 우리도 일을 수월하게 매조지는 방도가 없지는 않다네. 이놈을 대청으로 끌어내게.」

강쇠와 동패가 최 대주의 괴춤을 바싹 뒤틀어 잡고 마루로 끌어내었다. 그리고는 뒷결박 지은 채로 대들보에다 거꾸로 매달았다.

「널 복날 개 잡듯 살점을 벗길까, 아니면 네가 달고 있는 주장군(朱將軍)만 도려서 가져갈까? 폐인 되고 난 뒤엔 만금 재산을 지닌들 무얼 하겠나.」

거꾸로 매달린 최 대주의 바짓말기 사이로 강쇠가 불쑥 손을 집어넣으려 하자, 그제야 최 대주는 요동을 쳤다. 느릿느릿 못 이기는 체하고 결박을 풀어 주자 최 대주는 뒤주 속에 숨겨 두었던 장책을 꺼내 주었다. 다행히 진서 아닌 뒷글로 적바림한 것이라 강쇠가 알아볼 만하였다. 장책을 뒤적이는 강쇠에게 최 대주가 간신히 물었다.

「내 재물을 털어 가려는 적굴 사람들이라면 구태여 장책 따위를 뒤져서 어디다 쓰겠다는 것인가?」

「모르는 소리 말게. 우릴 데데한 초구들로 알았다간 큰코다치네. 네 재산의 알짬이 어디 있는 줄 알아야 털어 간다 하더라도 옹골지지 않겠나. 초구들이라면 우선 눈에 보이는 것만 대충 챙겨서 산림으로 장달음을 놓겠지만 우린 그럴 수가 없다네.」

「장책이나 치부라는 것이 화주(貨主)와 객주 간에 주고받은 거래 명세만은 소상하게 밝혀 두었다 하나 그것을 뒤져 봐야 챙겨 갈 물목이 나오기라도 하겠는가.」

「포주인치고는 꽤나 잔소리가 드세군. 올곧잖은 수탉처럼 걸핏하

면 벼슬 세우고 덤비려 드네그려? 우린 나름대로 네 재산을 옭아
갈 재간이 있는 터, 주제꼴 하고선, 거들고 들 것 없네. 다만 한 가
지, 적당들에게 이 장책을 탈취당했다고 관아에 고변이라도 하였
다간 장차 네놈의 문중을 도륙 낼 작정이니 입 닥치게. 우리가 사
람 죽이기에는 불고염치이고 계집 능욕하기를 앓은 소 타듯 한다
는 것을 명심해야 한다네.」

최 대주를 남기고 강쇠와 동패는 다시 뜰을 가로질러 수월하게 담
을 되짚어 넘어 밖으로 나왔다.

밖으로 나온 다섯 사람은 곧장 마방의 처소로 돌아서지 않고 되레
도선목 가까이로 깊숙이 내려갔다. 갯가를 스치는 파도 소리는 한결
가까이 들려왔고 옷소매를 스치는 바람도 차가웠다. 최 대주의 집에
서 불과 활 두어 바탕 상거에 마가(馬哥)의 객주가 있었다. 마가는
최 대주보다 연치가 어리고 뱃심에서는 뒤지지만 원산포 객주 중에
서는 상리를 노리는 술수가 출중하고 단골 화객들의 심지를 읽는 눈
치가 빠른 꾀보로 호가 난 위인이었다. 집 짓고 담 치고 사는 범절이
야 최 대주에 뒤진다 하나 개항 이후에는 짭짤한 이문을 보아서 졸
부가 된 위인이었다.

이번엔 강쇠가 밖에 남고 곰배와 동패 셋이 월장하여 마가의 가겟
방으로 가보았다. 이미 자정이 넘은 시각인데도 가겟방에는 불이 켜
져 있었고 두런두런 얘기하는 소리가 들려왔다. 곰배가 한 동패를
보고 물었다.

「기다려 볼까, 아니면 진작에 들어갈까?」

「반 식경쯤 기다려 봅시다.」

「자정이 넘도록 잠자리에 들지 않은 위인이 쉽게 잠자리를 볼까.」

「아직까지 잠들지 않았으니 수월하게 잠들겠지요.」

「두 놈뿐인 것 같은데 아예 싸잡아서 추달을 해버리지?」

「같이 있는 위인이 누군지 알지 못하지 않습니까. 애매한 사람을 욕보여서 별반 소득은 없고 되레 화근이 된다 하면 나중 일을 어떻게 수습하시렵니까?」

「수작하고 있는 인사가 왜상의 끄나풀이라면 되레 잘되지 않았는가?」

「제가 엿보고 옵지요.」

동패 하나가 뒤축을 들고 방문 앞으로 가서 한동안 방 안의 동정을 엿보고 돌아왔다.

「별것이 아닙니다. 마가란 위인이 제 혼자 앉아서 흡사 서로 주고받듯이 지껄이고 있습니다.」

「그렇다면 공연한 걱정이었군. 서둘러 일을 매조지기로 하세.」

문 앞으로 다가간 곰배가 다짜고짜로 방문을 왈칵 젖히니 문이 나가떨어질 듯 모질게 열리고, 그 서슬에 방 안의 등잔이 꺼지고 말았다. 곰배는 방 안으로 성큼 들어서는 길로 마가의 목덜미에다 비수부터 들이대었다.

「서투른 수작 부렸다간 당장 신수이처(身首異處), 목 없는 귀신 꼴이 될 터인즉 꼼짝 말고 앉아 있게.」

「뉘, 뉘시들이오?」

「인사치레할 겨를 없다. 때 아닌 야밤에 범방하여 목덜미에 비수를 들이대었다면 누군 줄 몰라서 묻는 건가? 그러나 고분고분하게만 군다 하면 별 사단이야 없을 것이네.」

「무슨 일인지 서둘러 말해 보시오.」

「어따, 그놈, 성미 한번 조급하군. 매사에 그렇게 조급증 나서 서둘 양이면 외할미 하문으로 빠져나오질 않고 어찌 어미까지 기다렸나?」

곰배가 서안 곁의 방짜 양푼 속에 사슬돈이 수북하게 쌓여 있는

것을 보고 손으로 덥석 집어 양푼에다 주르르 쏟아 보면서,

「돈 쌓이는 재미를 귀로도 맛보자 하고 방짜 양푼에다 한 푼 두푼 소리 나게 던지면서 밤을 새우고 있군.」

곰배가 뇌까리자 마가의 좁은 양미간에는 가득 적의가 서렸다. 그러나 어설프게 굴었다간 모가지에 칼자국이 날 판이라 곰배의 거동만 뚫어지게 바라보고 있는데 곰배가 서안 위의 장책을 뒤적이다가,

「여기 있는 돈꿰미를 빌리려는 사람은 아닐세. 다루고 있던 장책은 이것뿐이더냐?」

「재물을 털려고 온 위인들이 아니라면 임자들은 도대체 뉘시오?」

「그놈, 꽤나 소명한 척하는군. 우릴 보고 누구냐 묻는다 하여 바로 댈 성부르냐.」

「남의 집에 무단으로 범방한 죄가 흘하지 않거늘 명색 주인이란 사람이 묻지 않고 봉욕하고만 있으란 거요. 이런 행악이 어디 있소.」

「행패에 겁이 질렸다면 애당초 너의 집에 투족을 않았을 것이야. 너의 집 장책과 치부는 모두 어디다 뒀느냐?」

「난 모르오.」

「만약 네가 고분고분하게 굴지 않으면 몸채로 들어가서 너의 권속 모두를 북망산으로 엮어 들일 것이니 염의를 차리도록 하게.」

모질게 쏘아붙이는 곰배의 말에 그만 후줄근해진 몰골의 마가가,

「내놓으라면 내놓긴 하겠지만 도대체 무슨 연유인지 알려 줘야 할 것 아니겠소?」

「자네가 머지않아 먼동 틀 때라는 것을 짐작하고 시각을 천추시켜 하속들이 잠 깨기를 기다리자는 심산인데, 그러나 하속들이 깨어나서 가겟방으로 몰려오기 전에 밖에서 척후를 서고 있는 내 동패들이 모가지를 돌려 앉히고 말 것이네. 궁상떨지 말고 어서 장책들이나 내놓게.」

때 아닌 야밤에 범방하여 사람에게 비수를 들이댄다 하면 이것들이 필경 뜨내기 명화적들이 아니면 다른 객주들의 사주를 받은 왈짜 도당들이 아닌가 하였다.

　그러나 녹림객들이라면 당장 눈앞에 보이는 전량에 눈깔이 뒤집히고 몸채로 뛰어들어 패물을 뒤지려 들 것이나, 장책을 내놓으라는 것은 녹림당으로서는 의미심장한 일이었다. 마 객주가 생각하기를 이는 필경 서로 재력을 어르고 있는 형편인 객주들이 이쪽의 상거래 내막을 소상하게 탐지하기 위한 간계로 인근 고을의 왈짜 도당들을 조발한 것이라고 생각했다. 뇌리에 떠오르는 몇몇 객주의 포주인이 있어 어금니를 사리물었지만 지금 당장은 이들을 모피할 재간이 없다는 것이 임시낭패였다.

　시각이나 지체하려다가 뜻을 이루지 못한 마 객주가 고미다락에 숨겨 놓은 장책들을 꺼내어 곰배에게 건넸다.

「이것이 지난 한 해 동안 우리 가게에서 거래한 물종이며 물량의 전부요.」

　그 한마디만 던졌을 뿐 마 객주는 더 이상 구린 입도 떼지 않았는데, 그것은 이들이 최 대주나 심 객주가 보낸 왈짜들이 아니면 왜상들의 수하들이라고 단정해 버렸기 때문이다. 내준 장책들을 챙겨 들자 곰배와 동패들은 마 객주를 단단히 아갈잡이해서 엎친 뒤 밖으로 나와 축담 아래 쭈그리고 있던 강쇠와 합세하여 다시 담을 넘었다. 마 객주의 집을 나온 강쇠는 그중의 한 동패에게 장책들을 내밀었다.

「자넨 이것들을 꼭 끼고 처소로 돌아가되 그중 한 권을 최 대주의 가겟방 어름에다 넌짓 떨구고 가게.」

「어떤 곳이 좋을까요?」

「마 객주의 가게에서 최 대주의 가게로 오르는 중로이면서 최 대주 집 어름이어야 하네.」

동패 한 사람을 떨군 네 사람은, 그곳에서 활 한 바탕 상거인 심 객주의 가게를 겨냥해서 뛰었다. 역시 포주인 심가는 그 재력이 최 대주에 미치지는 못하나 마 객주와 어를 정도는 되었다. 심 객주는 해물객주와 곡물객주를 함께 주변하고 있었다. 위인이 재물을 모으는 데 맛을 들인 뒤부터는 엄동설한에도 방에 군불을 지피지 않고 견딘다는 소문이 포구에 자자하였다.

　위인으로 말하면 천 행수와 곰배가 원산포 초행길 당시에 만나 봉변을 주었던 왜통사였다. 덕원 부중의 응판색(應辦色)과 종매부지간인 위인은 원산포에서 뜨르르한다는 세 명의 포주인들 중에서는 가장 연치가 어리고 장시의 물리에도 서투르다 하나, 척간에 구실아치로 박혀 있는 사람이 많고 따라서 관아에 터놓은 안면을 그르치지 않았던 덕분으로 관변 소식이 셋 중에서는 가장 빨랐다. 게다가 왜말에 능통한 것을 빌미로 득세하여 나름대로 포구에 군림하는 포주인으로서 면목을 갖추게 되었다. 수하에 기생하며 끼닛거리를 얻는 왈짜들도 많았고, 벼슬아치들과의 교분도 게을리 하지 않았다. 위인이 원산 포구의 해물과 곡물을 도집하겠다는 야망이 없지 않아서 최대주와 마 객주의 상거래 내막을 은근히 탐지하기도 하였다. 사람을 구워삶는 재간과 수완만은 세 객주의 포주인 중에서 가장 출중하달 수 있었다. 그러나 횃눈썹, 움펑눈에 메줏볼, 송곳턱을 가진 탓으로 겉으로 보는 형용으로는 보잘것이 없다 할 만하였다.

　심가의 가게 문은 굳게 닫혀 있었다. 그러나 벌써 두 집의 담장을 넘어 본 이력이 있는 네 사람은 일 같잖게 심가의 집을 월장해서 몸채 깊숙이 들어갔다. 대청으로 올라가서 안방의 문을 열자 하니 심 객주는 젊은 여편네와 초저녁 색사를 치렀던지 아주 홀랑 벗고 나란히 누워서 잠에 떨어져 있었다. 우선 진신발로 어깨를 차서 심 객주의 잠부터 깨운 다음 옷을 챙겨 입게 하고 곁에 자던 여편네는 벗은 채로 이불만 뒤집어씌워 바람벽 아래로 밀쳐 놓았다. 사세가 무척 다급하게 되었다 하나 관아붙이들과의 반연을 둔 결기가 있어 미처 수습하지 못한 바지 고말을 추슬러 잡고도 호령 소리 한번 야금받게 내뱉었다.

「이놈들, 어디서 뛰어든 적당들인지 신분부터 밝혀라.」

「이놈, 호령 소리 작작 질러라. 물찌똥 싸붙일라.」

「때 아닌 야밤에 민가에 뛰어들어 이따위 행패 거조 보이는 건 맘대로이나 내 집에서 나갈 때에는 기필 온전치 못하리라.」

「이놈, 뉘 앞이라고 소증 돋는 대로 말대척이냐. 우리 나중 봉변할 걱정 말고 네놈 먼저 입 찢어질 걱정이나 하여라.」

입으로는 서슬 퍼렇게 호령 소리를 낸다 하나 심 객주로 말하면 속셈으로는 대가 약한 사람이라 그때 벌써 바짓가랑이가 축축하게 젖어 있는 걸 보자 하니 저도 모르게 소피를 내쏟은 모양이었다. 강쇠는 그 처량한 몰골을 못 본 체하고,

「만약 우리가 시키는 대로 거행치 않으면 홀랑 벗은 채로 이불만 뒤집어씌워 놓은 자네 내자를 해창거리로 끌고 가서 내왕이 한참 번다해질 때 알몸째 풀어 놓을 것이니 그리 알라.」

「뜨내기 명화적들이라면 필경 포착이 되고 말 것이니 내가 나쁘지 않게 권면할 때 나가게. 그냥 간다 하면 내가 없던 일로 하고 관아에 발고치 않으리.」

표독하게 생긴 턱을 들까불면서 내뱉는 공갈에 강쇠가 픽 웃음을 흘리면서,

「네 궁량이 그만하다 하면 우리 귀에도 솔깃하지 않은 것은 아닐세. 그러나 우리가 포리들에게 포착이 될 것은 나중 일이고, 우선 바쁜 일은 네놈 가게에 있는 장책부터 챙기는 일이니 그 소간부터 알음해야겠다.」

「장책이라니? 적굴 사람들이라면서 남의 장책은 왜 챙기려 드는 가?」

「우린 대적 중에서도 대적이어서 소소한 돈꿰미나 발리고 몸채 대방의 패물이나 뒤지는 일에는 젖내가 나서 별로 내키지 않는 성미들일세.」

「장책이라면 모두가 진서로 적바림한 것이고 자네들이 박식하여 진서를 짐작할 줄 안다 하여도 나 혼자서만 알아볼 수 있는 대목도 숱한 판에 그걸 탈취해서 얻다 쓰겠다는 것인가?」

「삶아 먹든 볶아 먹든 그건 네놈이 걱정할 일이 아니다. 그놈 꽤나 오지랖 넓은 척하는군.」

그러나 어찌하겠는가. 장책을 내놓지 않았다간 당장 뒤통수에 불똥이 떨어질 판세인 데다가 홀랑 벗은 내자를 해창거리에다 유기(遺棄)해 버린다면 그 참혹한 정상을 견뎌 낼 수 없을 것이었다. 심 객주는 매캐한 좀약 냄새가 풍기는 벽장문을 열고 여섯 권의 장책을 강쇠에게 넘겨주었다. 등잔불로 뒤돌아 앉아서 장책을 뒤적거리던 강쇠는 그것이 장책이 아니라 총명기(聰明記)일 뿐이란 것을 알았다. 강쇠의 턱이 푸르르 떨리었다.

「네놈이 아직 정을 다시지 못해서 허튼수작 부리고 있는 거로군. 시간을 천추시켜 날 새기를 기다리겠다는 꿍심이라면 네놈의 허방에 빠질 도리밖에 없겠지만 그전에 네 모가지 달아날 것은 예상하지 못하니 꽤나 우직한 위인이군.」

강쇠가 비수를 들이대자, 그러잖아도 잔뜩 혼겁해 있던 심가는 이젠 눈앞이 캄캄해 왔다.

「곡물 거래한 것뿐만 아니라 해물 거래한 장책들까지도 몽땅 꺼내 놓아라.」

심가는 벌벌 기어가서 문갑 속을 뒤져 보자기에 알뜰하게 싸둔 장책들을 꺼내 주었다. 강쇠 일행이 집을 나간 뒤에도 한 식경이나 지나서야 겨우 기신을 차린 심가의 내자가 뒤집어쓰고 있던 이불자락을 빠끔히 들치고 내다보니 제 가군이 아갈잡이되고 뒷결박이 된 채로 윗목에 나둥그러져 있었다. 행랑 가게에 기거하던 차인과 여리꾼들은 몸채에 대적들이 훑고 간 것을 알지 못하였다. 뒤쫓자 하니 족적조차 남기지 않았고 범증 또한 찾아볼 길이 없었다. 겸인들이 우왕좌왕 숙덕거리는 중에 심 객주는 겸인들을 불러 모아서 이번 일이 집 밖으로 새어 나가지 않도록 잡도리하였다. 다만 차인 행수만을 방으로 불러들였다.

「선다님 영이시라 수하 차인들에게 어젯밤 봉욕하신 일을 저잣거리에 나가 발설치 못하도록 닦달은 하였습니다만 그 녹림객들을 근포하지 않는다면 장차 그것들의 성세(成勢)를 다스리기 지난입니다.」

외면하고 앉아 있던 심 객주가 소명한 체하면서도 일의 내막을 짐작도 못하고 있는 아둔한 차인 행수에게 쏘아붙이기를,

「내 수하에서 물리를 익혀 왔다는 위인이 이만한 일 한 가지 짐작 못하다니. 그들이 어찌해서 녹림객이란 말인가.」

그러나 차인 행수는 또한 제 딴엔 짐작되는 바가 없지 않은지라, 되받아서 개어 올리기를,

「마소가 잠든 야밤에 범방해서 칼을 들이대고 선다님 공갈하여 장책을 탈취해 간 무리들이 그럼 도깨비란 말입니까?」

「도깨비란 말은 얼추 맞힌 이야길세. 내 짐작으로는 인근 고을의 왈짜 도당들일세. 내가 탈취당한 것이 장책뿐이지 않은가.」

「탈취당한 것이 장책뿐인 줄은 저도 몰랐습니다. 그리고 보면 선다님 말씀이 온당하신 것 같습니다.」

차인 행수가 무안당한 일을 변해를 겸해서 맞장구쳤다.

「자네 소견이 그만하다면 이제야 데리고 말할 잡이가 되겠군. 그 왈짜 도당들이 우리 집에 와서 찍자를 놓게 한 주사인(主使人)이 누구일 성부른가?」

「그야 뻔하지 않습니까. 선다님과 각축을 벌이고 어르는 사이라 할 수 있는 마 객주의 소행이 아니겠습니까. 우리 가게의 거래 명세서를 자상하게 탐지해서 이로울 사람이야 원산 포구를 서캐 잡듯 뒤져 봐야 마가밖에 더 있겠습니까.」

「아둔한 사람인 줄 알았더니 소견이 취할 만하군. 그렇다면 이 사단을 벌인 장본인이 마가란 것이 틀림없다는 범증을 찾아내야 할 것인데, 시방 내가 상심 중인 게 바로 그것일세. 이제야 내가 하인들 주둥아리를 닦달하란 연유가 어디에 있는지 알 만하것다?」

「그렇다면 방도가 없지 않겠습니까. 선다님으로 말하면 관부에 반연이 여럿이고 또한 벗바리도 좋으시니 관부에 손을 써서 마가를 은밀히 내사하든지 아니면 마가의 가게를 덮쳐서 아예 연못을 파 버리지요. 그 위인을 아주 본때 있게 우세를 시키고 차후 원산에서는 객주를 열지 못하도록 조치를 하여얍지요.」

「그 위인이 사주한 일이란 것을 여축없이 드러낼 수만 있다면야 매장시켜 상가(商街)에서 손도시키는 일이야 어렵지 않네. 그러나 당장 범증을 잡아낸다는 일이 손쉽지 않네.」

바로 그때였다. 잠시 문밖이 소연한가 하였더니 금방 신방돌 아래에서 선다님을 숨차게 부르는 차인의 목소리가 들려왔다. 차인 행수가 문을 열고 보니 제 말 하면 온다는 호랑이가 서 있었다. 금방 잡아 엎칠 공론을 하고 있던 참이라 일변 섬뜩하기도 하여 심 객주가 손을 불끈 쥐었다간 겉으로는 예사롭게 방으로 뫼시라 하였다. 그런데 바짓가랑이에 비파 소리를 내며 서둘러 방으로 들어서는 마가의 몰골이 댓진 먹은 살모사 모양으로 초췌하고 후줄근하게 처져 있었다. 위인이 인사는 차리는 둥 마는 둥 옷소매에서 꺼내 놓은 것이 장책이었다. 그것은 지난밤 심 객주가 왈짜 도당들에게 탈취당했던 장책 중의 한 권이었다. 남의 손에 들린 장책을 보는 순간 심 객주의 눈은 뒤집히고 말았다. 설왕설래 앞뒤 소경사를 맞춰 볼 것도 없이 대뜸 소매를 본때 있게 걷어붙이고 솟구치며 마 객주의 귀쌈을 날리려고 떨치는데, 마 객주가 그것을 예견하고 있었던 듯 소매를 흩뿌리면서,

「심 공, 진노를 거두시고 고정하시오. 이 장책은 내 수하 겸인들이 고샅 길목에서 습득한 것이외다.」

「대매에 박살을 낼 놈, 길바닥에서 습득한 것이라니? 내 집은 울도 담도 없는 줄 아느냐?」

그때 마가를 배행해 왔던 마가의 겸인이 방으로 뛰어들며 심 객주의 팔을 잡아채고는,

「선다님, 그 말씀이 거짓 아닙니다. 이 장책은 우리 가게의 여리꾼들이 최 대주 가게 어름에서 우연히 습득한 것입니다. 어디 그것뿐입니까. 우리 가게에서는 어젯밤 장책을 몽땅 털렸습니다요.」

소증이 상투 끝까지 올라서 귓구멍에 말이 들리지 않았으나 차인의 말이 문득 괴이한지라 심 객주는 그참에 놀라 풀썩 주저앉았다.

「아니, 이 차인의 말이 임시처변으로 둘러대는 말이 아니란 거요?」

「그렇답니다.」

「이럴 수가 있는 건가.」

「다급하다 하여 둘러댈 일이 아니지 않소? 어젯밤에 우리 집만 적변당한 줄 알고 나도 한땐 심 공을 의심하였소. 그러나 이 장책을 보자 하니 심공도 나와 같이 봉변한 것이 적실하다 싶어 부랴부랴 달려온 것입니다. 도대체 이 사단의 근저가 어디에 있소?」

「제가 진중하지 못했군요. 결례를 했소이다.」

심 객주가 소증을 가라앉히느라고 담배를 피워 물고 차인들을 밖으로 물리쳤다.

「이건 내막을 캐어 볼 것도 없이 최 대주란 자의 소행입니다. 우리 두 사람이 기왕에 저들 객주의 단골 화객들을 하나 둘 꼬드겨 내고 또한 가게가 날로 번성하게 되자, 번거롭게 되기 전에 인근의 왈짜들을 조발하여 심 공과 나를 덮친 것이오. 어이구, 이 설분을 어이할꼬.」

「설분만 해서 끝장날 일이라면 얼마나 좋겠소. 일은 그렇게 수월하지가 않습니다. 왜상들과 잠매한 내막이 백일하에 드러나게 되었으니 관부에다 밀고한다 하여도 곱다시 당하게 되었고, 관부에 고변하지 않는다면 그것을 또한 빙자하여 우리와 잠통하던 단골 왜상들을 최가에게 고스란히 빼앗길 염려도 없지 않습니다. 어디 그것뿐이겠소. 객주의 문을 닫게 되었지 않소? 차라리 명화적들의 소행이라면 뒤탈이야 없을 것인데, 이건 호랑이 아가리에 손 집어넣은 꼴이 되었소.」

「잘 알아맞히셨구려.」

「궐자가 원체 음흉하고 탐욕해서 원산 포구의 곡물 거래를 모두 제 손아귀에 틀어잡자는 수작이니 우리가 담판을 하든가 난장 박살로 분을 풀지 않고 그대로 주질러 앉을 수는 없게 된 것 아니겠소?」

「심 공, 너무 낙담 마십시오. 우리가 힘을 합친다면 그 능구렁이 하나쯤은 요정 낼 수 있습니다.」

「마 공에겐 그럴싸한 궁량이 없지 않겠구려.」

그런데 바로 그때였다. 마루 끝에서 인기척이 나더니 조금 전 밖으로 내보냈던 차인 행수가 들이닥쳤다. 마 객주가 좋지 않은 상호를 하고 밖으로 고개를 내밀자, 차인 행수는 한술 더 떠서 난데없는 귀를 빌리자고 대들었다. 뭔가 하여 귀쌈을 둘러대었다. 그러나 곧장 차인 행수를 손짓하여 물리친 다음 미닫이를 모질게 닫고 나서 같잖다는 듯 뇌까리는 것이었다.

「간밤에 최 대준가 능구렁인가 하는 놈 집에도 녹림객이 다녀갔다 합니다.」

심가가 대뜸 그 말 가로채어서,

「그 능구렁이가 용 되어 승천하겠다고 안개까지 피우는군요. 제놈의 간술이 특출하단들 우리가 첫곧이들을 줄 알았던 거요. 두 집에서 탈취해 간 장책을 흘려 버린 것을 나중에 깨닫고 간계를 부리고 있는 것입니다.」

「작죄한 놈의 뒤통수가 메슥메슥한 것이야 우린들 모를까. 평소에 막역한 척하더니 그놈에게 이런 꿍심이 있는 줄 미처 몰랐구려.」

「방책을 당장 강구하지 않으면 안 되겠소.」

「나도 처음엔 관부에 고변하여 앙갚음을 해야겠다고 작정하였소. 그러나 관아에다 정소하면 종국에 가선 우리가 왜상들과 잠매한 사실도 싸잡히어 탄로 날 일이 아닙니까. 우리 하속들을 조발해서 무턱대고 저놈의 집에다가 연못을 파버립시다. 혹여 하속들이 다 소간 다친다 하여도 까짓것 잉어 낚는 데 곤지를 아끼겠소?*」

대가 약한 심 객주가 뱃심 드세게 소증을 돋우는 마 객주의 말에 찔끔해서 당장은 말구멍이 막혔으나 금방,

「공의 의향이 그러하시다면 나 역시 기꺼이 따르리다. 수하에 조발할 수 있는 겸인들이 몇이나 됩니까?」

「뻔히 아시다시피 스무 명은 되지 않습니까. 그러나 우리가 나선

---

*잉어 낚는 데 곤지를 아낄까 : 큰 이익을 얻는 데 작은 손실은 개의치 않는다는 말.

다면 포구에서 궁싯거리고 있는 왈짜들도 스무 명 정도는 조발할 수 있을 것이구요.」

「내 수하에서도 이십여 명은 조발할 수 있으니까, 그렇게 되면 육십여 명은 되겠군요.」

가랑잎에 불붙은 것같이 촐싹대고 성깔이 다급한 사람들끼리의 공론이니 배짱이 맞을 수밖에 없었다.

두 사람의 공론이 있던 바로 그날 밤이었다. 찌푸린 하늘에 샛바람이 불고 빗낱이 듣기 시작하던 밤, 해시 말경이었다. 최 대주 집 대문 앞에 깍짓동 같은 장한 10여 명이 갑자기 불쑥 나타나서 통자를 넣었다. 허우대들이 들썩하니 커서 대문을 열지 않더라도 담 위로 흉측스러운 목자들이 내다보일 정도였다. 통자를 넣는다 하나 말버슴새들이 불공스럽기 짝이 없고 거동 또한 찍자를 놓자는 조짐이었으므로, 서로 간에 안면들이 멀지 않은 최 대주의 차인들과 행랑붙이들은 우선 갈피를 잡을 수 없었다. 아주 살진(殺陣)을 치고 달려드는 도당들에게 대문 빗장을 열어 줄 수 없는지라 최 대주의 겸인들은 모두 달아나 버려 대문간 안쪽은, 첩 들어오고 난 뒤 뒤주 밑구멍 비듯 아주 휑하니 비어 있었다. 어깨에 둘러멘 목봉이며 물미장들을 보아하니 대매에 살점이 묻어날 듯 살기등등한데, 대문을 열어 주지 않자 벌써 몇 놈은 담을 넘기 시작했다. 담장을 넘어온 작자들은 행랑 잿간과 마방에 숨어 있는 겸인들을 뒤져 마당으로 끌고 가선 사(私) 두지 않고 몰매를 내리니 죽는소리가 행랑 마당에 낭자하였다. 대문의 빗장이 벗겨지자 밖에 있던 20여 명이 쏟아져 들어와선 금방 최 대주가 있는 몸채로 썰물처럼 밀어닥치는 것이었다. 아니래도 어젯밤에 당한 적변에 설분을 못해 객주 가게에도 나가지 않고 끙끙 앓고만 있던 최 대주 또한 놀라 마루 끝에 나와 서서, 겸인 너덧이 도당들의 매에 맞아 거꾸러지는 꼴을 바라보았다. 소 떼처럼 들이닥친 도당들이 최 대주를 보자 일단 걸음을 멈추었다. 앞으로 쓱 나선 것은 심 객주의 차인 행수란 놈이었다. 전사라면 감히 제대로 쳐들지도 못하던 낯짝을 되들고 놈은 최 대주를 겨냥하여 식지를 내뻗치며,

「이놈, 최가야, 게 서 있지 말고 섬돌 아래로 썩 내려오지 못하겠느냐.」

하룻밤 사이에 시절이 뒤바뀐 것도 아니겠는데 감히 해라를 내붙이며 호놈이 낭자하니 나중 일이야 차치하고 우선 오장이 뒤틀리고 불끈 솟는 결기를 달래기가 어려웠다. 사세가 다급한 편이라 하더라도 원산 제일간다는 객주의 포주인으로서 체통이 없지 않은지라 최 대주는 뒤축을 구르고 나서,

「이노옴, 감히 어느 앞이라고 호놈이 낭자하냐? 그 눈깔에 정녕 보이는 것이 없다는 것이냐.」

「호놈 못할 것이 없지.」

「이노옴, 내 눈에 흙이 들어가지 않는 이상 네놈 앞에 무릎을 꿇을 성싶으냐. 어림 반 푼어치도 없다, 이놈.」

「당장 내려오지 못하겠다면 끌어내릴 테다.」

「도대체 너희놈들은 어디서 온 놈들이며, 무엇 때문에 이런 행짜냐. 네놈들 모두 온전할 성부르냐.」

「간특한 늙은이로군. 버선발째로 당장 내려오지 않으면 한바탕 조리질 쳐서 혼쭐부터 빼놓을 테다.」

최 대주가 푸르르 치를 떨며 사방을 휘둘러보았으나, 이미 겸인들은 피칠갑이 되어 마당 귀퉁이에 흩어지고 내권들은 방구석에 틀어박혀 끽소리 한 번 내지르지 못하였다. 도대체 이틀이나 연거푸 이런 봉변을 치러야 하는 것인지 연유를 모를 일이라 하되, 당장 봉욕할 것을 모피할 재간이 없을 것 같았다. 한두 마디 위협으로는 물러설 도당들이 아니었다. 그제서야 최 대주는 뒤를 죽여서,

「자네들은 도대체 어찌 된 노릇인가. 어젯밤 범방하였던 도당들의 여당이 분명할진대 도대체 내게 무슨 매원이 있어서 이런 몹쓸 짓들인가. 내게 하자가 있다면 말로 해도 얼마든지 사화가 될 일이 아닌가.」

그러나 이미 앞뒤 겨누고 사리 분별을 조리 있게 캐고 있을 처지가 아닌 사람들인지라 차인 행수의 고갯짓을 군호 삼아 네댓 놈이 마루 위로 우르르 뛰어올라 최 대주를 잡아 끌어내렸다. 대여섯이 겨끔내기로 최 대주의 복장을 내리밟고 물미장으로 어깨를 내리쳐서 후줄근하게 다듬어 준 다음, 못 가겠다고 버티는 것을 가게 앞으로 질질 끌고 갔다. 가게 앞에는 벌써 십수 명의 왈짜들이 홰를 들고 분주하게 오가고 있더니 최 대주가 당도하자마자 집에다가 불을 질렀다.

「어이쿠, 저게 웬일이냐.」

봉발에, 전신이 피칠갑된 최 대주는 눈자위가 허옇게 뒤집혔고, 분기가 치밀어 오른 입에서는 게거품이 일고 있었다.

「네놈의 객주 가게하며 곳간이 타고 있는 것을 네놈의 눈으로 똑똑히 봐야 정을 다시겠다?」

「저 불, 저 불 좀 잡아 주오.」

「이놈아, 기어들지 마라. 그러다가 그 꼴같잖은 염소수염 태울라.」

「누가 저 불길 좀 잡아 주오.」

그러나 그 많은 총중에 불길을 잡으려고 달려드는 사람은 단 한 사람도 없었다. 가게가 잿더미 되는 것은 고사하고 곳간에 쌓아 둔 수백 섬의 곡식은 어찌할 것인가. 바닷바람을 타고 거세게 타오르는 불길을 보자, 도당들은 어느새 자취를 감추어 버렸다. 땅땅 벼르고 최 대주를 척살하고 말겠다던 차인들도 불길이 커지자 하나 둘 자취를 감추었다. 그런데 바로 그때였다. 갑자기 20여 명의 장정들이 들이닥치더니 서슴없이 곳간으로 옮겨 붙기 시작하는 불길을 잡기 시작하였다. 동이물을 져다 나르고 지붕을 벗겨 내고 곡식섬들을 져내는 것이었다. 최 대주로서는 안면을 알 수 없는 무리들이었다. 그러나 불길 잡고 있는 무리들을 영솔하고 있는 사람은 알 수 있었다. 마방의 행수인 천봉삼이란 자였다. 불길이 거의 잡혀 갈 즈음 최 대주는 엉금엉금 기는 걸음으로 다가가서 천봉삼의 옷자락을 잡았다. 한두 번 곡물 거래로 상종한 적은 있으나 친숙하게 지내던 단골은 아니었다. 그러나 지금에 이르러선 이런 은공이 어디 있겠는가. 한바탕 분탕질이 가라앉은 다음날 아침에 최 대주는 몸져누운 채였지만 차인을 보내어 천 행수를 뵙자 하였다.

「참으로 은인이오. 천 공으로 인하여 수백 섬의 곡식을 무사히 건지게 되었으니 이 은덕을 어찌 갚으리까.」

「무슨 말씀입니까. 은공을 바라고 한 짓이 아닙니다.」

「물론 그러시겠지요. 그 많은 구경꾼들이 단지 바라만 보고 있는 판국에 행수의 수하들만 불길을 잡아 주었으니 나도 왕기가 없었던 건 아니었지만 은인이 아니겠소?」

「제 수하 동무님들을 부추겨서 불길을 잡았던 것은 최 대주를 위한 것이 아니었습니다.」

「그럼 무엇이었소?」

「자칫 나라의 곡식을 태워 버릴 조짐이 보여서 달려든 것일 뿐 대주께서 은공이라 여기실 것 없습니다.」

「물론 나라의 곡식을 건진 셈이나 내 소유가 아니었소?」

「보답을 바라고 한 일은 아니니 그만두십시오. 다만 같은 상고의 입장으로서 어째서 그런 환난을 겪고 계시는지 시생이 알아서 장차 상거래의 교훈으로 삼으려는 것이지요.」

「나와 각축을 벌이고 있는 포주인 두 놈이 결당하여서 날 망조 들게 만들려는 것이지요. 왜상들과 거래한 장책을 저들이 탈취해 가고는 내 수하들이 오히려 저희들의 장책을 탈취해 간 것이라고 덮어씌우고는 날 이 모양으로 만든 것입니다.」

「지금까지 그분들과 대주 사이가 여의치 않으셨소?」

「서로 척이 질 일이 없었습니다. 그러나 원산에 하륙한 해상들이며 왜상들이 주로 내 가게의 물화에만 눈독을 들이는 데다 저들과 거래하던 잠상들도 하나 둘 나와 거래를 트기 시작하게 되면서 배알이 뒤틀리기 시작하여 나를 그냥 두고 볼 수만은 없었던가 봅니다. 그러나 내가 아무리 패에 몰린다 할지라도 이 앙갚음은 기어코 하고 말 것이오. 대(代)를 물려서라도 이 설분은 하고 말 것이오. 천 공께서도 이번의 분란통에 나와 친분을 맺게 되었으니 차제에 날 좀 도와주시오.」

「돕고 싶소만 제가 워낙 견문이 짧고 숙맥이어서 물정에도 어둡답니다. 마음에는 있다 하더라도 손쉬운 일이 아닙니다.」

「장시의 물리에는 어둡다 하시나, 천 공의 한마디에 한동아리로 죽음을 불사하고 움직여 주는 겸인들이 수십 명이니 사실 내가 부러운 것은 바로 그것이오. 천 공과 손을 잡는다 하면 원산 인근에서는 두려울 것이 없겠소.」

「싫습니다. 제가 설령 숙맥이라 하나 같은 상고를 앙갚음하고 허방에 빠뜨리는 일에 뛰어들어 동사할 수는 없는 노릇입니다.」

그 한마디를 남기고 천봉삼은 자리에서 일어나고 말았다. 최 대주의 집에 불이 난 것이 같은 객주들끼리의 암투에서 비롯된 것이란 것을 눈치 챈 관부에서는 이 분란을 두고 거상들을 잡아들여 사문할 것이냐 말 것이냐를 두고 논란이 거듭되었다. 그러나 포주인 세 사람 모두의 세력이 관부와는 거미줄처럼 얽혀 있어 그중 어느 한 사람을 두호하고 나설 입장이 되지 못하였다. 차일피일하는 중에 세 사람 중 어느 누구도 관부에 정소하는 법도 없으니 저희들끼리 사화하고 그 불똥이 관부에까지 튀지 않는 것만 다행으로 여겼다.

11

최 대주의 가게에서 불이 난 지 닷새째가 되는 날이었다. 벌써 해 토머리가 지난지라 옷깃에 스치는 바람이 그렇게 차갑지 않고 먼 산에는 아지랑이가 피기 시작하였다. 덕원 부중 홍살문 밖에서 암소 울음소리도 들릴 만한 거리에 있는 포촌거리 주막에서는 관아의 동헌과 삼문의 용마루가 멀리 바라보였다. 흥청거림에는 포구의 주막에 따르지 못했지만, 그러나 관아의 외삼문을 나서면 처음 만나는 숫막이라 관아 구실붙이며 포리들을 겨냥해서 용수 내건 숫막이었다.

저녁 남기가 내려 두동산(頭洞山) 언저리에 초어스름이 희뿌옇게 낄 무렵부터 숫막의 술청 목로 앞에서는 천봉삼과 길소개와 곰배와 겸인 두 사람이 마주 대하고 앉아 장국밥을 말고 있었다. 송파에서 원산포로 올라와서 조석으로 밥만 죽여 내는 형편인 길소개를 천봉삼은 시답잖은 위인으로 괄시하거나 타박하지는 않았다. 성세를 떨치던 시절 그를 뒤따라 다니면서 불의행세가 기탄없던 것을 되새긴다면 천지간에 용납될 수 없어서 한바탕 조리질 쳐서 혼쭐을 빼든지, 포구의 굴개*로 끌고 나가서 하백의 친구라도 만들고 싶었지만, 개과천선(改過遷善)한 그의 허물을 다시 들춘다는 것은 소인배나 할 짓이란 생각이 들었던 것이다. 지금 다시 천봉삼의 수하에 들었으니 그 심기인들 오죽 스산하랴. 그러나 길소개를 마뜩찮게 대접하고 있는 것은 곰배였다. 장국밥을 후룩거리며 떠 마시고 있는 길소개를

---

*굴개 : 괴어서 썩은 물의 바닥에 가라앉은 개흙.

곁눈질하고 있던 곰배가 천봉삼더러,

「성님, 이 위인은 왜 달고 나오자 하였습니까? 팔자 좋은 갯가의 개 모양으로 먹고 잠만 자는 위인이 무슨 부조가 된다고 달고 나왔소?」

「그 사람 청맹과니는 아니니 맞대어 놓고 폄하지는 말게. 자넨 어째서 길 생원만 보았다면 앙숙인가그래?」

「성님, 내 말이 글렀소? 우리가 왜 이 우환덩어리까지 달고 다녀야 하는지 도대체 모르겠소.」

「마방에만 죽치고 앉았으니 오죽 답답하겠는가. 갯바람이라도 쐬라 하고 동행한 것 아닌가.」

「고양이 쥐 생각이라더니 끔찍이도 위하시는구려. 그러시다 의형제 맺으시겠소이다.」

「이 사람 두고 너무 방자 말게. 이제 우리들 곁으로 돌아왔으니 우리의 동기간이 아닌가. 자네에게 홀한 대접을 받고 있는 길 생원의 심지는 오죽 쓰리겠는가. 언제 죽을지도 모르는 사람들끼리 사화들이나 하시게.」

「이런 망나니와 사화를 하느니 난 차라리 혀를 깨물고 죽어 버리겠소. 개를 두고 똥을 다투었지 이런 망종과 상종하겠다고 사화를 하겠소.」

「용쓰지 말게. 그러다 똥 싸겠네. 사람이 이승길을 걷다 보면 어제의 원수가 오늘의 동무 될 적도 있는 법 아닌가. 지난날 봉욕당하고 환난 입은 것만 되뇌다 보면 눈 뜨고도 앞 못 보는 당달봉사와 다를 바 어디 있는가. 심기를 넉넉하게 가지게. 그래야 자네 또한 면목을 갖추고 살게 될 것이야.」

곰배가 천봉삼의 말을 되받아서,

「제가 면목을 갖춘다 하여 행세를 할 수 있을 성싶습니까. 수하에서 수발이나 드는 졸개 노릇밖에 더 할 게 뭐가 있습니까. 늦깎이로 명색 취처한 몸이 내자와 동락하지도 못하고 갯바람이나 쐬고 있지 않습니까.」

「이 사람 또 내자 타박이군그래. 계수(季嫂)가 그렇게 보고 싶은가?」

「보고 싶어서 환장하겠소.」

「늦깎이로 배운 도둑 날 새는 줄 모른다더니, 자칫하다간 횃대 아래 사내* 되기 십상이겠네.」

「제가 미거하여 지아비 노릇을 못하고 있는 것입니다.」

「싫거든 평강으로 내려가시게나. 굳이 잡지는 않을 터.」

「그만둡시다. 흡사 도깨비에 홀린 것 같소. 성님이 굳이 절 잡지는 않겠다 하시나 제출물로 하직하고 떠날 수 없는 것은 무슨 조화인지 모르겠소.」

「내가 자네 발목 잡은 적 없네.」

「그래서 작정을 고쳐 하다 못해서 이젠 도깨비에 홀린 것이라고 심사 편하게 먹어 버렸소.」

「자네도 머지않은 장래에 길 생원과 사화하고 막역하게 지낼 날이 올 것이네.」

그때였다. 한 식경 전에 숫막을 나갔던 겸인 한 사람이 술청으로 들어와 목로 곁에 앉았다. 겸인이 나지막한 목소리로,

「이제 막 삼문 밖으로 나섰습니다.」

「몇 놈이던가?」

「세 놈이나 되더이다.」

천봉삼은 잠시 생각하다가,

---

*횃대 아래 사내 : 밖에 나가지 아니하고 늘 방구석에만 박혀 있는 남자를 비유적으로 이르는 말.

「우리 여섯으로 될까?」

「걱정 없습니다.」

「그럼 일어들 서지.」

천봉삼과 길소개는 일행보다 한발 앞서 술청을 나왔다. 명석골〔銘石洞〕해창거리 지나서 봉수골 왜인들 거류지와 선창머리 사이에는 야트막한 산이 두 곳이나 있었고 다복솔이 듬성듬성해서 해가 지면 인적이 뜸한 곳이었다. 그러나 요즈음에 이르러 그 어름에서 왜상들이 척살당하거나 왜통사들이 결딴나는 봉패가 잦아지자 거류지로 넘어가는 길목에다가 복처를 차리고 군뢰배들로 상직을 세우는가 하면, 지경 일대에 순(巡)을 돌기 시작했다. 일색이 다하면 홰를 밝히고 지경을 오가는 길손들을 엄중하게 검색하였다. 천봉삼과 길소개는 봉수골로 노정을 잡았다가 저만치 활 서너 바탕 상거인 복처가 바라보이는 곳에서 길을 왼편으로 꺾어 산기슭에 몸을 숨겼다. 관아에서 나온 세 사람을 복처가 있는 한길로 보내지 않고 이쪽으로 유인하는 일은 곰배와 겸인들이 맡기로 되어 있었다. 곰배와 겸인들은 왜상들과 겸인이 봉수골로 오르는 길목을 잡는 것을 확인한 다음에 조도를 달려 한발 앞서 세거리 길목을 지키고 있었다. 네 사람은 남포 홍대(藍袍紅帶)*로 변복하고 있었다. 왜상들과 왜통사가 세거리 목에 이르자, 관인 복색 한 네 사람이 목을 가로막았다.

「어디들 가시오?」

왜통사가 순 돌고 있는 군뢰배들로 알아채고 소매를 뒤져 입문첩(入門帖)*을 불쑥 내밀면서,

「우린 봉수골로 오른다네. 왜 무슨 변고라도 있었던가?」

「시방 복처 근방에 적경(賊警)이 있었소.」

---

*남포 홍대 : 남색 도포와 거기에 두르는 붉은 띠로, 관복을 말함.

*입문첩 : 관아 출입 허가증.

화들짝 놀란 왜통사가 눈깔을 화등잔만 하게 뜨고,

「무슨 사단인가?」

「아직 화적들인지 왈짜 도당들인지는 알 수 없으나 네댓 놈이 불쑥 나타났다간 가뭇없이 잠적해서 시방 그 뒤를 추쇄하던 참이오. 혹여 수상쩍은 길손을 만나지 못했소?」

「만나다니? 만났다면 우리가 온전했겠는가.」

「그럼 바른길로 오르지 말고 외진 왼편 길로 가십시오. 이 길로 가다간 봉욕하기 십상이겠소.」

사태가 매우 위급하게 된 것을 알아챈 왜통사가 군뢰배의 소매를 잡고 매달렸다. 사슬돈 몇 닢을 손아귀에 찔러 넣으면서,

「그러시지들 말게. 우리를 봉수골로 내려가는 목쟁이까지만 안동시켜 주시게.」

왜통사에게 회목 잡힌 자가 힐끗 뒤에 선 동료를 쳐다보고 나서 군말 없이 고개를 숙이고,

「그럼 목쟁이 아래까지만 안동해 드리리다.」

왜통사와 왜인들이 발뒤축을 밟을 듯이 바싹 붙어 뒤따르며 지청구가 낭자하였다.

「한동안 액내가 안온하다 하였더니 또 무슨 분란이 생기려는가 보군. 무슨 수를 쓰든지 이 적당들을 근포해야 할 터인데 관부에서는 아직 감감무소식이니 도대체 어찌 된 노릇들인가.」

「관장께서 처분하시는 일을 저희들 같은 군뢰배 졸개들이 알 게 뭐요. 수직을 서라면 따르는 것이오, 기찰을 펴라면 펼 따름이지요. 그런데 나으리께서는 어딜 가셨다가 늦게 회정이십니까?」

「작사청에서 나오는 길일세.」

「뒤따르는 왜인들은 뉘시오?」

「화륜선에서 내린 상인들이라네. 방금 부사를 현신하고 돌아가는

길이라네.」

「곡물을 사러 왔소?」

「그걸 자네들이 알음해서 뭘 하겠나.」

바로 그때였다. 그들 앞에 시꺼멓게 모습을 드러내는 두 장한이 보였는데, 둘 다 화승총을 겨누고 있었다. 선머리에 선 졸개들이 뒤에 선 왜상들보다 더 놀라서 이가 딱딱 마치는 목소리로,

「웬 놈들이냐?」

그 한마디를 내뱉는 순간 탕 하는 방포 소리가 들려왔다. 혼비백산한 군졸들이 땅에 납작 엎디고 왜상과 왜통사는 뒤돌아서 냅다 뛰기 시작하였다. 또 한 번의 방포 소리가 산기슭을 핥고 지나갔고 달아나던 세 놈이 차례로 쓰러졌다. 멀리 바라보이는 복처에서도 방포 소리를 들었는지 홰가 켜지기 시작하였다. 한동안 사방이 적적하였다. 총 맞은 왜인들은 피를 쏟은 채 흙바닥에 거꾸러져서 꼼짝도 하지 않았다. 복처에서 켜진 횃불이 점점 가까이 다가오고 있었다. 천봉삼 일행은 애저녁에 화승총들을 거두고 잠적해 버렸다. 몇 각이 흐르지 않아 복처에서 나온 군뢰배들이 피를 쏟고 절명한 세 사람을 발견하였다. 연이어 검시관(檢屍官)이 나와 검장(檢狀)*을 마련하고 장교가 뛰어왔다. 검시관이 장교에게,

「어떤 도당들이 이런 참혹한 분탕질을 기탄없이 저지르고 다닐까요?」

「필경, 적도의 행패요. 그렇지 않고서야 이렇게 대담할 수가 없소. 복처를 바로 코앞에 두고 이런 적변을 보이는 것이라면 우릴 우습게 여기는 대적일시 분명하오.」

「대적이란 것에는 의심의 여지가 없다 하나 이상한 건 주머니나

---

*검장 : 관리가 검시한 결과를 상관에게 보고하던 글.

행리를 털지 않았으니 이 또한 변괴가 아니오?」

「그야 더 큰 것을 바랐던 것이겠지요.」

「더 큰 것을 바란다……. 이 변괴가 해창거리 포주인 가게에 불난 것과 무관하지 않다는 것이오?」

「그것은 심극(審克)을 해보아야 드러날 일이나, 하나는 액내 사람이라 하되 둘은 왜인들이니 앞으로 귀추가 대단 번거롭게 되었습니다.」

「그놈들도 사람을 결딴내려면 좀 가려서 할 일이지 타국의 상인들까지 요정 낼 게 뭔가.」

「결딴내고 싶었던 게 바로 왜상들이었는지도 모르지요. 어쨌든 온 부중이 다시 한 번 각고를 겪게 되었으니 이런 낭패가 없습니다.」

왜인들이 죽은 곳에다 복처를 정한 뒤 상직군들을 세우고 장교는 곧장 부중으로 보장(報狀)을 띄우게 되었다. 졸개들이 사방으로 흩어져서 달아난 적도들을 추쇄하였으나 흔적을 찾지 못하였다. 날이 희뿌옇게 샐 때까지 포구 도선목이며 해창거리 일대까지 뒤져 보았지만 적경이라 할 만한 것을 건지지 못했다. 게다가 죽은 왜상들은 관아를 떠난 지 얼마 되지 않아 변출을 당한지라 온 부중이 삽시간에 찬물 끼얹은 것 같았다.

이튿날 덕원 부중의 형방이 최 대주를 찾아갔다. 최 대주는 아직 기신을 차리지 못하고 자리보전하고 있었다. 찾아온 사람이 관원인지라 부득이 부축을 받고 일어나 앉았다. 형방이 조섭이 어떠한가 하고 묻고 난 다음,

「성급하게 되었소만 어젯밤 봉수골 초입에서 살변 난 사단을 알고 있으시오?」

「그 파다한 소문을 시생인들 알지 못하겠소? 변을 당한 왜상들은 내막을 알고 보면 시생과 거래를 트려던 참이었다오. 그 사람은

왜국에서도 명자했던 상인이라 하더이다.」

「그래서 드리는 말씀인데…… 전번에 살변이 났을 때도 그랬거니
와 어찌해서 대주와 거래를 트려던 왜상들만 골라 가며 변출을 당
하는지, 어디 짐작되는 바는 없으시오?」

막상 형방의 말을 듣고 보니 이 살변이 일찍부터 마가(馬哥)와 심
가(沈哥)가 저질러 온 행악이 아닌가 하는 의심이 부쩍 드는 것이었
다. 이번에 자신의 가게를 불태운 사단으로 보아서 두 위인에게 의
심을 둔다는 것이 때늦은 감이 없지 않았던 것이다. 또한 형방의 어
취가 그쪽에다 의심을 두고 하는 말 같아서 분김에,

「짐작 가는 부류들이 왜 없겠소. 나로서는 진작부터 겨냥하고 있
었으나, 증거할 것이 없어 벙어리 냉가슴 앓듯 바라보고만 있었던
거요. 나와 거래하려던 상인들만 골라서 살변을 내었다는 것이 심
상한 조짐이 아니지 않습니까. 이제 일이 여기에 이르게 되면 곡
물 거래는 한가해질 터요, 한가해지면 장시가 피폐해집니다. 서로
간에 손해 볼 짓을 그들이 어찌 자행하고 있는지 그 셈술을 정녕
알 수 없구려.」

「말씀 듣자 하니 지금 당장이라도 범죄자들을 가려낼 수 있다는
말씀 같군요.」

「그렇다마다요. 제가 시방이 어느 때라고 식언을 하겠습니까.」

「그러시다면 제게 은근히 귀띔이라도 해주십시오.」

「안 됩니다.」

손사래를 치고 있는 최 대주를 우두망찰하던 형방은 간이 뚝 떨어
지는 듯했다. 만약 이번 살옥 사건에서 정범을 포착하지 못한다면
이제 자신도 구실아치로 밥 벌어 먹기는 글렀다는 것을 알고 있었기
때문이다. 최 대주의 속도 타 들어가는 판이었지만 사실 그보다 더
조급한 건 형방이었다. 만약 최 대주가 한사코 고변하지 않겠다면

인정전을 바쳐서라도 알아내야 할 판국이었다. 형방이 무릎걸음으로 다가서서 최 대주를 회목 잡아 끌어당기면서 반은 우는소리로,

「대주, 평소에 나와 숙혐이 없거늘 이제 와서 방색을 하신단 말씀이오? 그것도 그러하거니와 대주의 입장에서도 범인을 잡아내야 하지 않겠소? 당하고만 계실 터이오?」

「그것이 아닙니다. 범인들을 지소하면 십중팔구 믿지 않을 것이기 때문입니다.」

형방이 그런대로 총명하다 한들 늙고 음흉한 최 대주의 속셈만은 꿰뚫어 볼 수가 없었다. 혀끝이 타 들어가는 듯한 형방이,

「범인을 고변하매 관부에서 믿지 않을 연유가 없습니다.」

「그들이 나와 각축을 벌이고 있는 도고(都賈)들이기 때문입니다. 제가 그들의 성명을 들추고 나선다면 삼척동자가 듣더라도 모해하려는 수작으로 보았지 심성이 올곧은 사람의 말로 신청을 하겠습니까. 대로를 막고 물어본들 제가 옳다고 할 사람들이 도대체 몇이나 될 성부르오?」

「나만은 믿을 것이니 말씀하십시오.」

「제가 변죽만 울렸다 하나 그만하면 눈치 챘음 직도 하건만.」

「제가 원체 눈치 없는 사람 아니오?」

「저와 각축을 벌이는 자가 누구이겠소? 제가 이문을 보면 배 아픈 자가 누구이며, 해창거리의 길미를 독점한다면 쓸개가 아릴 위인들이 누구이겠소? 제 단골 화객을 살변 내어서 고소해할 위인들이 마가와 심가라는 걸 나리께선 왜 모르시오?」

그렇게 내뱉은 최 대주는 제 손으로 복장을 두어 번 지르고 자리에 누워 버렸다. 관부에서는 하는 수 없이 두 사람의 행적을 은밀히 내사하기에 이르렀다. 그러나 당장은 최 대주가 두 사람에게 덮어씌운 만큼 두 사람 역시 최 대주가 모함 잡을 심사로 관부에 위조 고발

한 것이란 결과밖에 얻어 낸 것이 없었다. 두 사람을 관부에 불러 겨 끔내기로 사문한 결과로 포구와 장시의 곡물 거래가 여의치 않아서 오르기만 하던 곡가가 내리기 시작하였다.

그사이 몸져누웠던 최 대주는 기신을 차리게 되어 수하 차인 한 사람을 수행하고 천봉삼의 마방을 찾아왔다. 마침 다락원에서 소몰이꾼들이 올라와서 마방이 법석대던 판이라 취의청으로 안돈되어서 한 식경이나 흐른 뒤에야 천봉삼과 대면할 수 있었다. 조촐한 다담 상이 들어오고 뒤따라서 곰배와 길소개와 탑삭부리가 들어와 좌정하였다. 술 한 순배가 돈 뒤에 최 대주가,

「이문이 날 물화들이 원산포에는 많으실 텐데 하필이면 마방을 차리셨소?」

「소는 백성들이 목숨처럼 아끼는 것이 아닙니까. 농우소 한 마리 면 노농(老農) 열 사람 몫을 감당합니다. 장차 농사를 일으키려면 농우소가 많아야 하고 소가 있어야 같은 땅에서도 소출이 많이 나지 않겠습니까. 소출이 많이 나면 장시도 번성할 것이니 상리를 노리는 물화로서는 이보다 더 가치 있는 것이 어디 있겠소?」

「듣고 보니 그럴듯하고 천 공의 사리 분별이 본받을 만한 것이군요. 그러나 농우소 거래로는 원산이 길지(吉地)라고는 할 수 없겠지요. 해물이나 왜국에서 건너온 잡화라면 더 큰 이문을 노릴 수가 있겠지요.」

「시생도 저잣거리에서 잔뼈가 굵었고 나름대로 물리를 익힌 터에 그것을 모르겠습니까. 구태여 마방을 연 것에는 또 다른 연유가 없지 않습니다.」

「나로선 짐작 가는 바가 없소.」

「원산에서 도살이 기탄없이 자행되고 있기 때문입니다. 쓸 만한 농우소들이 잡히고 있는 것은 왜상들이 고가로 사들이는 우피(牛

皮)를 얻고자 함이 아닙니까. 동래포에서 나가는 우피만도 하루에 수백 영(令)에 달한다는데 덩달아서 원산포에서조차 도살이 자행된다 하면 장차 내륙에서는 폐농이 되고 말 터이지요. 길거리에 유민이 넘치는 것은 벼슬아치의 수탈과 도조 할 땅을 얻지 못하는 데도 연유하지만 소가 줄어든 데도 까닭은 있습니다.」

「천 공께서는 장시에 몰려다니는 소소한 부상배는 아닌 듯하오.」

「큰 뜻이 있어서가 아닙니다. 그런 작심이야 숙맥인들 못하겠습니까.」

「듣고 보니 나도 고쳐 잡을 것이 적잖은 것 같군요. 개전할 것이니 나와 동사하시는 것이 어떻겠소? 나도 죽을 고생을 하고 일으켜 놓은 가게를 하루아침에 도당들에게 침책을 당하고 보니 애석하고 분통이 터져서 견딜 수가 없다오.」

「시생과 동사하실 의향이 있으시다면 우선 그 분통 터지는 심사부터 가라앉히셔야 합니다. 전번에도 말씀드렸듯이 사험을 갚자 하시는 데 동사할 수는 없는 노릇 아닙니까.」

「내가 어찌하면 좋겠소?」

「또한 왜상들과의 거래도 끊으시오.」

때 아닌 말에 놀란 최 대주가 한동안 천봉삼을 눈여겨 바라보다가,

「원산 포구의 객주 거상들은 물론이요, 심지어 뱃나들에서 좌판을 벌이고 있는 뜨내기 상고들까지도 화륜선에서 하륙하는 왜상들과 거래를 트고자 하는 판에 내가 그들과 거래를 중단하고 나면 명색 객주랄 것도 없지 않소? 천 공의 말을 곡해하기로 하면 내 밥숟갈을 뺏자는 격이요, 또한 나 혼자서만 중뿔나게 청렴한 체 서슬 퍼렇게 굴 까닭이 없지 않소?」

「그들과 조면한다 하여 대주댁 국솥에 개 들어앉겠소? 평안도 내륙의 객주나 보부상들과 거래를 트신다면 그런대로 알찬 길미는

챙길 것이요, 또한 전사처럼 봉변도 당하지 않을 것이오. 길래 그들과 싸잡혀 각축을 벌이시다가 종국에 가서 목숨까지도 버리지 않는다고 장담할 수 없으니 이참에 작정 잘 하셔야지요.」

최 대주는 우선 천봉삼과 손을 잡아야겠다는 욕심이 앞서는지라 얼떨결에 약조하고 말았다. 그러나 최 대주가 나간 뒤에 길소개는 지필묵을 가져오게 하여 천봉삼과 필담을 주고받게 되었다.

「그 위인이 행수와 동사할 욕심으로 선뜻 왜상들과 거래를 끊겠다 하였으나 언제든 배심 먹을 것을 염두에 두시오.」

「나도 그것은 짐작한 바였소.」

「그리고 한 가지 서두른 것이 있다오. 그자와 담판할 적에 행수의 흉회를 곧이곧대로 털어놓은 것은 실책이었습니다. 만약 그자가 배심 먹을 때에는 오늘 행수께서 하신 말을 빌미잡아서 뒤집어씌우게 될 것이오. 엎어 치기를 능사로 하는 것이 객주 포주인들이 아닙니까.」

「그럴싸한 얘기군. 그러나 내 본심을 털어 보이지 않고는 그 위인의 본심을 취할 수가 없었던 거 아니오?」

「좀 더 두고 거지를 지켜볼 일이었습니다.」

「곡식이 하루에도 수백 석씩 포구를 빠져나가는 터에 태무심하고 바라볼 수야 없지요. 내게도 작정한 바가 없지 않으니 사태를 눈여겨보기만 합시다. 한동안 우리가 평안도 내륙으로 다니면서 최 대주의 곡물을 중개하기로 한다면 위인이 무턱대고 우릴 엎어치지는 않으리라.」

그렇다 하더라도 길소개는 켕기는 모양이었다.

「저희들끼리 분란은 이것으로 끝날 것 같지 않습니다.」

「두고 보는 수밖에 없소.」

길소개가 예견했던 것처럼 역시 분란은 거기서 끝나지 않았다. 최 대주는 대답은 그렇게 하였지만 딱 한 가지 스스로의 손으로 결딴을 내어야 할 일이 있었다. 그것은 저번 가게채가 잿더미로 화하던 날 자기 집에 범방하여 바로 그를 두고 호놈이 낭자하던 심 객주의 차인 행수란 위인이었다. 회초리 든 시어미보다 만류하는 시누이가 더 밉더라고 그 위인을 그냥 두어서는 하룻밤인들 온전하게 잘 수가 없었다. 성명도 없는 궐자에게 당한 봉패를 되새길라치면 자다가도 두 눈이 부릅떠지는 것이었다. 미친개에 물린 데는 반묘(斑猫)가 제일이라 하나, 막된 것한테 봉변당한 앙갚음에는 매가 으뜸이라 하지 않던가.

　듣자 하니 그 이후로 울 밖 출입을 삼가고 가게 주위만 다람쥐처럼 맴돈다는 것이었다. 그러나 한동안이 흐른 뒤까지도 최 대주가 숨을 죽이고 있자, 해창거리 출입도 한다는 것이었다. 궐자를 잡아다가 난장 박살을 내고 싶어서 안달이 났던 최 대주는 일찌감치 세작을 풀어서 궐자의 뒤를 밟게 한 것이었는데, 천봉삼과 하직하고 집으로 돌아간즉슨 차인 하나가 물 탄 거위같이 쭈르르 미끄러져 나와 궐자를 아갈잡이해서 지금 막 고방에다 내리 가두었다고 침을 튀겼다. 잠시 가라앉았던 분심이 부글부글 끓어오르고 손수 궐자의 멱에다가 비수라도 꽂고 싶은 최 대주는 궐자를 이목이 없는 몸채 뒤꼍으로 끌어내라고 분부 내렸다. 옷에 피칠갑이 되고, 접붙이고 난 다음의 쇠불알 꼴로 늘어진 궐자가 상투 뒤틀어 잡히어서 뒤꼍으로 끌려 나오는 꼴을 보자, 최 대주는 저도 모르게 치를 푸르르 떨었다.

「네 이놈, 잘 만났다. 네놈을 다시 못 볼까 하고 그동안 속을 무척 태웠다. 네놈이 여기까지 와선 살아 나가지 못할 것이니, 기왕 앙숙끼리 만난 김에 서로 원도 한도 없이 흉회나 털어놓기로 하자.」
　눈에 불똥이 튀기는 궐자도 매일반이었다. 이미 잡혀 올 때부터 살아남기는 글렀다 싶었기에 고분고분해질 리가 만무였다.

「네놈과는 수작할 일이 없다.」

「네놈이 나보구 호놈은 차치물론이요, 감히 하게조차 건넬 잡이가 못 된다는 것은 스스로 알고 있을 터, 내게다 호놈을 내붙인다 하여 네 지체가 높이 될 것도 아니요, 네놈의 상전이 거만의 재산을 건넬 터도 만무 아니냐. 그 얌생이 같은 상전의 분부를 따르겠다고 감히 내 집에 와서 행패하고 방화하는 숙맥이 어디 있느냐.」

「나보구 숙맥이라지만 한 치 앞 장래를 가늠하지 못하는 것은 네놈도 매일반일 터, 도대체가 나라에 율이 없지 아니하고 도방에도 풍속이 있거늘 어찌해서 내게다 이런 고초를 간대로 안기느냐. 날 요정 내면 네놈들의 앞길은 무사할 성싶으냐.」

「저것이 정을 다시지 못해서 주둥아리를 함부로 놀리는 것이다. 네가 율을 따지고 정리를 따진다마는 너희들이 우리 집에다 불을 지르고 천금의 재산을 재로 만들었을 적에는 율에 따르고 풍속에 따라 한 짓이란 말이냐.」

「네놈이 먼저 우릴 해코지하고 네놈만 살길을 도모하였으니 더불어 살려 하였던 우리에겐 잘못이 없다. 네놈은 발샅의 때쯤으로 여기는지 모르겠지만 내게는 하늘 같으신 상전이니 그 상전의 분부를 받들어 거행하자는데, 호놈인들 불사하겠느냐. 네놈 같은 모리배에게 호놈한 게 또한 무엇이 그토록 분하냐.」

「무릿매 맛을 보련?」

「내 이미 각오한 바이다. 네놈들 신명 나는 대로 하여라.」

「그놈, 배짱 한 가지는 두둑하게 가지고 내질린 놈이로구나. 그놈 아주 어육이 되도록 모양 있게 다듬어 주어라.」

상전의 영이 떨어졌다. 영이 떨어져 분풀이할 때만을 기다리던 겸인들이 박달나무 몽둥이로 매를 내리기 시작하자, 궐자는 소리치기 시작하였으나 살려 달라는 말은 끝내 하지 않았다. 매에 피가 튀는가 하였더니 종내엔 살점이 묻어났다.

한동안 황소 영각 켜는 소리를 내지르던 궐놈이 언제부턴가 꿀꺽 입을 다물고 조용해졌다. 기척이 없기에 상투를 잡아 쳐들어 보았더니 그만 방분(放糞)한 채 까무러쳐 버렸다. 기신을 차리라 하고 동이 물을 퍼다 끼얹었으나 접붙이고 난 쇠불알 꼴로 늘어진 궐놈은 이미 명이 끊어져서 이승의 사람이 아니었다. 한동안 바라보고 있던 최 대주가 떨리는 목소리로,

「어찌 되었느냐. 그놈 아주 실혼(失魂)해 버리고 말았느냐?」

「글쎄요, 무릿매를 너무 혹독하게 내린 것 같습니다.」

「죽었느냐 살았느냐를 물었던 것이지, 매 든 것을 따지자 하였느냐?」

「뒈진 것 같은뎁쇼.」

「그래? 약사여래에게 갖다 줘도 환생하긴 글렀느냐?」

「사지로 떨어진 것 같습니다.」

「기왕지사 그리 된 것, 뻔히 내려다보고 섰으면 어찌하느냐. 으슥한 곳에다 내다 버리되 나중 발각이 났을 땐 우리에게 불똥이 튀지 않도록 화적이나 왈짜들에게 당한 것처럼 꾸며 놓아라. 그리고 겸인이며 짐방들을 잡도리하고 주둥이를 닦달하여라. 만약 이번의 일이 우리 집에서 일어난 사단인 것이 탄로가 나는 날엔 첫째로 너희들 신상이 걱정이다. 뭣들 꾸물거리고 있느냐, 냉큼 거행치 않고.」

좀 더 오래 두고 궐놈이 봉변당하는 꼴을 보고 싶었던 최 대주는 궐자가 난데없이 척살당하고 나자 입맛이 쓰디썼다. 평생에 사람을 죽여 보긴 처음이었으니 심기가 편할 리 없었다. 밤새도록 뒤척이면서 되뇌다 보니 정작 큰일을 저질렀으매 불알이 오그라붙을 지경이었다. 부랴부랴 아랫것을 방자 놓아서 천 행수를 불렀다. 자초지종

을 털어놓고 앞으로의 대책을 묻게 되었다. 천봉삼이 귀여겨듣고 있다가,

「시신은 어디다 버렸소?」

「자세히 물어보진 않았습니다만 왜상들의 통로인 봉수골로 오르는 길목 언덕바지에다 버린 것 같습니다.」

「그럼 조금 기다려 봅시다. 혹여 심 객주가 눈치 채고 무슨 방도를 쓰는지 자세히 바라보고 있는 것이 지금 당장 할 일이 아니겠습니까.」

최 대주가 고개를 끄덕이었다. 자기보단 연치가 어리다 하나 천 행수가 조급히 서두르지 않고 듬직하고 진중한 것이 한결 마음에 들었던 것이다.

천봉삼이 예견했던 대로 심 객주는 그 이튿날 당장 수하에 심복인 차인 행수의 행지가 묘연하게 된 것을 알았다. 듣건대 최 대주의 수하 차인들에게 끌려가더란 소문이 있긴 하였다. 최 대주가 봉변당한 앙갚음으로 끌고 가서 곳간에라도 가둔 것이 아닌가 하는 짐작이 갔으나 증거할 만한 물증을 잡지 못한 데다가 이러한 모든 분란의 발단이 마 객주와 자신이 통모한 이후에 일어난 일이겠으니 좀 더 두고 볼 작정이었다. 그 대신 발쇠꾼 한 놈을 내세워 새벽부터 해 질 녘까지 최 대주의 가게 모퉁이를 떠나지 않도록 조치해 두었다. 발쇠꾼이란 놈이 연 사흘이나 길목을 지키고 있더니 그동안 듣고 본 것을 소상하게 아뢰는 것이었다.

「선다님, 다른 것은 여느 때와 크게 다를 바가 없었습니다만 딱 한 가지 심상하게 보아 넘기지 못할 일이 있습니다.」

「그게 뭔가?」

「객주에 드나드는 선길장수들도 옛 그대로요, 관동 일경의 좌고들도 안면들이 낯설지 않은 축들이었으나 딱 한 사람 장거리 윗머리

에서 쇠살쭈 노릇으로 거만을 모았다는 천봉삼이란 자가 난데없
이 최 대주 객주를 뻔질들락하더군요.」

천봉삼이라면 심 객주가 모를 리 없었다. 그 위인에게 옛날 봉욕
하고 창피당한 것을 생각하면 지금도 치가 떨렸다. 그 위인과 최 대
주가 또 무슨 모함을 잡으려고 뻔질나게 만나고 있는 것일까. 두 사
람은 취급하는 물종도 서로 달라서 한 고을 같은 포구에 산다 할지
라도 상종할 일이 없는 사이였다. 그렇다면 차제에 이만 갈고 있을
수는 없었다. 두 사람이 한통속이 되는 걸 훼방하든지 그것이 여의
치 못할 경우에는 되레 천 행수와 배짱을 맞추어서 최 대주를 엎어
눌러 버려야 하지 않겠는가.

「그 위인이 단신 드나들던가, 겸인들을 수행하던가?」

「겸인을 수행하기보다는 혼자 드나들었던 일이 많았습지요.」

「그 위인이 집을 나설 때 최가가 나와서 배웅하던가?」

「최 대주뿐만이 아니라 차인·서기 들이 몰려나와서 공대하고 배
웅하던 것을 여러 번 보았습니다.」

「무슨 거래를 튼 것 같지는 않던가?」

「물화 거래하는 사이라면 수하의 서기를 수행시켜서 다닐 터인데
그랬던 적이 별반 없었다니까요.」

「알았네. 나가 있게.」

심 객주는 당장 치행해서 곧장 마방으로 찾아갔다. 마침 집에 있던
천 행수를 만날 수가 있어서 초벌 인사수작 나눈 뒤에 심가가 먼저,

「전사에 천 행수에게 크게 봉욕한 적이 있습니다만 이미 지난 일
이지요. 명색 장부로 자처한다는 사람이 지난 일을 가지고 앙갚음
을 하려 든다면 그 또한 소인배로 손가락질을 당하겠지요.」

「시생도 잊어버리기는 하였으나 되뇌자 하면 그때 심 공께서 봉욕
한 것은 당연한 일이었지요. 그래, 요사이도 사람 알아보시는 눈은

여전히 어둡소?」

「인재를 알아보는 수완이 안맹하였다면 제 가산을 이렇게 불릴 수가 있었겠습니까.」

「인재를 쓰는 일도 상리에서는 첫째가는 수완이라 할 수 있겠지요. 그러나 심 공께서 가산을 그만큼 늘린 일에는 순전히 왜말에 능통한 덕분인 데다가 시절을 잘 탄 탓이겠으니, 세상에서는 심 공 같은 사람을 두고 졸부라고 비아냥거리기도 한다오.」

천 행수의 행사가 뻣뻣드름하고 빗대어 폄하는 꼴에 비위가 뒤틀리어서 당장 떨치고 일어서고 싶은 것은 사실이나 지금의 사태가 신명 내키는 대로 거동할 때는 아니었다. 이런 사태에 매듭을 풀지 못하는 이상 원산포의 객주들은 모두 무너지고 이 기회를 틈타서 엉뚱한 자가 원산포의 상권을 장악하게 될지도 몰랐다. 적어도 그런 가망이 없지 않다는 것을 심 객주는 희미하게나마 넘겨짚을 수가 있었다. 그렇다면 이만한 수모쯤이야 감내해서 나쁠 것이 없지 않겠는가. 심 객주가 말머리를 얼른 돌려서,

「시생은 풍문으로만 들었습니다만 천 공께서 마방 차린 뒤로 함흥 일경으로만 몰리던 쇠전꾼들이 원산으로 몰리어서 쇠전이 번창했다면서요?」

「그동안 이문도 많이 보아서 밑전을 날리지 않았으니 왕기가 있었던 셈이지요.」

「근간 원산포 곡물객주들 간에 일어나고 있는 각축을 알고 계시겠지요.」

「알고 있다뿐이겠소. 심 공의 차인 행수가 온데간데없어졌다는 소문도 있더군요.」

「사람들을 풀어서 행지를 수탐 중이나 아직 행방이 묘연하답니다.」

「관아에 정소하도록 하시지요.」

「그런 방도도 없지는 않습니다만 사사로운 일로 발단된 것이니 분별없게 처신할 일이 아닙니다. 그건 그렇고, 한 가지 요긴한 소간사가 있습니다.」

「무엇이오?」

「요사이 들어서 천 공께서 최 대주와 반연을 맺으시고 의자하게 지낸다는 것은 알고 있습니다. 그러나 악연이었다고는 하나 악연도 인연이랄 수 있을 바에는 시생과 먼저였겠으니 서로가 사화하고 해롭지만 않다면 동사하는 것이 어떠하겠습니까?」

「동사하다니요? 곡물객주와 나는 소싯적부터도 인연이 없었던 사람이요, 또한 세 분이 각축을 벌이고 있는 싸개통에 공연히 발을 디밀 의향은 추호도 없습니다.」

「천 공께서 딱 분질러서 얘기하시니 시생 역시 딱 까놓고 얘기하리다. 사실은 재력으로서야 최가를 대적할 만한 사람은 없소이다. 그러나 최가는 이미 칠순을 바라보는 구닥다리로 댓진 먹은 능구렁이와 같다오. 용 못 된 이무기 심술만 남더라고 궐자와 동사하시다 보면 종국에 가선 천 행수가 업어 치기를 당할 것입니다. 그러나 시생에게도 배짱이 맞는 마 객주가 있는 터, 우리 셋이 손을 맞춘다면 최가 하나쯤은 일 같잖게 궁지로 내몰 수가 있습니다. 그 위인이 궁지에 몰리게 되면 또한 우리에게 빌고 들 것은 뻔한 노릇이겠으니, 그때 우린 도랑 치고 가재 잡는 격이 아니겠소?」

「나와 동사하기로 한다면 왜상들과의 잠상질은 끊을 수가 있겠소?」

「왜상들과 거래를 중단한다면 도대체 이문은 어디서 찾겠다는 것입니까? 소소한 장돌림들에게서 얻는 쥐꼬리만 한 이문으로는 심에도 차지 않을뿐더러 천 공과 동사할 건덕지조차 없는 것 아닙니까.」

「왜상들과 안면을 바꾼다는 보장이 없다면 난 심 공과는 동사할 수 없으니 더 이상 애길 길게 끌 것 없구려.」

「그럼 최가는 왜상들과 거래를 중단하겠다는 것입니까?」

「그렇소.」

심 객주는 더 이상 매달리지 않았다. 천 행수와 최 대주가 그런 약조를 나눈 것이 적실하다면 동사하자고 매달리는 것이 우스꽝스러운 일이라고 생각했기 때문이다. 또한 천 행수나 최가의 여력이 아무리 드세다 할지라도 왜상들과의 거래만은 모가지를 돌려 앉힌다 하더라도 내놓을 수 없는 이권이기 때문이기도 하였다. 심 객주가 겨냥했던 바를 성사시키지 못하고 마방을 하직하고 나갈 제, 천봉삼도 굳이 잡지 않았다. 심 객주가 나간 뒤에 강쇠와 곰배와 길소개가 들어왔다. 강쇠가,

「궐자가 지껄이던 말을 문밖에서 대강 엿들었소만 호락호락하지가 않을 것 같군요.」

「속으로는 오히려 대희해서 나갔을지도 모를 일이지. 최 대주가 왜상들과의 거래를 끊었다면 저는 호박이 덩굴째 떨어진 폭이 아닌가. 그렇다면 구태여 내 힘을 빌려 최 대주와 각축을 벌일 까닭이 없다는 작심이 된 거겠지.」

강쇠가 그때 의미심장한 말로,

「그 위인이 길미를 챙기고 노리는 데만 다급해 있군. 장차 제 신세가 몰골 숭한 꼴을 당한다는 것은 예견치 못하겠으니 발등에 떨어진 불똥이 제 것인지 아닌지도 모를 건 뻔한 노릇이겠군.」

「며칠 더 두고 보는 수밖에 없겠군. 어쨌든 포구에서 왜상선을 살피는 일은 게을리 해서는 안 되네.」

「포구 앞에 있는 숫막 하나를 아예 도차지하다시피 하고 척후들이 상직하고 있으니 걱정 마십시오.」

12

그날은 바람이 몹시 불었다. 해토머리에는 원래 바람이 드세고 또한 갯가라는 곳이 바람이 심하게 마련이지만 그날은 행객들이 바람에 떠밀릴 판국이었고 지붕의 이엉들이 벗겨지고 돌각담들이 무너질 정도였다. 그런 바람 드센 날, 길지 않은 해가 나절가웃이나 기운 터에 마방으로 들어서는 낯선 사내가 보였다. 바람에 머리카락을 흩날리며 먼지를 뽀얗게 뒤집어쓴 사람이 득추인 것을 알아본 사람은 곰배였다. 그런데 득추뿐만이 아니라 득추 안해와 대장간일을 거들곤 하던 아이들도 솔거하고 있었다. 남부여대하고 행색들이 스산한 꼴이 분명 다락원 대장간을 작파하고 내려온 사람들 같았다. 곰배가 구르듯 나아가서 득추를 맞아들였다.

「아아니, 도대체 어찌 된 노릇들인가. 불각시에 남부여대하여 들이닥치다니. 아지마씨도 같이 왔소?」

득추가 웃는 둥 마는 둥 뜨악하게,

「같이 온 사람 같이 왔느냐고 되뇌니 내 할 말이 없군.」

「아지마씨는 아이들 데리고 어서 안으로 드시지요.」

놀란 것은 곰배뿐이 아니었다. 행색들 보아하니 원산 마방에 전접하려고 작심하고 내려온 사람들 같았기 때문이다. 그러나 먼 길을 절룩거리고 내려온 사람들을 붙잡고 어인 일들이냐고 당장 숨차게 다잡아 묻기도 박절한 일이어서 때가 되면 제 입으로 토설하겠거니 하고 무간하게 대접하였다. 그러나 아녀자들끼리야 그렇지 못한 법이었다. 저녁밥을 먹는 자리에서 득추의 안해가 술질을 하다 말고 훌쩍거리고 울기 시작하는 것이었다. 어딘가 짚이는 구석이 없지 않았던 터라, 천소례는 서둘러 밥상을 물리고 나서 물었다.

「마방으로 절룩거리고 들어설 적부터 대강 내막은 짐작하였네만 털어놓게. 왜 조급하게 다락원을 하직하였나?」

「저도 모르겠어요. 왜 그랬는지…….」

「설마 대장간에 화재를 본 것은 아니겠지?」

득추의 안해가 대꾸는 않고 고개만 가로저었다. 치맛자락을 뒤집어서 콧물을 걸판지게 푼 귈녀가,

「다락원을 진작 하직하지 않고서는 우리 다섯 식솔이 사람입네 하고 낯빤대기를 쳐들고 살 수가 없었어요. 궁리에 궁리를 하다가 종국엔 원산포에 와서 의지하고 살기로 작정하였지요.」

「나나 자네나 상된 것으로 홀대당하기야 조선 팔도 삼백육십 고을 어디를 가나 매한가지가 아니었나.」

「성님, 그것이 아니랍니다. 우리 다섯 식솔이 몰골 숭한 꼴을 당한 것은 명색 가군이라는 저 화상 때문이지요.」

「아이들 아범께서 남 못할 짓이라도 저질렀단 말인가?」

「남우세스러워서 입초에 올리기조차 부끄럽습니다만, 글쎄 저 화상이 장터거리 윗머리에 있는 통지기년과 배가 맞아서 샛밥을 낼름거려 왔습지요. 제가 진작부터 눈치는 알고 있었습니다만 이제 불혹을 넘긴 사람이니 놀다가 진력나면 그만두겠지 하고 몇 마디 핀잔만 하고 모른 척해 왔지요.」

「남정네들이란 항용 외입질이 아닌가, 그런 일이야 모른 척한 게 잘되었네.」

「제가 근본이 본데없고 불뚱가지가 있는 여편네라고는 하나, 살다 보니 얻은 견문으로 참는 것이 으뜸이란 작심은 하였지요.」

「왜 그 통지기가 배태라도 했다는 것인가?」

「그것뿐이라면 당초부터 시빗거리랄 게 없었지요. 글쎄, 그 엠병 삼 년에 땀 못 흘리고 뒈질 년이 어느 날 밤에 옷 보퉁이 하나를 달랑 안고 오더니 제가 없는 사이에 안방을 도차지하고 누워 버렸지

뭡니까.」

「저런 낭패가 있나.」

「저도 처음엔 눈에 불똥이 튀었습지요. 머리채를 잡고 대판 싸움
이 벌어졌고 나중엔 서로 기신하여 적선을 빌었고 증을 돋우다가
좋은 말로 꼬드기다가 등 문지르고 배 만져 주며 온갖 발광을 다
했지요.」

「그만하면 소 새끼라도 말을 듣겠구먼.」

「그 계집이 내 집에서 동자치 노릇 하라면 그에 따를 것이요, 표모
노릇에 방아품을 팔아서 우리 다섯 식구 공양하라면 그렇게 하겠
는데 내 집에서 나갈 수는 없다는 것이었고, 또 밤에는 저 화상만
은 제가 혼자서 도차지하고 끼고 자야겠다고 게거품 물고 나서는
데 저는 그만 혼백이 하얗게 뜨고 말았습니다. 저 화상이 몸보신
한 것도 없는데 양물 하나는 걸물로 건사된 것을 차고 내질려서
제 속을 썩이게 되니 이웃에 낯빤대기를 들고 나다닐 수가 없고
또한 소생에게도 지아비 지어미로서 행세할 수가 없게 되었으니
다락원에 만금 재산을 묻어 두었던들 하직하지 않을 수가 없었지
요. 계집을 부추겨서 이웃 뜸마을로 심부름을 보내고 밥그릇과 이
불채만 거두어서 빚지고 달아나는 궁상을 하고 다락원을 빠져나
왔습니다. 그년을 비상 먹여서 죽여 버리지 않는 이상 방책이라곤
이것뿐이었습니다.」

「아이아범이 순순히 따라나선 것도 가관이구먼.」

소례가 그렇게 말하자, 득추의 안해는 바깥 마방 쪽으로 입귀를 비
쭉하면서,

「아마 그 계집에게서 떠나고 싶은 살 같은 마음은 저보다 저 화상
이 더 간절했을 것입니다요.」

「그건 또 무슨 말인가? 그나마 정분도 없지 않았을 터인데.」

「정분이 무엇입니까. 그 계집이 어디 보통 계집이어야 말이지요. 이만저만한 색골이 아니었답니다. 밤새도록 사내를 사추리에 끼고 잠재우는 법이 없었으니 저 화상이 그 계집과 하룻밤만 자고 났다 하면 이튿날엔 눈자위가 십 리나 쫓겨 들어가고 대장간에 나가도 늑골이 주저앉아서 풀무질도 못하게 생겼으니 몇 조금 못 가서 폐인 되고 말겠더라니까요. 내일 밝은 날에 성님이 가만 한번 보십시오. 저 화상 눈자위가 젓국처럼 허옇게 풀어진 꼬락서니가 아마 오래 살지 못할 것 같습니다.」

「자네 말이 적실하다면 사람 하나 활인한 셈인데, 활인해 줄 적은 언제고, 또 그런 악담은 왜 하는가?」

「그 구미호를 열 잡아먹을 년이 여기까지 뒤미처 쫓아오지 않을까 싶어 등골이 오싹합니다.」

「아이들 아범의 대가 그렇게도 약한가?」

「말씀도 마십시오. 허우대는 호랑이 형용을 하고 있지만 계집 앞에서 대 약하기로는 고양이 앞에 선 쥐랍니다.」

「어쨌든 다시 다락원으로 회정하든지, 아니면 여기서도 숙설간에 일손이 모자라서 궁색을 겪던 판이었으니 당분간 여기서 전접하며 궁리를 터보시게.」

그 소문이 처소에 퍼지지 않을 리 만무였다. 동무님들이 혹 측간으로 가다가 혹은 외양간으로 가다가 소례의 방에서 흘러나오는 득추 안해의 넋두리를 엿듣게 되었다. 밤이 이슥하여 모두들 잠자리에 들어야 할 참인데도 득추가 차지하고 있는 봉노로 동무들이 모여들기 시작한 것이었다. 자정을 넘기고서는 10여 명이 넘게 되었다. 곰배가 벌써부터 짓조르고 나섰다.

「여보게, 노독에 곤하긴 하겠지만 그 통지기와 색사한 얘기 좀 해주게.」

「여럿 총중에 남우세시키려고 작정하였구먼.」

득추는 목침 베고 누워서 꿈쩍도 하지 않았다.

「조빼지 말고 얘길 하게나. 여기 동무님들이 잠자지 않고 기다리고 있는 사정도 좀 생각해 줘야 하지 않겠나?」

「사내들이 점잖지 못하게 뭔 짓들인가. 모두들 냉큼 건너가서 못 자겠는가. 내가 환술쟁이도 아닌 터, 왜들 그러는가.」

「자네 얘기 듣기 전에는 건너갈 사람들이 아닌 성싶네.」

「거참, 망종들이로세. 남 외입한 얘기 듣기 좋아 말고 나가서 언문 책들이라도 읽어.」

「우리보고 점잖지 못하다고 타박하고 윽박지르는 자넨 무슨 반죽으로 제 여편네 두고 사잇계집을 보았는가.」

「사잇계집 보는 게 어디 나쁜가.」

「사잇계집도 나름이 아닌가. 자넨 별난 것을 맛보았다니 우리가 애말라서 얘길 듣자는 것 아닌가.」

「내가 별난 것을 맛보았다 해서 자네들이 애말라할 건 뭔가. 듣자 하니 별꼴을 다 보고 살겠네.」

「형님 아우님 하는 사이에 이렇게 박절할 수가 있는가. 따로 부비가 드는 일도 아닌 터, 사람이 그토록 인색할 수가 없군.」

듣고 보니 그럴듯했던지 득추가 끙 하고 앓는 소리를 내고는 부스스 일어나 앉았다. 그리고 곰방대에 불부터 붙여 달고 난 다음,

「자네들 보기엔 내가 밥 먹고 계집 엉덩이나 간색하고 다니는 건 달고수쯤으로 보이게 되었네만, 내막을 알고 보면 사실 난 색에는 숙맥이라네. 맨 처음 그 통지기년이 부엌간에서 쓰는 식칼을 들고 와서 좀 벼려 달라고 하기에 공임 받지 않고 몇 번 벼려 준 것뿐인데 지금 생각하니 그것이 사단의 빌미가 되었다네. 공임 받지 않은 것이 그 통지기년에게는 내가 저에게 은근히 정분을 두고 있기

214

때문이라고 치부한 모양이야. 되로 주고 말로 받는 것이 인정이 아니겠느냐고 하면서 자기 집으로 한번 들르라고 귀띔하였지. 그러나 사뭇 잊어버리고 있다가 어느 날 해거름에 그 집 앞을 지나다가 마침 생각 나서 에멜무지로 고개를 디밀었지 않나. 그런데 그 계집이 부엌 문간 안에서 날 보더니만 오뉴월 가뭄에 소낙비 만난 듯 화들짝 반기면서 잽싸게 날 정주간 뒤에 있는 협호로 불러들이더구먼. 나는 속으로 이 동자치가 식주인 몰래 숨겨 둔 육고기라도 있겠거니 하고 이끄는 대로 뒤따라 들어간 것이겠지. 그런데 은근히 바랐던 육고기는 내놓지 아니하고 방에 들이자마자 내게 한 번 찡긋 하고 추파를 던지는가 하였더니 내가 빤히 바라보는 앞에서 다짜고짜로 치맛말기를 풀어 던지고는 아주 속것까지 단숨에 벗어부치는 것이었네. 계집이 색념에 동한 것이 얼마나 다급했던지 속것은 벗고 저고리는 그대로 입은 채였단 말일세.」
방 안에는 침 넘기는 소리들이 꿀꺽하였다.
「속것을 벗자마자 육덕이 갯밭 무 뽑은 것같이 허연 사추리를 드러내는 것이었네. 처음엔 이것이 무슨 낮도깨비라도 만난 변괴인가 해서 나 역시 혼쭐이 달아날 만큼 질겁하고 놀랐다네. 그러나 나도 명색으로야 사내가 아니던가. 계집이 아주 까벗고 내 괴춤 속에다 손을 집어넣고 거웃을 문질러 대는데 회가 동하지 않고 뿌리칠 재간이 있겠는가. 번갯불에 콩 구워 먹듯 흥내껏 일합을 치렀지 않았겠나. 그런데 계집의 모색을 가만 눈여겨보자 하니 찌뿌드드하니 아무래도 심에 차지 않아 보이더란 말이여. 그러나 내 근력이 곧장 돌아선다는 것이야 어려운 일이 아니겠나. 마음이야 동하지만 근력이 말을 들어줘야 말씀이지. 입맛만 다시고 앉아 있었지. 그런데 통지기란 계집, 숫막 정주간에서 식은 밥을 죽여 내었으니 눈치 한번 재빠르더구먼. 옷매무시를 형용만 갖춰 수습하고 나가더니 고대 이남박에다가 방자고기째 담아 가지고 뛰어 들어왔더구먼. 할 수 있겠나, 꾸역구역 배를 채웠다네. 곁들여 탁배기 한 주발까지 덤으로 들이켜고 나니간 얼추 근력이 되돌아서더구먼. 다시 한 번 일을 치렀네. 그런데 이 계집이 행요에는 이골이 나서 늙은 고양이 달걀 굴리듯 날 가지고 당겼다가 밀었다가 제쳤다가 올렸다가 놀기 시작하는데, 나는 내 몸뚱이가 있는지 없는지조차도 가늠하기 어려웠지. 그 덕분에 나는 늑골이 휘어진 것 같았네. 이웃에 눈치 채지 않게 밖으로 나오긴 하였는데 바깥은 대낮이 아니었겠나. 공연히 무안하고 부끄러워서 고개를 쳐들고 다닐 수가 없었다네. 그것으로 끝장을 보았으면 내가 자네들을 찾아나설 변괴만은 없었을 것이네. 그다음부턴 이 계집이 틈만 났다 하면 대장간으로 기어 들어와서 턱을 괴고 앉아서 나만 쳐다보구 앉았더란 말일세. 이게 사람 환장할 노릇이 아니겠는가. 여편네 보기 민망하기 그지없고 아이들 앞에서 체통이 서지 않겠으니 눈짓해서 데리고 나가서 달래 주느라고 일 한 번 치르고 위협하고, 구박 주고 핀잔줄 겸 빈 움집이나 협호에서 일을 치르다 보니 종국에 가선 이 꼴 된 것 아닌가. 여편네는 내가 대가 약해서 계집 하나 제독을 먹이지 못하고 앙탈하게 만들었다고 타박이지만 그 계집이란 것이 소 죽은 넋이 뒤집어씌었는지 쥐어박아서 말귀를 알아듣나, 좋은 소리로 달랜들 말귀를 알아듣나. 그 일만 치러 주면 그것이 장땡이란 거여. 사리 분별이 어떠하다는 것을 대강 짐작이나마 알고 있어야 씨알이 먹혀들지 않겠는가. 쥐도 새도 모르게 멸구를 시켜 버리지 않는 이상은 무슨 방책이 서야 말이지. 자네들이 내 입장 된다 하여도 지금과 같은 방책 이외에는 다른 궁리가 나서지 않았을 것이야. 그래도 연충 깊은 여편네를 만났으니 지금까지 명을 부지할 수 있었던 것이야. 세상에 그런 계집이 하

216

나 있기에 망정이지 둘만 있다 했어도 사내 명색이라고는 살아남을 장사가 없었을 것이네.」

곰배가 가만히 듣고 있다가 혼잣말처럼 뇌까리기를,

「나중에야 명부로 떨어지는 변을 당할지언정 지금 당장이야 나도 동하는걸.」

「간죽거리는 것 보아하니 머지않은 조금에 구멍동서 나오겠구먼.」

「내가 병신 값 한다 이건가? 그래서 나와 동서 되는 게 싫다는 건가?」

「싫다마다.」

「자네야 거양(巨陽)으로서 평판이 자자한 입장이 아닌가. 난 근력도 저만 같지 못한 데다가 이미 여편네 본 지도 오래되어서 잠양(潛陽)이나 되지 않았는지 모르겠네. 못난 것일수록 참 없이 써먹어야 될 것인즉, 큰일났구먼.」

그제서야 득추는 다시 누울 채비 하면서 둘러앉은 축들에게,

「이제 그만하면 저간의 사정을 대충 짐작들 했겠으니, 어서 건너가서 자게들. 난 행역에 지쳐서 온 삭신이 무너질 듯하다네.」

득추가 핀잔 겸해서 건너가서 잘 것을 권유했으나 한 사람도 일어나는 법 없이 늑장을 부리고 있었다.

「그런데 그 통지기는 그때껏 기둥서방이 없었던가?」

곰배가 그렇게 묻고 있는 동무님의 허벅지를 뚝 떼듯이 시늉으로만 꼬집고는 빈정거리기를,

「소견 없는 말은 골라 하는구먼. 바로 득추가 기둥서방으로 들어앉으려다가 살던 집만 떼이고 야반도주한 것 아닌가.」

「아무리 계집에게 데었기로서니 생화하던 대장간을 버리고 온다 하면 식솔들 공양은 뭘로 하려나?」

「대장간이랬자 궁둥이 돌려 앉힐 곳도 없던 서너 칸 거적집이 아

니던가. 우리들이 주선해서 협호라도 내어 준다 하면 다시 대장간을 일으켜서 그럭저럭 견디게 되겠지.」

천장을 쳐다보며 담배 연기만을 내뿜고 있는 꼴들이 고향이나 평강 처소에 두고 온 처자들 생각이 간절한 모양이었다. 모두들 평강으로 돌아가고 싶은 마음이야 간절하였으나 천 행수와의 불가분의 인연들 때문에 원산에 머물러 있을 뿐이었다. 그들이 취의청에서 한담들에 외담을 나누고 있을 동안 천봉삼과 소례는 안방에 마주 앉아 있었다. 득추의 안해가 원산포까지 식솔을 솔거해서 올라온 사연을 소례로부터 듣고 있던 천봉삼은,

「기왕 원산까지 솔거해 온 처지들이니 아예 이 처소의 살림 두량을 아이들 어멈에게 맡기는 것이 어떠하겠습니까?」

「아이들 어멈이야 이제까지 내가 오래 두고 보아서 사람이 신실하고 강단 있고 소명해서 별반 걱정할 게 아니었네. 그러나 아이들 아범 되는 사람이 좀 대가 약하고 사람이 너무 수월내기로 무골호인(無骨好人)*이어서 남에게 속기 잘하게 생겼지 않나?」

「득추 그 사람은 대장간을 놓아서 집안일에는 간여하지 못하도록 조처하면 되겠지요.」

「게다가 손버릇까지 있다던데?」

「손버릇이라니요?」

「투전 말일세. 전사에 투전으로 대장간까지 날릴 뻔했는데 천 행수가 벌충을 해주어서 겨우 살아났다고 아이들 어멈이 침이 마르도록 얘길 하더군.」

「그야 몇 마디 꾸짖으면 되겠지요.」

「버릇 들인 설레꾼이며 타짜꾼들은 질매(叱罵)*를 당한다 하여도

---

*무골호인 : 줏대가 없이 두루뭉술하고 순하여 남의 비위를 잘 맞추는 사람.
*질매 : 몹시 꾸짖어 나무람.

그 버릇 개 주지 못한다던데.」

「이번 일로 정신이 들었겠지요. 누님은 그 사람 두고 설레꾼이라 합니다만, 어쩌다 한번 투전판에 끼어든 것이 그렇게 되었을 뿐입니다.」

「아이들 어멈이 이 집의 큰 살림을 부추겨 나갈 수 있을까?」

「살림 두량이래야 번거로울 것이 있습니까. 동자 거드는 사람도 여럿이고 빨래품 팔 사람도 여럿이니 곡식 곳간 쇳대나 쥐고 아껴 살면 되겠지요.」

소례가 대꾸를 하려다 말고 말머리를 돌려서,

「장차 천 행수 내외가 원산으로 와서 자리 잡을 의향은 없다는 것인가?」

「그렇게 되기를 바라고는 있습니다만 여의치 않을 것 같습니다. 한 치 앞의 장래조차 가늠할 수 없는 것이 지금의 제 처지가 아니겠습니까.」

「나는 하루 종일 오한 든 사람처럼 떨고 지낸다네. 꼭히 그런 방도밖에 없는지, 원…….」

「상도(商道)를 바로잡는 일이란 제가 아니었다 하더라도 다른 누군가 해야 할 일이 아닙니까.」

「그런데 왜 하필이면 천 행수가 아니면 안 된다는 것인가.」

「제가 아니면 안 된다는 것이 아니라 마침 제가 살아가는 시절이 그러하니 제가 나선 것뿐입니다.」

「나는 곧장 관헌들이 마방으로 들이닥칠까 봐 하루 종일 조마조마하다네.」

「앞으로도 그런 불상사는 일어나지 않을 것이니 누님은 어서 송파로 내려가도록 하십시오.」

「내 작정은 내가 알아서 주선하리.」

「매형께서 부아가 잔뜩 나서 계시겠습니다.」

「그분이 기다리고 계시다는 것이야 난들 모르겠나. 그러나 낭떠러지에 서 있는 것 같은 천 행수를 두고 오금이 떨어져야 말이지. 하지 않을 말로 내겐 천 행수가 더 중하네. 내겐 단 하나밖에 없는 피붙이 동기간일뿐더러 이제까지 겪어 온 환난이 또한 남다르다 하겠으니 내겐 허물 단지가 아닌가. 천 행수가 근본이 천격이라지만 나라의 주석신(柱石臣)*이 되는 것을 본다 하면 이승에서고 저승에서고 간에 여한이 없겠네. 그러나 천 행수의 앞길이 오리무중이니 내 심기가 편치 못한 것은 차치물론하고 언제 욕을 당할 것인지 모를 일이 아닌가. 흡사 칼날 위를 걷고 있는 형국일세. 앞길이 결단코 순탄치 못하리란 것을 번연히 알면서도 천 행수를 만류할 수도 없게 되었으니 우리 남매의 팔자가 왜 이렇게도 기박하게만 되는 것인지…….」

「누님이 심란한 것이야 제가 왜 모르겠습니까. 그러나 누차에 말씀 드렸듯이 이미 저는 뜸마을 등성이나 넘어다니는 소소한 등짐장수가 아닙니다. 대상으로서의 배포를 가지고 있어야 될 때이고 또한 데데한 인정에 끌려서도 안 됩니다. 저와 같이 동사하는 동무님들이 수백이요, 송파와 평강 그리고 원산포에 처소를 차린 처지가 되었지 않습니까. 때때로 관부 몰래 잠상질도 하고 벌열층 주문가의 문전을 드나들며 아유(阿諛)하고 반연을 트고 사대부의 변리를 내어다가 장리변으로 늘려 주면 제 한 몸의 양명이야 바라볼 수 있겠지요. 그러나 이미 저는 한 몸이 아닙니다. 한 거목(巨木)이 쓰러져서 좋은 흙이 되어야 그 위에 많은 종자가 떨어지고 뿌리를 내리는 법이 아니겠습니까. 누님께서는 저를 불쌍히 여기지 말아 주십시

---

* 주석신 : 나라에 중요한 구실을 하는 신하.

오. 그러시면 제가 기력을 잃어버리게 됩니다. 그리고 저는 진정
불쌍한 장사치가 아니랍니다.」

이튿날 아침 밖에서 인기척이 나기에 문을 열어 보니 강쇠가 서
있었다.

「포구에서 척후를 서고 있던 동무들에게서 기별이 당도했습니다.」

「그래?」

「화륜선이 내일 새벽 발묘(拔錨)하리란 것입니다.」

그날 밤 사경(四更) 축시께였다. 원산포 장터골〔場村〕을 나선 천봉
삼 일행은 시탄 저자가 열리는 명석골〔銘石里〕을 지나서 갯가로 나
갔다. 잔교(棧橋)가 있는 포구와는 10여 리가 상거한 갯가에 거룻배
두 척이 조용히 일렁이고 있었다. 두 거룻배에 올라탄 장정들이 스
물이었고, 장터골에서 걸어서 포구에 닿을 사람들이 서른이었다. 사
공이 삿대를 저어 해안을 따라 포구로 나아가기 시작했다. 희미한
밤빛에 바라보니 포구의 잔교에 잇대여 있는 화륜선에서는 정박등
(碇泊燈)이 깜박이고 연기가 오르고 있었다. 덕판에 앉아 있던 천봉
삼이 곁에 앉은 강쇠를 보고 물었다.

「만약 선제(船梯)를 거두어 버렸다면 일은 낭패일세.」

「아직 화주(貨主)가 오르지 않았는데 선제를 거둘 리 만무입니다.」

「배가 잔교에 닿자마자 무작정 십여 명은 배로 오르도록 하게.」

「여부가 있겠습니까.」

배를 저어서 한 식경이나 되었을까. 바다는 그지없이 잔잔해서 나
루질하기 손쉬웠고 사람이 많이 올랐던 배도 뒤집히지 않았다. 거루
가 가까이 접근한다 해도 화륜선에서 보면 연안 바다로 나갔던 주낙
배가 포구로 돌아오는 것처럼 보였다. 배가 잔교에 닿자마자, 10여
명의 장정들이 선제를 타고 불문곡직하고 화륜선 갑판 위로 들이닥
쳤다. 발묘를 서두르고 있었기 때문에 갑판에서는 선부(船夫)들이

부산하게 움직이고 있었다. 배에 오른 10여 명의 사람들은 일부는 선기(船旗)를 내리고 일부는 선루(船樓)로 기어올랐다. 뒤미처 오른 장정들은 선방(船房)으로 들이닥쳐서 선부들을 엮어 냈다. 느닷없이 몰려든 장정들을 보고 놀란 왜선 선부들 중에는 병장기를 들고 나오려다 조총에 맞아 그대로 물귀신이 되는 축들도 없지 않았다. 장정들이 조총 든 것을 보고 선부들은 수적(水賊) 만난 것으로 알아서 거개가 순순히 오라를 받았다. 오라 지운 왜선의 격군이며 선부들을 선방에 몰아넣자 뒤미처 육로로 따라온 장정들이 배에 올랐다. 그들은 선교 하나를 잔교에다 덧붙여 걸고 배에 실린 곡물섬을 무작정 하륙하기 시작했다. 때 아닌 밤중에 포구에는 사람과 곡식섬들이 즐비하게 되었다. 육로로 포구에 닿았던 일부 장정들이 인근의 백성들을 들깨워서 수십 개의 횃불을 켠 포구까지 작반하니, 그들은 하륙된 곡식섬들을 받아서 지게에 지거나 머리에 이고 제각기 흩어지는 것이었다. 때 아닌 밤에 포구에는 야시(夜市)가 서는 것 같았다. 그러기를 수식경이 흘러 계명성이 밝아 오는 인시 초가 되자 장정들은 흩어지고 포구에 하얗게 깔렸던 인근의 백성들도 보이지 않게 되었다. 선루로 올라갔던 천봉삼이 무역패(貿易牌)를 보고 곡물객주들과 거래한 다짐장(侤音狀)을 보자 하니 1천 섬이 넘지 못하였다. 그러나 장재(裝載)된 곡식은 3천 섬이 넘었다. 그중 2천 섬을 못다 풀어먹이고 배를 내린 것이었다. 날이 밝아 왔기 때문이다. 화륜선에 장재된 곡식들은 마 객주와 심 객주와 화륜선의 화주 간에 잠매된 것이 대부분이었다.

그런데 갑판에다 불을 놓고 배를 내리는 도중에 말 못하는 길소개가 마침 배에 올라와 있던 조선 사람 선주인(船主人)*에게 뒷덜미를

---

*선주인 : 배로 나르는 물건을 흥정 붙이는 사람.

잡혀 버렸다. 아직 판화전을 넘겨받지 못한 포주인(浦主人) 심가가 얻은 소득이 있다면 수적들 중에서 길소개를 포촉한 것이었다. 선주인은 심가에게 심복하는 사람이라 길소개를 덜미 잡아 객주 가게로 끌고 갔다. 곡물 취탈당한 것을 알게 된 것은 길소개가 잡혀 온 후였다. 원산 포구가 난장판 된 것을 심가는 당장 알지 못했던 것이 원통했다.

심가가 길소개를 잡아 놓고 모질게 닦달하였으나 신통한 대답을 들을 수가 없었다.

「자네 새겨서 듣게. 자네들의 둔소가 어디인가?」

「……」

「너희들의 도당 중에 단 한 사람만의 성명을 대준다 하면 자넬 풀어 줄 수도 있다. 그러니 고달 빼지 말고 내게 모든 것을 털어놓게. 도당들과 한통속이 되어 동가식서가숙해 보았자 종국에 가선 자네의 모가지가 망나니의 칼 아래 두 동강 날 건 뻔한 노릇이 아닌가. 자네의 동패 중에 단 한 사람만 귀띔해 준다면 그 참혹한 신세를 면하게 될 터인데 그렇게 우직하게 버틸 까닭이 뭔가?」

달래고 공갈하기를 몇 번인가 거듭해 보았으나 단 한마디의 대꾸도 들을 수 없었던 심가는 길소개를 잿간에다 내리 가두고 우선 곡식 취탈당한 일의 뒤끝부터 수습하기에 이르렀다. 심가도 안맹하고 숙맥은 아니라 이것이 수적들의 난행이 아니고 최 대주나 천 행수가 한 짓이라는 것을 어렴풋하게나마 짐작하고 있었다. 그러나 곡물들이 무역패를 가지고 거래된 것이긴 하나 상당한 곡물이 잠매된 물화이기 때문에 그 자신이 관아에 떳떳한 입장은 아니었다. 그러나 일변 관아에 정소를 올리지 않고 마 객주와 상의해서 수습해 넘기기에는 너무나 큰 사단이었다. 그리고 관부에서도 벌써 이 사단이 입문되어 곧장 그를 불러들이리라는 짐작도 없지 않은 터에 길소개를 오

래 잡아 두고 있을 수는 없었다. 차인들을 시켜 길소개를 관부로 압
송시켜 버리고 말았다. 덕원 부중과 조정으로 관문이 오가고 있는
동안 결옥이 된 길소개는 피골이 상접하여 몰골이 수척하고 병까지
얻게 되어 오래 살 것 같지 않았다. 처소에서는 부사의 공초가 시작
되기 전에 길소개를 없애 버리자는 공론들이 돌고 있었다. 길소개를
없애자고 주장하고 나선 사람은 강쇠와 곰배였다. 그러나 천봉삼이
반대하고 나섰다.

「자네들의 말에도 일리가 없지는 않으나 길 생원이 아무리 참혹한
형옥을 당한다 하여도 결코 우리의 짓이라고 발고하지는 않을 것
이네. 그러나 길 생원이 만약 효수를 당한다 하면 우리가 끝까지
그의 죽음을 지켜볼 수는 없지 않겠는가. 그것부터 먼저 주선해야
할 일들일세.」

「그 위인은 우리를 수십 번씩 구렁에 빠뜨렸고 행수님과는 또한
원수지간이 아닙니까. 그런 위인이 고변하지 않으리란 성님의 의
중을 우린 알지 못하오.」

「형옥을 이기지 못하여 자진을 하는 한이 있더라도 결단코 우리에
게 등을 돌리지는 않을 것이네. 사람이 두 번 돌아서는 법은 없으
니까.」

「믿는 도끼에도 발등을 찍힌다는 세상에 남의 손에 들린 도끼를
두고 그토록 장담이시니 필경 우리들의 말을 농으로만 아시는 것
이겠지요.」

「그 사람은 우리와 동패가 아닌가. 자네들이 그 입장이 되어 결옥
되었는데, 뒤에 남아 있는 동무들이 이렇게 모여 앉아서 없애 버리
자는 공론들 하고 있다면 자네들은 뒤에 남아 있는 자들을 사람으
로 여기겠는가.」

「길가를 우리와 동류 취급 하시겠다는 것입니까?」

224

「동병상련하기는 길 생원이나 자네들이나 나나 모두가 마찬가지가 아닌가. 누가 누굴 두고 층하할 수가 있다는 것인가.」

「성님이 좌상이라 해서 그런 억지를 부리시면 안 됩니다. 그런 말씀 하시면 성님 수하에서 막료로 부대껴 온 보람이 없어지는 것 아닙니까. 우릴 길가와 동배간으로 여기시다니요.」

「마음 한번 고쳐 잡은 사람이니 믿어야 하네. 그를 믿지 못한다면 그 한 가지로 끝나는 것이 아니라 장차는 그것이 화근 되어 우리가 파멸을 겪게 될 것이야. 사람을 의심하기 시작하면 한이 없는 일일세. 이렇게 되면 설령 내가 잡혀 들어간다 하여도 붕당들을 고변해 버릴까 하여 쥐도 새도 모르게 죽이자는 공론들이 돌 것 아닌가.」

「누군들 믿고 싶지 않아서 그런답디까. 위인의 복장 속을 알 수가 없어서 그러는 것이지요.」

강쇠가 불쑥 내뱉는 말이,

「난 그놈을 없애야겠소.」

「그 사람을 죽여 없애는 힘을 들여서 그 사람을 구명해 낼 방도를 찾아야 하는 것이 지금 우리가 해야 할 대책일세.」

「덕원 관부의 추고방을 허술한 움집쯤으로 아십니까. 만약 그 위인을 구명하려다 행중에 또 누가 잡히기라도 한다면 엎친 데 덮친 격이 아닙니까.」

사단의 실마리가 결코 손쉽게 풀릴 것 같지 않았다. 길소개가 공초에서 자복하지 않는다 하여도 그를 그냥 내버려 둔다 하면 정의(情誼)와 도리를 엄중하게 여겨야 하는 도방의 풍속에 어그러짐이요, 그를 구명하자면 또한 여간한 고초가 아닐 성싶었다. 관부에서는 이미 죄인의 범증이 위중하다는 것을 알고 간옥 주변을 엄중히 호위한다는 소문이었다. 혹여 파옥을 당할까 하여 관아 주변에 포리들을 풀어서 상직을 삼엄하게 한다는 것은 진작부터 알고 있는 일이었다. 취의청에서 속 시원한 결말을 얻지 못했던 천봉삼은 안채로 들어가 소례와 마주 앉았다.

「누님의 의향은 어떠하신지요?」

「나도 취의청에서 논의되고 있는 일이 무엇인지 대강은 귀동냥으로 짐작하고 있었네만 결말이 어떻게 났는가?」

「동무님들이 한결같이 길 생원을 믿지 못하는 것 같습니다. 토옥에 자객을 보내 멸구를 하자는 의견들이었습니다.」

「그렇게 해서는 못쓰네. 길 생원이 결옥이 된 것은 액운 탓이라 하겠으나, 자네는 좌상이 아닌가. 수하에서 설령 그런 일을 벌이자 한다고 덜컥 뒤따라서는 안 되네. 좌상으로서의 체통을 보아서도 그러하거니와 그 사람이 포촉된 것에는 행수의 과실도 없지 않았을 터, 행수로서의 책임을 다하지 못하면서 수하의 잘못부터 따져서 그런 일부터 생각한다는 것은 소소한 시간배들이나 생각할 일이지 어찌 대의를 가슴에 품은 장부가 할 짓인가. 이럴 때 유 생원님이나 곁에 있었더라면 속 시원한 대답이 나올 법하건만……」

「유 생원이 곁에 계셨다면 지금 누님께서 하신 말씀 그대로이시겠지요. 요사이 어떻게 지내시는지, 마방으로 들르는 평강 처소 사람들도 입을 꾹 다물고 말이 없습니다.」

「그래, 어떻게 하시려나?」

「저 역시 마땅한 현책이 나서지를 않습니다.」

「길 생원이 매에 이기지 못하여 우리의 일을 죄다 고변한다 하여도 그 사람을 없애 버린다는 것은 어불성설일세. 만약 그렇게 된다면 자넨 좌상으로서의 체통은 끝장이 나고 말 것이고, 도방의 율도 흐지부지되고 말 것이네.」

「그 생각에는 저도 마찬가지입니다.」

「자네의 체통은 고사하고 이젠 그들로부터 대접조차 받지 못할 것이네. 하지 못할 말로 차라리 자네가 자진하여 관아로 나아가서 자복하는 편이 의로운 노릇이 아니겠나. 하기 쉽다 하여 그를 죽여서는 절대로 안 되네.」

「누님의 의향이 정녕 그러하십니까?」

「그것이 바로 자네와 나를 구하는 길이 아니겠는가. 그를 죽여 없애는 일은 소소한 시간배나 저자 바닥의 왈짜들이며 간상배들도 할 수 있는 일이지만 길 생원을 구하려고 자네를 버리는 길은 비범한 인물들이 할 짓인데, 자네라면 둘 중 어느 것을 택하겠는가?」

「만약 제가 나아가서 자복하기에 이른다면 필경 서울로 끌려가서 국문을 당하고 효수까지도 당할 터인데 누님께서는 그것을 감내할 수 있겠습니까?」

「자네가 택한 길이었고 또한 장부의 기개를 지키겠다고 한 일인데 일개 아녀자에 불과한 내가 어찌 따르지 못하고 감내할 수가 없겠나. 자네의 단 하나 남은 혈육의 정으로서 그것은 참으로 뼈를 깎는 고통이 따르리라 믿네. 그러나 그것으로 내 혈육 하나가 영원히 살 수 있다면 사사로운 정의인 고통쯤이야 참아 넘기어야 하지 않겠는가.」

「정녕 그러하시다면 저로서는 한 가지 소청이 있습니다.」

소례가 고개를 들어 천봉삼을 바라보는데 벌써 눈자위가 상기되어 있었다. 궐녀가 겨우 입을 열었다.

「무슨 말인가?」

「누님께서 서둘러 송파로 내려가시는 것이 어떠하겠습니까?」

「무슨 생각에서 하는 말인지 알겠네.」

「이제 이곳 마방의 살림도 이만하면 자리가 잡히었고 때맞춰 득추의 식솔들이 올라오기도 하였으니 누님께서 송파로 내려가셔도

별 탈이 없을 것입니다. 매부나 아이어멈이 눈 빠지게 기다릴 것
이 아닙니까.」

「막상 떠나라는 말을 듣고 보니 가슴이 미어질 듯하네. 그러나 그
것이 바른길이고 또한 당연한 귀결이라면 내 구태여 고집 부릴 것
도 없지.」

「기왕에 작정하시었으니 내일이라도 당장 내려가시지요.」

「그렇게 하지.」

이튿날 갑자기 소례가 송파로 뜨겠다 하자, 득추의 안해며 마방의
동자 거들던 아낙네들이 깜짝 놀라는 것이었다. 마방의 공기가 심상
하지 않아서 모두들 숨을 죽이고 있는 판에 안살림을 도맡아 하던
천소례가 길을 뜬다 하니 더욱 뒤숭숭한 것이 일손들이 잡히지 않는
건 당연한 일이었다. 모두들 가슴이 화당당하고 걱정스러운 터에 소
례는 득추의 안해를 안방으로 가만히 불러들이었다.

「이제부턴 자네가 이 마방의 안살림을 도맡아서 처결해 줘야 하겠
네.」

득추의 안해는 화들짝 비켜 앉으면서 고개를 가로저었다.

「어이구, 성님, 무슨 말씀이십니까. 이 마방 살림이 소소한 뒷박 살
림이 아니지 않습니까. 성님께서 계신다면 분부 받아서 아래에서
설쳐 대는 것은 제격에 맞겠지만 두레까지 맡고 고방의 쇳대까지
는 감당할 수가 없다는 것을 성님께서도 번연히 알고 계시지 않습
니까.」

천소례가 치맛말기 끈에 매달고 있던 쇳대를 풀어서 득추의 안해
손아귀에 가만히 얹으며 꼭 쥐였다.

「자네와 나 사이에 분부가 어디 있고 받들어 뫼실 것이 어디 있겠
나. 하나가 없으면 하나가 또한 뒤를 잇는 것이오. 행여 자네가 여
의치 못하면 다시 신실한 사람이 생겨나는 법일세. 나는 이틀 뒤

에 송파로 떠날 처지가 되었는 데다가 마침 자네가 왔으니 천만다
행일세. 다만 한 가지 긴히 당부해 둘 것은 가용을 써나감에 한 번
쓸 때 두 번 곱씹어만 생각하시게.」

「성님 당부 아로새겨 듣겠습니다.」

천소례가 송파로 뜨는 길에는 평강 처소에 두고 온 내자를 보고
싶어하던 곰배가 수행(隨行)하기로 하였다. 천봉삼이 남대천 숫막거
리까지만 안동하겠다고 나서기에 소례도 한두 번 만류하다가 그만
두었다. 번거로운 일이긴 하나 그동안만이라도 같이 있고 싶다는 간
절한 소망 때문이었다. 연변에는 봄이 완연하였고 행보하기에도 나
른하였지만 소례의 가슴은 천 근 무쇠에 억눌린 듯 답답하고 무거웠
다. 동기간을 다시 만난다는 일은 가망이 없을지도 몰랐다. 다시 만
날 수 있다 해보았자 대시수(待時囚)*들만 가두는 의금부의 남간(南
間)이 아니면 형장에서이리라. 오누이의 팔자가 아무리 기박하단들
어찌 이토록 뒤틀릴 수가 있는 것일까. 이제 늙어 만나기는 하였어
도 자기 역시 단란한 일가를 이루었다 할 수 있겠고 봉삼 또한 명색
상처당한 몸이긴 하나 속현을 보았고 재력 또한 원산포와 송파 상로
에서는 뜨르르한다면서 어찌 이를 누리지는 못한다는 것일까. 궐녀
는 두어 칸 앞 선머리에서 휘적거리며 걷고 있는 천봉삼의 넓은 등
을 몇 번인가 다가가서 쓰다듬어 보곤 하였다. 천봉삼도 간장 있고
쓸개 있는 사람이라, 소례의 스산한 속내를 헤아리지 못할 사람은 아
닐 것이었다. 그러기에 고개를 하늘로 쳐들었다가 아래로 떨구었다
하면서도 끝내 대꾸 한마디 없는 것이 아닐까. 궐녀는 당장에라도
장부는 대의에 따라야 한다는 말이 잘못된 것이라고 고쳐 말하고 싶
었다. 그러나 입을 열려 하면 어쩐 셈인지 새알 들린 것같이 목구멍

---

* 대시수: 춘분 전 또는 추분 후로 일정하게 정해 놓은 사형의 집행 시기를 기
다리던 죄수.

이 칼칼하고 싸했다. 만 가지 회포가 떠올라 그만 길가에 뒹굴어 두 다리를 뻗쳐 놓고 대성통곡이라도 하고 싶었다. 그러나 퀄녀의 생애에 울음인들 푸짐하게 쏟아 놓을 수 있는 곳이 있었던가. 티끌과 같이 보잘것없는 일에서부터 태산같이 막중한 일에 이르는 근심이라 하였던들 모두 여인의 작은 가슴 안으로 넣어 삭이고 감당해 오지 않았던가. 퀄녀는 이마 아래로 흘러내리는 머리칼을 쓸어 올렸다. 차라리 갯가의 왈짜 도당이나 이름 없는 등짐장수로 족하였다면 오늘과 같은 변괴만은 겪지 않아도 되었을 것이다. 어깨너머로 배운 글줄 때문에 벼슬아치에게 차이고 구실아치에게 눈총 받고 동기간에게 부추김을 받고 보니 하나뿐인 목숨 벼르고 노리는 자만 많게 된 것이 아닐까.

「누님, 이제 하직입니다. 저는 여기서 회정해야겠습니다.」

고개를 들어 보니 어느덧 남대천을 지나온 숯막거리였다. 다릿목에 있는 복처에서 기찰하고 있는 군정들이 멀리 바라보였다.

「누님, 이제 횡허케 가십시오.」

「횡허케 가라니, 경기도 땅 광주가 여기서 초간한가.」

소례가 공연히 투정을 부렸다.

「누님 심지 가누시기 달렸습니다. 천 리 길도 하루아침일 수 있고 십 리 길도 멀다 하면 천 리 길이지요.」

「내가 병이 고황에 들어 설혹 고초를 겪는다 하여도 이젠 내 동기간을 찾지는 않으리.」

「누님께서 자리보전하시면 제가 곧장 달려가야지 무슨 말씀입니까.」

천소례는 아무런 대꾸가 없었다. 남대천 숯막거리에서부터 곰배가 선머리에 섰다. 누이가 걸어가는 모습을 바라보고 있는데 가근방 숯막집 중노미 행색인 어린 떠꺼머리 한 놈이 봉삼의 앞으로 달려오더니 연통을 넣는 것이었다.

「저기 숯막질하는 집에서 선다님 뵙자는 어른이 계시는데요.」

「너는 내가 누군 줄 알고 그러느냐?」

「천 행수님이 아니신지요?」

「그렇다만.」

「저의 숯막에 있는 장교 나으리 한 분이 행수님 안동해 오라는 분부인뎁쇼.」

「장교라면 다릿목 복처에서 순검하는 장교 말이냐?」

「예, 그런뎁쇼.」

중노미의 뒤를 따라 숯막 안으로 들어가자 하니 낯선 길손들이 북적거리고 있었다. 상방 뒤로 돌아서 뒤꼍으로 돌아가자 하니 안면 있는 장교가 봉당에 앉아 있었다.

「행수, 관부의 거동이 아무래도 심상치 않습니다. 뭔가 범증을 잡은 것 같으니 장차 처신을 어찌하시려오?」

「복처에만 계신 분이 부중 소식은 어찌 알고 계시오?」

「관아의 번상(番床)* 나르는 종복을 잡고 관부 소식을 알자 하고 이것저것 묻는 중에 부중이 발칵 뒤집혔다는 것을 알았다오.」

「미구에 날 잡으러 포리들이 들이닥치겠다는 것이오?」

「적실하게는 알 수 없는 일이나 여하간에 행수님의 신변이 위태로운 것만은 틀림이 없는 듯하오. 곡물객주에서도 아마 단단히 벼르고 있는 듯합니다.」

「요사이 왜상들의 다릿목 내왕은 번다하오?」

「선창에서 그 사단이 있고 난 후부터는 곡물상들의 내왕이 아주 뚝 끊겨졌고, 왜상들 출입도 보이지 않습니다. 그건 그렇고 맞춤

---

*번상 : 번을 들 때에 자기 집에서 차려 내오던 밥상.

한 곳을 수배해서 잠잠해질 때까지 비접을 나가시는 것이 헌책이
아니겠소?」

「나는 숨을 까닭이 없다오.」

「내 말을 흰소리로만 듣지 마시오.」

「걱정 마오. 내가 장하에서 목숨을 끊는 한이 있더라도 백 장교와
반연이었다는 말만은 토설치 않으리다.」

「내 걱정 때문이 아니라 천 행수님이 걱정되어서 그럽니다.」

「고맙소.」

「배짱을 부린다고 될 일이 결코 아닙니다.」

「배짱을 부리자고 하는 짓이 아니라오. 나로선 다만 내 동패들이
나로 하여 고초를 겪게 할 수는 없다는 것이오. 다만 백 장교에게
한·가지 당부해 둘 일이 있소.」

「뭡니까?」

「장차 우리 처소의 동무들을 전과 같이 봐주오.」

「여부가 있겠습니까. 제가 승직된 것이 누구 덕분이겠습니까. 제
가 말직의 무변 주제에 불과하다 하나 의리와 정리가 무언지는 짐
작하고 있습니다.」

「부중으로 들어가서 길 생원이 풀려날 방도가 없는지 한번 수소문
해 주시겠소?」

「발등에 떨어진 불이니 끌 방도를 찾아야겠지요.」

「부탁합니다, 내 걱정은 마시고.」

천봉삼이 바쁘게 돌아섰다.

동병상련(同病相憐)

1

북묘로 오랜만에 이용익이 들렀다. 어제 새벽 내전(內殿)의 굿청에서 물러 나온 매월이는 늦잠에서 깨었다. 아슴푸레 잠이 깨려 하는데 문밖 대청 지대 아래서 연통하고 있는 청지기의 목소리가 들려왔다.

「마님, 단천 부사(府使)께서 납시어 지금 헐숙청에서 기다리고 계시는뎁쇼.」

「이 부사가 이른 아침에 웬일이냐?」

「이른 아침이 아닙니다. 벌써 사시가 넘었는뎁쇼.」

「내가 늦잠을 잔 거로구나. 잠시 후에 드시라 일러라.」

매월이가 자리옷을 벗고 옷을 갈아입는 차에 안잠자기가 꿀물 그릇을 받쳐 들고 들어왔다. 꿀물 마신 연후에 안잠자기가 침석들을 거두고 있는 참에 이용익이 방으로 들어섰다. 이용익이 예를 차리고 나서,

「그동안 적조하였습니다. 신관이 좋으신 것 같군요.」

「신관이 좋아지다니, 공방이나 지키는 하염없는 여인네가 신관이

좋아지면 어디다 쓰겠소.」

「새벽에 내전에서 납시었습니까?」

「곤전께서 잡고 놓아주시지 않으니 어찌하겠소. 차라리 내전으로 들어와 살자 하시니 이 사단을 어찌하면 좋겠소.」

「내전에 기거하실 동안에 혹여 소식을 듣지 못하였습니까?」

「무슨 일이오? 내전에 머문 지 엿새째 되었으나 별다른 소식은 듣지 못하였다오.」

「원산포에서 일어났던 난리는 알고 계시겠지요?」

「들어서 알고 있소. 수적들이 왜국의 상선을 털었다는 일을 두고 하는 말이 아니오? 그 일로 조정이 발칵 뒤집히고 왜국의 공사란 사람이 눈이 시뻘게져서 대전으로 드나드는 것을 봤다는 대신들이 많습디다.」

「그 사단이 알고 보니 가근방의 수적들이 한 짓이 아니랍니다.」

「그럼 어떤 도당들이란 말이오?」

「그 밑상인 천 행수와 그 수하에서 부대끼는 동패들이라 합니다.」

한동안 내왕이 없어 적조했던 탓이라 인사치레하러 온 줄 알았던 이용익의 입에서 난데없는 한마디가 불쑥 기어 나오자 매월이도 적잖이 놀랐다. 무슨 흰소리인가 하여 되물어 보았으나 대답은 마찬가지였다.

「아니, 그럴 리가 있겠소?」

「그럴 리가 없어야 하는 것인데, 정녕 그러하니 걱정입니다.」

「왜국의 상선이라면 원산포 도선목에 있는 물상객주와 곡물객주며 전도가 사람들과도 거래가 없지 않았을 터이고 또한 그들이 천 행수와도 거래가 있었을 것은 뻔한 이치인데, 제 집에 불 놓는 격이나 마찬가지인데 우둔한 사람 아닌 천 행수가 턱없이 그런 일을 저질렀겠소.」

「누워서 침 뱉기겠지요. 그러나 전들 자상한 내막을 알겠습니까마는 송파에서 올라온 조성준이란 사람이 제게 와서 연통한 것이니 생판 밑절미 없는 말이 아니지 않습니까. 그것이 자기가 한 일이라고 덕원 부중으로 가서 자복해서 덕원 부사는 할 수 없이 천 행수를 감옥에다 가둔 모양입니다.」

「사정이 그러했다면 진작에 도망하지 않았을까?」

「왜국의 상선을 습격하고 회정하는 사이에 수하 동무 하나가 추포된 데다가 관아에서 범증을 잡고 옥죄고 들게 되자 모피할 수 없게 될 처지에 이르렀던 모양입니다. 자복(自服)하는 길이 동패와 처소를 구하는 헌책이라 믿고 자진해서 덕원 부사를 찾아가 자복해 버린 것입니다. 사단이 소소한 토비들이 저지른 분탕질과는 다른지라 덕원 부사도 내리 가뒀다가 곧장 의금부로 압송한 모양입니다.」

「이 일을 어찌할꼬.」

이용익은 그때 벌써 왜국에 대해 은근히 반감을 품고 있는 노국(露國)의 사람들과 친분을 트고 있었기 때문에 속으로는 천봉삼이 저지른 일을 고소하게 여기고 있었다. 그의 심정이 그러했기 때문에 천봉삼을 구명하는 일에 발 벗고 나선 것이었다. 민영익을 찾아갔으나 떨떠름하게 여겨 코대답도 않자, 곧장 발길을 북묘로 돌려 진령군 매월이를 찾아온 것이었다. 매월이는 고개를 가만히 숙이고 앉아 있었다. 궐녀의 태도가 그토록 애매하기는 처음이었다.

「천 행수를 만나 보았소?」

「아직 면대해 보지는 못했습니다. 우선 마님부터 뵙고 수의하는 것이 다급한 일이라 경황없이 뛰어온 것입니다.」

「모르겠소. 참으로 예견할 수 없었던 일이오. 속세의 만 가지 일이 어찌 예견할 수 있는 것이 있겠소만 이번 일만은 예견할 수 없었던 일이오. 그 사람이 의금부로 압송되어 남간에 갇혀 있다는 것을 예견할 수 없다는 것이 아니라, 장차의 일이 어찌 될 것인지 그것을 예견할 수 없다는 것이오. 또한 하필이면 내게 와서 수의를 하다니…….」

「제게도 요로에 청질을 할 수 있는 안면들이 있다 하나 이번의 옥사만은 당부할 만한 재상들을 찾을 수 없었기 때문입니다. 이번의 옥사를 무사하게 매조질 수 있는 분이라면 마님밖에 어떤 분이 있겠습니까?」

「그것이 여의치 않을 것 같소. 헌책이 나서질 않습니다. 내가 한때 그를 정인으로 하여 구걸하다시피 간구했었다는 것을 알고 있겠지요?」

「그렇지만 그 괄시받으셨던 것을 숙혐으로 두고 계시지는 않다고 여기고 있습니다.」

「한때 그것으로 하여 모진 마음 먹었던 적 없지 않았었고, 천 행수를 구렁에 빠뜨린 적도 여러 번 있었소. 그러나 그 누이 된다는 사람과 만난 이후 나도 마음을 고쳐 잡았던 것이오. 이제 내게 남아 있는 일이 있다면 고초를 겪게 되었을 때 미력이나마 보태 주는 일밖에 더 있겠소? 그런데도 이번의 옥사만은 여의치 못할 것이란 생각이 드니 이것이 낭패입니다. 그러나 한 가지는 바라볼 것이 있을 듯하오.」

「그것이 무엇입니까?」

「주상께서 왜국과 청국의 상인들이 이 나라의 면면촌촌을 뒤지고 다니면서 폐단 저지르고 상도를 어지럽히고 호사하기만 한 잡화(雜貨)로 백성들의 혼을 빼고, 심지어는 항간의 아녀자들을 사고 팔며 겁간까지 예사로 저지르고 있다는 것을 알고 계시다는 것입니다. 그러니 주상께옵서는 천 행수를 근본부터 밉상으로 보시지는 않으리란 것이오.」

「차제 그만한 안위가 없습니다만 하지 못할 말로 파옥을 해서라도 그를 구명하고 싶은 것이 시생의 간절한 마음입니다.」

「공은 어째서 천 행수를 그렇게도 지성껏 위하시오?」

「시생에게 한 가지 여한이 없지 않기 때문입니다.」

「한 가지 여한이라니, 입신양명하시지 않으셨소?」

「여한이란 다름이 아니라 천 행수란 사람을 은근히 선망하고 있기 때문입니다.」

「환로(宦路)가 훤히 트이신 분이 그를 부러워하실 까닭이 무엇입니까?」

「저로 말하면 근본이 등짐장수이고 금점꾼이 아니었습니까. 시생이 곤전에까지 나아갈 수 있는 지체에 이르렀다 하나, 속으로는 상인으로서 신상(紳商)의 자리에 오른 것만 못하다고 여기고 있습지요. 천 행수는 시생이 소년 적에 꿈꾸었던 경로를 밟아서 신상의 자리에 오르고 있던 사람입니다. 이제 그가 도남(圖南)의 날개*를 펴려던 차제에 옥뢰(獄牢)들에게 부대끼는 바가 되었으니 처지가 서로 다르고 거두는 것이 또한 다르다 하나 동병상련에 어찌 처지의 옥척(沃瘠)*이 따로 있을 수 있겠습니까. 나라에 천 행수와 같은 거상(巨商)이 있다는 것이 시생으로서는 크나큰 위안이었습니다.」

「공의 심지 깊은 곳을 이제야 훤히 들여다볼 수가 있게 되었구려. 이번의 옥사는 하루 이틀에 결말이 날 일이 아니구려. 서슬 시퍼런 추판(秋判) 나으리도 전호(殿號)의 별유(別諭)*가 있기 전에는

---

*도남의 날개 : 남쪽을 향하여 벌리려는 봉새의 날개라는 뜻.
*옥척 : 기름진 땅과 메마른 땅을 아울러 이르는 말.
*별유 : 임금이 특별히 내리던 지시나 분부.

이번의 옥사를 전단(專斷)할 수 없을 것이오. 내가 입궐하였을 적에 곤전(坤殿)에 넌지시 알아보고 재상들의 소견도 수소문해 볼 것이오. 마음 다급히 먹지 말고 기다려 보시구려. 천 행수의 모가지를 망나니 칼 아래까지 끌고 갈 수야 없지 않겠소? 눈이 화등잔 같은 공이 살아 있고 또한 내가 뒤에 있으니 과히 염려 마시오. 그런데 곤외(閫外)* 백성들과 도붓쟁이들은 어떠하오?」

「심히 우려됩니다.」

「알겠소. 다시 만납시다.」

이용익이 집으로 돌아와 보니 벌써 하직하고 떠난 줄 알았던 조성준이 하회가 궁금하여 회정한 이용익을 다시 보기로 작정하고 기다리고 있었다. 이용익이 좌정하자마자,

「당장 방면될 조짐은 보이지 않소만 천 행수가 의금부에 갇혀 있다는 것만은 알려 준 정도가 되었소. 상핵 처치*될 옥사라 내로라 하는 재상들이라도 육률(戮律)*대로는 참시(斬屍)*하지 못하리란 소식이오.」

「진령군의 대답은 어떠하던가요?」

「손쉬운 일이 아니랍니다. 재복(再覆)*한 공초(供草)라도 보아야 겠다더군요. 자상한 내막은 알 수 없으나, 천 행수의 성깔에 저지른 일을 결코 은휘하려 하거나 부대시(不待時)* 신세가 되는 한이 있어도 자기의 의사를 곧이곧대로 토설하고 말았을 것이니 의단

* 곤외 : 문지방 밖. 궐 밖.
* 상핵 처치 : 실상을 자세히 조사하여 처리함.
* 육률 : 부관참시를 하는 형법.
* 참시 : 죽은 뒤에 큰 죄가 드러난 사람을 극형에 처하던 일.
* 재복 : 살옥(殺獄)에 관계된 죄인의 옥안을 재심하던 일.
* 부대시 : 시기를 가리지 않고 사형을 집행하던 일.

238

(擬斷)*을 당할 것은 피할 수가 없을 것이오. 다행히 진령군의 말이 곱상하니 그것에 기대 보는 수밖에 딴 도리가 없소이다.」

「우리 보부상들끼리 통문을 돌려서 나라님에게 정소를 올려 보는 것이 어떠하겠습니까?」

「정소를 올리자면 굳이 훼방하진 않겠소만 아직은 삼가는 것이 옳은 일이오. 조정에서는 이번의 사단으로 시끄러워지는 것을 원치 않을 것이오. 왜국의 공사가 뒤에 버티고 앉아 있기 때문에 그 눈치를 봐야 한다는 고충이 없지 않습니다. 이것이 어디 예삿일입니까.」

「잘 알겠소만 시생들 형편으로서는 일각이 다급한 사정이라 좌불안석이랍니다. 의금부 남간으로 찾아가서 통사정에 넋두리까지 하였으나 대역 죄인을 면시킬 수 없다 하고 문전에 얼씬거리지도 못하게 하였습니다. 이미 덕원(德源)에서 예까지 압송되었다면 입성은 절어서 꼴불견일 터이지만, 옥리들은 끼니때마다 선반(宣飯)을 날라다 먹으면서 옥 수발에 구메밥조차 넣지 못하게 엄금하고 있습니다. 율이 엄하다 한들 재복하여 결옥(決獄)도 되기 전에 이렇게 매정할 수가 없습니다. 설혹 관식(官食)으로 연명은 시킨다 하나 그것이 옥쇄장(獄鎖匠)들이 먹다 남긴 턱찌끼가 아닙니까. 사대부 집의 대궁밥도 허섭스레기나 진배없는 것인데 옥쇄장들의 턱찌끼라면 명색 사람이 먹어야 할 끼니라 할 수는 없겠지요. 이것은 국문도 하기 전에 초벌 죽임부터 하자는 심산이 아니겠습니까.」

「민영익 대감께 청쫍든지 해서 추판(秋判) 윤자승(尹滋承) 어른이나 참판 장석룡(張錫龍) 어른을 만나도록 주선하리다. 그러나 과

---

*의단 : 의율(擬律)과 단죄를 아울러 이르는 말.

히 걱정은 마시오. 내가 손을 써서 이승필(李承弼)이란 자와 같은
간옥에 있도록 주선하였다오.」
「그자가 누구입니까?」
「안협(安峽) 고을 현감으로 고을살이하던 사람인데 그 위인이 고
을살이하는 동안 국고(國庫) 일만 삼천 냥을 포흠한 죄로 나문 나
직시켜 남간에다 수옥(囚獄)시켰다오. 그자에겐 옥 수발이 허락되
고 있으니 아마 같은 간옥 죄수인 천 행수를 괄시하지는 않으리
다. 그러나 내가 다시 옥 수발이 허락되도록 주선해 보리다.」
「이런 난리통이 생겨날 적마다 찾아와서 부대끼게 되니 연만한 구
닥다리로서 면목도 서지 않고 부끄럽고 송구스러울 따름입니다.
그러나 한 가지 다른 걱정도 없지 않습니다.」
「무엇입니까?」
「인근의 도방에서들 들고일어나서 회집하여 정소(呈訴)를 올리겠
다니 걱정이 아닙니까.」
「송파로 회정하시되 만약 그런 조짐이 보이면 조 행수께서 극력
만류시키셔야 합니다. 일이 잘못되어 골육끼리 부딪치어 피칠갑
이라도 하게 된다 하면 왜국이란 나라에서 바라보고 속 시원하게
여길지도 모릅니다. 이런 때일수록 근신해서 조정에 누를 끼치지
는 말아야 하지 않겠소?」
「그럼 시생은 돌아갈 채비나 해야겠습니다.」
「송파 처소는 잘되오?」
「이번의 옥사가 일어나자 한동안 안돈했던 계방의 아전들이 빙자
하여 걸핏하면 우리 처소의 동무들을 잡아다 후미진 곳에서 욕을
보이고 등짐을 빼앗는가 하면, 저희들이 판화전을 받아 내려고 굴
총(掘塚)한 것이 드러나면 그것을 우리 처소 동무들이 한 짓이라
고 뒤집어씌우고 다닌답니다. 간활하고 영악한 자들이 일각인들

240

우리 처소에서 눈을 떼겠습니까?」

조성준이 이용익을 하직하고 송파로 건너가려고 수철리로 나아갔을 때는 이미 봄날 긴 해도 기울어 어둑발이 내리고 송파진으로 건너가는 마지막 배가 기다리고 있었다. 조성준을 서울로 보내 놓고 눈이 빠지게 기다리던 천소례와 월이가 송파진 도선목에서 기다리고 있다가 배에서 내리는 조성준을 맞이하였다.

처소가 있는 장거리까지는 5리 길이 빠듯한지라, 세 사람이 앞서거니 뒤서거니 해서 걸었다. 걸으면서 떡고물이라도 떨어질 듯 줄곧 자기 입만을 쳐다보는 몰골들이 애처롭기도 하여 조 행수는,

「너무 걱정들 않아도 일이 쉽게 매조질 조짐들이 보입디다.」

「손쉽게 풀어 줄 사람을 역률에다 걸었겠습니까.」

「진령군에게 청질을 넣어 놓았으니까 근간 좋은 소식이 올 것이야.」

「좋은 소식 올 턱이 없지요.」

곰방대를 빼 들고 막초를 다져 넣으며 걷던 조성준이 소례를 흘기면서,

「임자는 천 행수에게 자복을 하도록 권면해 준 장본인이면서 이제 와서 부대끼는 까닭이 뭔가?」

「그래서 제 주둥이를 찢어 버리고 싶답니다.」

「여인네의 속셈은 그래서 알 수가 없다는 것이오. 개흙 속에서 살아가는 미꾸라지도 수염이 나는데 여인네들에게 수염이 나지 않는 까닭이 모두 그런 것에 연유하는 법이오.」

「엎친 데 덮친 격으로 양주 쇠전에 갔던 처소의 동패들이 그곳의 왈짜들과 대판 시비가 벌어졌는데 여력이 부대끼어 삭신들이 무너지도록 몰매를 얻어맞고 회술레까지 돌리어서 처소에 돌아와 몸져누웠습니다. 동무님들이 양주로 가서 양주 저잣거리 왈짜들

을 적발하여 모가지들을 돌려 앉히겠다고 땅땅 벼르고 있는 품들이 한바탕 소동이 벌어질 조짐인지 심상하지가 않답니다.」

두 여인을 뒤세우고 걷는 조성준의 마음은 무거웠다. 그가 손때 묻혀 길러 온 천 행수는 이제 죄인의 처지가 되었고, 그나마 잠잠하던 송파 처소에도 암운이 다가오는 느낌이 완연하였다. 근력 있던 시절은 이제 다 지나가고 대쪽 같던 옹고집도 이제 와선 물거품이 되었다. 어려운 고초가 눈앞에 닥쳤다 하면 겁부터 먼저 나는 것이 요즈음의 숨길 수 없는 심사였다. 그러나 과중한 짐이라 하여 어찌 이 고초를 떨쳐 버릴 수 있을까. 명이 다할 때까지 논두렁을 베개 하여 숨을 거두는 한이 있더라도 처소의 동무들과 고락을 같이할 수밖에 없었다.

조성준이 처소에 당도하니 일고여덟 명의 차인들이 그를 둘러쌌다. 먼저 천 행수의 처지를 묻고 난 다음에 무릿매를 맞아 굴신 못하고 누운 동패들에게까지 이야기가 미쳤다. 양주 저자의 왈짜들이라면 전사에는 송파 처소 사람들에겐 범접도 못하던 패거리들이었다. 이제 천 행수의 소식을 알고 한번 넌지시 찔러 본다는 수작일 것이었다. 그러나 조성준은,

「궐자들이 감히 우리 처소 동무님들을 넘보게 된 연유에는 광주 관아 아전들의 사주가 있었던 때문일세. 그러나 지금 우리의 처지가 그들과 대적하여 불한당들처럼 행세할 겨를이 없게 되었네. 천 행수가 방면될 때까지는 끽소리 없이 엎뎌 있어야 하네.」

「안 됩니다. 그것은 위태로운 일입니다.」

「저들은 우리가 득달같이 대적해 주기를 바랐던 것이야. 우리가 저들이 노리고 있던 대로 꼭두각시놀음을 할 게 아니란 뜻일세.」

「우리가 냉큼 대적해 주지 않는다면 처소에 연못을 파려 들 것인데, 장차 그 고초를 어찌 겪으시려는 것입니까?」

「임시해서 작정하세. 백 번 옳은 말들이긴 하나 만약 여기서 우리가 다시 분주를 떨고 나선다면 그것으로 송파 처소는 끝장이 나고 머지않아서 그들이 우리 처소를 차지할 것이네.」

이튿날 조성준은 일찍 일어나서 광주 관아 길청으로 찾아갔다. 도서원을 뵙자 하고 아침에 가서 해가 나절가웃이나 기울도록 명함을 걸고 기다렸으나, 지난번에는 입에 든 것이라도 내줄 듯 환대에 영색을 짓던 도서원은 낯바대기도 내비치지 않았다. 퇴청할 때까지도 얼굴을 내밀지 않아서 어둑발이 내릴 무렵 관아에서 초간한 곳에 자리잡은 사처로 찾아가게 되었다. 행랑채는 초가였으나 안쪽으로 기와 올린 몸채가 바라보이고 안마당이 널찍한데 노복 서넛이 행랑채와 몸채 사이를 분주하게 오가고 있었다. 바깥에서 통자를 넣자 하니 노복이 쫓아 나와 한동안 미주알고주알 따져 묻더니 연통이 닿았는지 안으로 들라는 분부가 내려졌다. 전번에 만났던 도서원이 무표정하게 좌정하고 조성준을 맞이하는데 건성으로 인사는 받는 체하였지만 모 꺾어 앉아 빚 받으러 온 위인 취급이었다. 장죽을 재떨이에 길게 걸고 좌정한 품이 서울 북촌에서 행세한다는 사대부들 뺨치고 나갈 만하였다. 아전붙이들이 집으로 돌아와선 관아 벼슬아치들에게서 당한 창피를 가속들에게 분풀이한다는 말을 들은 적이 있어 조성준은 속으로 웃었다.

「나으리, 긴히 수의드릴 일이 있어서 하루 종일 헐숙청에서 천장만 쳐다보고 앉아 있었습니다만 끝내 뵙지 못하고 사처에까지 따라와 번거롭게 굴어 송구스럽습니다.」

「송구스러운 줄 알면서 부대끼는 것은 또 무슨 못된 심사인가.」

「어쨌든 뵙게 되어 다행입니다.」

「공사 중에는 사사로이 조 행수를 만날 수가 없었다오.」

말끝을 사리는 품이 탐탁지 않다는 것은 고사하고 오래 만나 줄 것 같지도 않았다.

「시생과 동사하고 있는 동패 몇 사람이 양주 쇠전에 갔다가 전사에는 친숙하게 지냈던 그곳 왈짜들에게 크게 봉변당하고 돌아와서 지금 인사불성으로 굴신조차 못하고 누워 있는 형편입니다.」

「그것 참 안됐소. 그러나 나는 소싯적부터 의서(醫書) 한 권 읽은 적이 없는 처지에 의원도 아니라오.」

비꼬는 품이 예사스러운 언사로는 결말이 날 것 같지 않았다. 그렇다면 조성준도 변죽만 울리고 있을 수가 없었다.

「처소의 동무들 말을 듣자 하면 행패 놓은 무뢰배들 중에 광주 계방에서 여러 번 만난 적이 있는 자들도 끼여 있더란 것입니다. 왈짜들이란 원래 근성이 남의 송사나 떠맡아서 끼니를 이어 가는 인종 말자들이란 건 나으리께서도 너무나 잘 알고 계시는 일이지 않습니까.」

「깍깍 한다구 모두 까마귀란 말인가. 조 행수가 양주에서 봉변당하고 광주에 와서 분풀이를 하겠다니 이런 망발이 없군.」

「그 왈짜들이 광주 계방에서 사주 받은 자들이란 증거가 엄연한 판에 발뺌을 하잔다고 될 일이 아닙니다.」

모 꺾어 앉아 빈 장죽을 빨며 게트림하던 도서원은 조성준이 바싹 들이대는 말에 크게 놀라지도 않고 장죽 물부리에 흐르는 침을 훑고 나서,

「조 행수, 이제 뭐라고 했더라?」

「양주 저자에서 찍자 놓은 패거리들이 이곳 광주 계방 아전들의 사주를 받은 똥개들이라 하였소.」

그제야 도서원이란 자는 눈시울을 모질게 뜨고 조성준을 잡아먹을 듯이 노려보았다.

「그게 우리 계방에서 풀어놓은 개들이라 하였것다.」

「그렇소이다.」

「그런데 범증이 있고 물증이 있다 하면 어찌할 텐가. 광주 길청 서리들을 걸어서 정소라도 올려야겠다는 심산이오?」

「정소할 것도 없소이다. 이번 한 번은 참고 견디겠지만 다음에 한 번 더 이런 간계를 부린다면 우리 처소에서도 가만있지는 않겠소. 아니래도 새 돈이 저자에 퍼진 이후로 상거래가 혼란스럽고 민생고가 가중되고 있는 터에 저자에서 행패까지 놓는다는 것은 국기가 흔들리든 말든 나 혼자 이해 상관 찾겠다는 수작이 아니겠소? 광주 관아 아전들도 조선 땅에 발을 붙이고 살아가는 사람들일진대 이럴 수가 없소이다.」

조성준의 말은 당오전(當五錢)이 저자에 흘러나온 것을 말함이었다. 앞서 민영익(閔泳翊)과 민영목(閔泳穆)은 이홍장(李鴻章)의 추천을 받아 지난해 11월에 입국한 목린덕(穆麟德)*과 상의하여 당오전과 당십전(當十錢)을 만들어야 한다고 주장하였었다. 그러나 김옥균이나 광주부(廣州府) 유수로 있던 박영효 등은 이를 반대하였다. 그러나 이미 민영익은 목린덕의 학문이 우월하니 화폐사(貨幣事)를 문의하는 것이 좋겠다고 주상께 상주한 일이 있었으므로 그와 상의하도록 윤허를 내렸던 것이었다. 김옥균과 목린덕은 죽동궁 민영익의 집에서 만났다. 목린덕은 마땅히 금은 화폐를 만들어야 하나 경비가 엄청나니 한술 더 떠서 당오전, 당십전뿐만 아니라 당백전(當百錢)을 만들어 목전의 시급함을 해결해야 한다고 주장했었다. 김옥균은 목린덕의 미봉책을 나무라며 일본으로부터 국채(國債) 3백만 원을 빌려 국용(國用)에 쓰도록 하자고 상주하여 차관(借款) 교섭에 나섰으나 실패하였다. 이에 시급히 당오전을 주조하기에 이르렀고

---

*목린덕 : 묄렌도르프.

연이어 저자의 물가가 폭등하고 여항의 인심은 흉흉하였다. 물가가 폭등하게 되니 장시의 거래가 어지럽게 될 것은 빤한 이치였다. 장시의 물리가 어지럽고 때마침 천봉삼이 옥사를 당하자 차제에 송파 처소를 침탈해서 상권을 휘어잡자는 수작일시 분명한 속셈이었다.

「나으리를 초면에 뵈었을 때에는 체통이 있고 그런대로 보부상들의 고초를 알고 계신 듯하여 속으로 은근히 대접하였으나 오늘 뵙고 나니 나으리도 그렇지만은 못한 듯하오.」

「조 행수가 시방 누구 앞에서 누굴 폄하고 있는가.」

「천 행수가 남간에 갇혀 있다 하여 송파 처소 사람들이 모두 남간에 갇힌 듯 치부하신다면 크게 잘못된 요량이십니다. 그 사람이 자복으로 옥에 갇힌 연유가 송파 처소와 상로에 폐해를 주지 않겠다는 것에 있었습니다. 한 사람이 죽으면 한 아이가 태어나듯 천 행수가 갇히면 또 한 사람의 천 행수가 생겨나는 법이니 그 점 명심하기 바랍니다.」

도서원과 다투고 난 후 송파 처소로 돌아오니 충청도 지경으로 내려갔던 쇠전꾼 동패 다섯이 회정하여 금방 돌아온 참이었다. 그들은 천 행수가 옥사 난 것을 처소로 돌아온 연후에야 비로소 알아차리고 나중에 어육지변을 당하는 한이 있더라도 근기 지경의 보부상들에게 통문을 돌리자고 나섰다. 그러나 조성준이 또한 이를 만류하였다. 지친 몸으로 안으로 들어가니 소례와 월이가 마주 앉아 아이를 재우고 있었다.

「복장에서 천불이 나는구먼. 냉수 한 그릇 떠오시오.」

천소례는 일어나서 냉수 한 그릇을 떠가지고 들어왔다.

「취의청에서는 통문을 돌리자 하고 벼르는 모양이지요?」

「그렇다오. 그러나 내가 만류하였소. 천 행수가 자복한 것은 길 생원을 구명하자는 것보다는 원산·평강·송파 처소에 부대끼며 연명하는 동무님들의 안위를 먼저 걱정했던 탓이 아니겠소? 조정에서도 천 행수를 수행했던 동무님들을 추포(追捕)하지 않고 있는 것은 이번의 옥사(獄事)를 번거롭게 떠벌이고 싶지 않다는 뜻이 있기 때문이오. 잡아들이기로 한다면 그깟 보부상 팔구십 명 무서워서 못 잡아들이겠소? 그런데도 천 행수와 길 생원 두 사람만을 역률에 걸고 쉬쉬하려는 것에는 조정의 고육지계(苦肉之計)*가 숨어 있다는 것이오. 함경도 관찰사인 임한수(林翰洙)가 그런 말을 했다 하오. 차제에 정소를 올린다 하고 분주를 떤다 하면 조정의 입장만 난처하게 만드는 것이오. 또한 처소로 보아서도 거래도 끊기고, 아전들이 상권(商權)을 도차지하려고 기승을 부릴 터이니 은밀하게 일을 밀고 나가는 것이 헌책이 아니겠소?」

「제가 진령군 찾아가서 액회(厄會)에 빠진 처소의 사정을 토파(吐破)하는 것이 어떻겠습니까?」

천소례의 말에 조성준이 느닷없이 결기를 긁어 올리면서 부스럼 딱지 잡아떼듯이 완강하게,

「임자는 좀 근신을 하오. 임자가 옛날 제갈량 부인 황씨(黃氏)처럼 지모(智謀)와 식감(識感)이 비상한 위에 또한 진령군과도 막역하고 무간한 사이라 하나 아녀자가 나설 일이 따로 있지 않소? 약방문에 감초처럼 오줄없이 나서는 게 아니오. 대저 요사이 아녀자들이란 옛날같이 정숙하지 않아서 탈이오.」

조 행수가 분명히 결기를 돋우는 바람에 소례는 움찔하기는 하였지만 대꾸하는 말은 조성준을 물어 비트는 것 같았다.

「아녀자라고 폄만 하지 마세요. 이녁이 나가서 몸소 현신하지도 못하고 한 다리까지 놓아서 청질하고 왔다는 진령군도 여항으로

---

*고육지계 : 적을 속이기 위하여 자신의 괴로움을 무릅쓰고 꾸미는 계책.

내려오면 무명색한 아녀자가 아닙니까.」

천소례가 불쑥 질러 놓으니 조성준은 그만 부아가 돋고 말았다. 노들에서 당한 봉변 종각 와서 분풀이하더라고 도서원에게 받은 분풀이를 소례에게 하려는 듯, 결김에 손을 들어 소례의 따귀를 모양 있게 올려붙였다. 화들짝 놀란 천소례가 볼을 싸매자 월이가 조성준의 무릎을 잡고 만류하였다.

「제발 고정하십시오. 성님도 억장이 무너지다 보니 듣기 싫은 말이 불쑥 나온 것입니다.」

「난 그 진령군인가 뭔가 하는 계집에게 임자가 만수받이하고 아유를 해야 한다는 것이 죽기보다 싫다는 거요. 차라리 내가 당하는 것이 낫소. 손찌검을 한 것은 내 부덕의 소치라 하나 사람의 간장을 그렇게 왈칵 뒤집는 게 아니오.」

「성님도 수모 겪는 것이 좋아서 하는 짓이겠습니까. 일구월심 아이아범 구명하자는 동기간 사이의 정의에서 그렇게 된 것입니다.」

볼을 싸쥐고 있는 천소례의 눈자위에 눈물이 고이고 있었다. 결김에 불쑥 손찌검이 나가긴 하였으나 눈물 흘리는 거동을 바라보니 가슴이 쓰렸다.

「내자, 분김에 저지른 짓이니 고깝게 여기진 마시오.」

「대인의 품위를 지키시어야지 어찌 심지가 편치 않다 하시어 하찮은 아녀자를 손찌검하십니까. 제가 따귀 한두 대 맞는 것이야 괜찮습니다만 액내의 동무님들 보았다 하면 체모에 손상이 아니십니까.」

「그러니까 임자도 이젠 진령군과는 절적(絕跡)*을 하시오. 임자의 국량(局量)이 사내를 능가한다지만 이번의 옥사만은 내가 앞장서

*절적 : 발길을 끊고 왕래하지 아니함.

248

서 매듭을 풀어야 하오.」
「진령군 귀가 따갑겠습니다.」

2

그날 밤 귀가 간지러웠던 진령군 매월이는 아침동자 들자마자 누마루 아래로 청지기를 불러서 입궐 채비를 서둘라고 분부하였다. 난데없는 분부에 놀란 청지기가 소명한 체하고,
「마님, 오늘 입궐하실 날이 아니옵니다.」
「여러 소리 말고 채비하거라.」
갸우뚱거리던 고개를 처뜨리고 예 소리 길게 끌며 중문 밖으로 나서는 것을 기다려 매월이는 바라보던 경대를 접어 문갑 위에 올려놓았다. 옷매무시를 다시 한 번 고치고 나서 방 한가운데 망연자실하고 서 있자니 청지기가 채비되었다고 연통했다. 문을 열고 나서니 아침나절이었지만 먼 산에는 아지랑이가 피어오르고 영롱장(玲瓏墻) 위로 내려앉은 햇살이 나른하였다. 청지기를 따라서 중문 밖을 나서면서 바라보니 대군방(大君坊) 타락산(駝駱山) 위에 분분하던 잔설은 언제 녹았는지 보이지 않고 봄기운이 따가워 옷깃에 스치는 바람이 시리지 않았다. 이렇게 좋은 시절에 천 행수는 난데없는 옥고를 치르고 있다니, 궐녀의 입에서 짧은 한숨이 새어 나왔다. 마방 앞에 날아갈 듯한 사인교 한 채가 놓여 있고 교군들이 신들메를 죄어 매고 있었고, 서사가 헐숙청에서 뛰어나와 주렴을 들치고 서 있었다. 매월이가 사인교에 올라타자, 가마는 행랑채 마당을 가로질러 쏜살같이 솟을대문을 나섰다. 가마 밖에서 서사의 목소리가 들렸다.
「마님, 이제 봄이 깊었습니다.」
「그런 것 같구나.」

「봄빛을 보시렵니까?」

가마의 주렴을 들어 올려 드릴까 하는 말이었다. 매월이가 주저하다가,

「그냥 두어라. 가마 안에서도 춘경은 보이느니.」

「어느 길로 뫼실까요?」

「숭교방(崇敎坊) 관어교(觀於橋)를 끼고 경모궁(景慕宮) 돌아서 황교(黃橋) 건너서 배우개까지 나아가서 좌포청에서 꺾어지려무나. 오늘은 배우개까지 나가 보고 싶어서 그런다.」

「배우개 장거리 말씀입니까?」

「왜, 누가 가마에 돌이라도 던질까 봐 그러느냐?」

「아닙니다.」

서사가 다시 말을 이을 듯 말 듯하다가 교군들에게 재촉하였다. 가마는 금방 숭교방의 광교를 지나고 관어교 지나서 경모궁의 담을 왼편에 끼고 쪽 곧은길로 황교 쪽으로 내달았다. 연변의 노송 숲에서는 새소리가 자지러졌다. 아마 지금쯤 아녀자들은 꽃달임들 나가겠지, 매월이의 입에서 저절로 한숨이 새어 나왔다. 진이야 헐이야 하면서 사인교가 끄덕거리고 내려가는데 멀리서 궁싯거리는 사람들의 목소리가 들려왔다. 아마 배우개 저잣거리 어름에 다가선 모양이었다.

배우개를 나선 사인교는 종가를 따라 내려가기 시작했다. 연변에는 난전꾼들의 호객하는 목소리와 달구지와 시탄장수들이 내왕하는 소리, 그리고 흥정을 벌이는 소리와 갓난아기들의 울음소리가 낭자하게 들려왔다. 정녕 오랜만에 듣는 여항간의 소리였다. 창덕궁 내전(內殿)에서 굿청을 차리지 않는 날에는 매월이는 북묘에 칩거한 채 울 밖 출입을 하지 않았다. 굳이 민간에 출입을 못할 연유가 있었던 것은 아니었다. 그러나 이른바 환로에 발천(發闡)하려는 사대부

들과 주문가(朱門家)의 자제들이며 이습관(肄習官)*이며 고을살이 하는 변지의 벼슬아치들이 참 없이 북묘로 찾아들기 때문에 집을 비울 수가 없었다. 북묘의 문전이 그토록 붐비는 것은 문감(門鑑)* 없이도 궁궐 안팎을 무상출입할 수 있는 사람이 매월이였고 곤전을 알현하는 데 구애가 없는 사람이 매월이밖에 없다는 것이 알려져 있기 때문이었다. 매월이에게 다리를 놓아 얻은 직첩(職帖)만이 명이 길다는 소문이 장안에 파다하였다. 그러나 이젠 매월이도 그런 노릇 하기에 신물이 날 지경이었다.

가마 밖에서 생생하게 들려오는 거짓 없고 가식 없는 목소리를 듣게 되자 매월이는 노정을 고쳐 잡기 잘했다는 생각도 없지 않았고, 또한 가슴이 두근거리기도 했다. 욕지거리와 막된 희롱과 웃음들이 왠지 매월이의 가슴을 눅눅하게 녹여 주는 듯했다. 이제 그것이 가슴을 녹이는 것이라 하더라도 그들 속으로 되돌아갈 수는 없게 되었다는 것을 스스로 깨닫는 것은 또한 서글픈 일이었다.

궐녀는 옛날 만리재고개 선무당 시절을 뇌리에 떠올렸다. 그때 만신을 만나지 못했던들 오늘 이 사인교 속의 자기가 있을 수 없었을 것이라는 것을 생각하니 입가에 씁쓰레한 미소가 지어졌다. 그 미소는 기쁨도 탄식도 아닌 그런 것이었다. 사인교는 종각 앞을 지나서 좌포청 앞에 이르렀다. 좌포청 파자교(把子橋)에서 오른편으로 꺾어 누정골〔樓井洞〕을 지나고 정선방(貞善坊) 마전골과 통례원(通禮院)을 돌아서면 금방 돈화문이 나섰다. 돈화문을 오른편으로 돌아서 몇 행보만 하면 금호문(金虎門)이 나서는 것이었다.

이미 진령군 매월이의 낯익은 가마임을 알아챈 영군(營軍) 처소의 수문군(守門軍)들이 가마를 검색할 것도 없이 잽싸게 길을 열어 주

─────────────

*이습관 : 학업이나 실무 따위를 배워 익히는 과정에 있는 관리.
*문감 : 궁궐, 병영 따위의 문에 드나드는 것을 허락하여 주던 표.

었다. 양편으로 행랑처럼 벌여 선 영군 처소를 벗어나면 금천교(錦川橋)가 나서고 금방 인정전(仁政殿)과 마주쳤다. 매월이는 금천교를 지나서 가마에서 내렸다. 인정전 오른편 옥당(玉堂)과 정청(政廳) 사이로 해서 곧장 양지당(養志堂)을 스쳐서 만안문(萬安門)에 이르렀다. 만안문을 지나서 곧바로 걸어가면 주방(廚房)이 나서고 거기서 양전 마마께서 기거하시는 대조전(大造殿)과 만나게 되었다. 금호문에서 가장 빠르게 대조전에 당도할 수 있는 길이 있었다. 수없이 다닌 길이라 이젠 혼자서 눈감고도 당도할 만하였으나 서사란 위인이 제 직분을 누가 빼앗아 가기라도 할까 보아선지 고개를 끄덕이고 손짓해 가면서 대조전 앞까지 가마를 안동하는 것이었다. 지밀상궁(至密尙宮)이 연통 받고 나와서 매월이를 맞이하였다. 민비는 마침 아침 수라를 물린 직후였다. 매월이가 입궐한 것을 보고 놀란 것은 민비였다.

「마마, 침수 안녕하시었습니까?」

「아니, 자네가 이른 아침에 어인 일인가?」

옷깃을 여미고 좌정한 매월이가 주저하는 빛을 보이다가,

「마마, 아침에 일어나 문득 장지를 열고 보니 타락산 언덕에 아지랑이가 무리 지고 소매 끝에 어우러지는 햇볕이 따가워 얼른 마마를 뵈옵고 싶었습니다. 지금쯤 여항의 아녀자들은 꽃달임들 가겠지요?」

매월이의 이마에 묻어 들어온 봄기운을 적이 바라보는 민비의 입술에도 생기가 돌았다.

「이리 가까이 오게. 자네의 그 지칠 줄 모르는 진원(眞元)에는 놀랐네. 굿청에서 며칠 밤을 통소(通宵)*하다시피 하고서도 타락산

---

*통소: 밤새움.

252

언덕에 야마(野馬)*가 피어나는 것을 보고 심회에 끌려 입궐까지
하다니. 꽃달임이라면 나도 본곁에 있을 적에 몇 번 가본 일이 있
거늘, 자네 오늘 날 데리고 꽃달임이라도 가주게나. 궁궐 속에 묻
혀 있어 사계(四季)가 바뀌는 것도 모르겠으니 이게 어찌 사람이
사는 꼴이라 할 수 있겠나.」

「마마의 총명하심을 신이 알고 있사온데 차마 세월이야 가늠하지
못하시겠습니까. 꽃달임은 신도 가본 일이 있습니다만 마마께옵서
여항의 꽃달임에 따라나선다면 아마 소대(疎待)를 당하겠지요.」

「필경 그럴 것이야. 그러나 궐내에서도 찾아보면 꽃달임 갈 곳이
없지는 않겠지.」

「마마, 성은이 하해 같사오나, 오줄없는 것이 공연히 사풍(邪風)*
을 저질러 번거로움을 더하였습니다.」

「아닐세. 자네야말로 공연히 생탈(生頉)* 말고 우리 오늘 그렇게
하세나. 선족(跣足)*을 마음 놓고 맑은 물에다 담가 봤으면 여한이
없겠다네.」

「마마, 그러시다 고뿔이 개통(改痛)하시게 되면 상감 마마께 신이
심한 꾸중을 듣게 됩니다.」

「꽃달임을 가는데 무슨 속화(速禍)가 있겠는가. 교동(驕童)들이라
도 뒤를 밟을까 보아서냐?」

민비가 말한 교동이란 세간에서는 건달이란 뜻이 되거니와 발설
하고 보니 해괴했던지라 민비도 매월이를 따라 웃었다. 매월이가 웃
다 말고,

---

*야마 : 아지랑이.
*사풍 : 경솔하여 점잖지 못한 태도.
*생탈 : 일부러 탈을 만듦.
*선족 : 맨발.

「마마, 못하실 일입니다.」

「오늘 아침에는 나 역시 봄기운을 이겨 내지 못할 것 같다네.」

「입궐하는 길에 배우개 저자와 종가를 거쳐 오면서 가마 밖으로 들리는 민간의 목소리를 듣다가 가마를 내리고 싶은 충동을 느끼었습니다.」

「그럴 테지. 곰곰 되새겨 보면 자네가 살아가는 모습이 좋아 보인다네. 나는 여기 앉아서 즐거운 것만 보게 되고 귀에 고소한 말만 듣게 되니 세간의 신산(辛酸)을 어찌 소상하게 알겠는가.」

「꽃달임은 어렵다 하면 청향각(淸香閣)으로나 납시는 것이 어떠하겠습니까?」

「자네의 권유가 없다 하여도 내 그리 할 심산이었다네.」

민비는 보료에서 일어났다. 지밀나인만 뒤따르게 하고 매월이를 곁에 서게 하였다. 대조전 왼편에 징광루(澄光樓)와 청향각이 있었다. 청향각으로 나가 보니 과연 봄빛이 무르익어 나뭇잎들이 짙푸르렀다.

「아뢰옵기 황송하오나, 요사이 상감 마마께옵선 외국의 사신들에 부대끼시랴 또한 경향에서 창궐하는 적세(賊勢)에 심려가 크시겠습니다.」

「백성들의 걱정이야 주상으로서 당연한 것이 아니겠는가마는 날마다 수척하시니 내 마음 조이기가 보통이 아니라네.」

「전번 원산포에서 일어났던 화륜선의 난리로 국문할 죄인 두 사람을 남간에다 가두었다는 소식은 들었습니다.」

「남간 죄인이 그들뿐이겠나. 그런데 나는 모르고 있는 일을 자넨 어찌 소상히 알고 있는가?」

「그중에 신이 알고 있는 자가 있어서입니다.」

「남간에 내리 가두었다면 필경 역률을 저지른 죄인이 아니겠나.」

「원산포에서 마침 무곡(貿穀)을 싣고 발묘 채비 서두르던 일본의 화륜선을 덮쳐서 곡식들을 저들의 적굴로 가져간 것이 아니라, 포구의 백성들을 불러내어 풀어먹인 모양입니다. 원산포에는 곡물 객주들이 천세가 났는데 그들이 모두 왜상들과 은밀히 결탁하여 잠상질이니 함경도 일경의 곡가가 등귀하고 장시에는 일용할 양식도 바닥이 났다 합니다. 길거리에는 굶는 백성들이 허다하여 몇 번인가 객주들이 잠상질을 삼가도록 권유하고 조바심하며 바라보았으나 패리를 그치지 않자, 그렇게 해서라도 혼찌검을 낸다는 것이 당초에 피가 뜨거운 사람들이라 수적의 무리들로 오인이 됐는가 봅니다.」

「자넨 그 사단의 내막을 어찌 그렇게도 소상히 알게 되었나?」

「그 죄인은 신이 한때 정을 두었던 사이였습니다.」

「그렇다면 지금도 그를 연모하고 있다는 것인가?」

「정녕 그러하지는 않습니다만……」

「그 사람의 생화가 무엇이었나?」

「경기 지경 송파와 다락원, 평강, 원산포에 상로를 만든 사람으로 대상이라 할 만합니다.」

「그렇다면 천 아무개란 사람 아닌가?」

「마마께옵서도 어렴풋이 짐작은 하고 계실 줄 몰랐습니다.」

「전사에 그 사람의 얘기를 들었던 기억이 없지 않네. 정리에 밝고 의리가 있어 수하에 많은 보부상들이 따른다는 말을 뉘게서인지는 몰라도 들었던 기억이 있네.」

「마마, 그 사람을 구해 주십시오.」

「자넨 기특한 사람이군. 그런 청을 할 수 있는 자네가 가련해 보이기는커녕 부럽게 생각되니 이건 무슨 조화인가.」

「황송하옵니다. 꾸중이 지엄하실 줄 알았습니다.」

「자네의 심술을 짐작할 만하네. 내가 만약 자네의 청을 내친다면 서러워할 요량이었지?」

「마마, 그렇지 않습니다. 이 가긍한 것이 어찌 상없는 꼴을 마마께 보여 드릴 수가 있겠습니까」

「자네의 착한 심지를 보아하니 장차로도 좋이 살겠네. 들어가서 낮것*이나 들고 가게나.」

「신이 어찌 번거로움을 더할 수 있겠습니까. 서둘러 퇴궐하겠습니다.」

만류하여 낮것을 먹여 내보낸 뒤 민비는 지밀나인에게 밀유를 내려서 이용익을 입궐하도록 조처하였다. 일색이 다해 갈 무렵에야 이용익이 입궐하였다.

「공은 원산포에서 일본국의 상선을 유린하였다는 천 아무개라는 상인을 알고 있소?」

「예, 오래전부터 친분을 트고 지낸 사이긴 합니다만 근년에 이르러 서로 소원한 관계에 있습니다.」

「그 상인이 진령군과는 막역한 사이였었소?」

이용익은 당장 대답을 개어 올리지 못하고 아래를 내려다본 채 동안이 뜨도록 묵묵히 앉아 있었다.

이용익이 허둥지둥 내전으로 달려올 제, 이는 필시 매월이가 중궁전으로 나아가 천봉삼을 구명해 줄 것을 간청한 나머지 천봉삼을 금명간 금부에서 빼낼 수 있는 명분이 무엇인가를 찾자는 일일 줄 알았다. 그러나 천 행수와 매월이의 관계를 하문하시니 민비의 내심을 선뜻 헤아릴 길이 없었다. 진령군 매월이와 천 행수의 친분을 자상히 알고자 하는 것과 그 일을 자기를 불러 하문하신다는 것은 이번

＊낮것 : 점심.

일에 각별 신중해야 한다는 중전의 의중이 아니겠는가. 이용익은 선뜻 대답하기가 심히 난처하였다.

「자상한 내막은 소신도 모르고 있습니다. 그러나 불과 오륙 년 전만 하더라도 친분이 막역했던 것만은 틀림없습니다.」

「나도 그만한 눈치는 새겨 볼 줄 알고 있소. 그러나 천 아무개란 상인의 소행이 내겐 마땅치 못했었고, 그리고 지금에 이르러서도 일개 상인의 거지로서는 대단 발칙한 일이 아니었소? 일본국의 공사가 무시로 대전을 드나들 때 더 이상 침탈에 부대끼기 전에 그 붕당들을 모두 근포하여 나라의 기강을 바로잡아야 한다고 조르고 있으니 대전의 성려가 어떠하겠소? 그 흉물들이야 어떤 명분에서 그런 패리를 저질렀는지 모르지만, 일본의 공사란 사람은 흉악무도한 수적의 무리들로 알고 초토(剿討)하기를 간청하고 있으니 단 한 사람의 백성이라도 다치고 싶지 않아서 차일피일 임기응변으로 무마하고 있는 대전의 성려를 짐작이나 하겠소? 모두들 잡아들여야 파혹(破惑)도 되고 체모 또한 갖추실 터인데 차제에 이르러 천 아무개를 방면할 수야 없지 않겠소? 그렇다고 어여쁘게 여기고 있는 진령군에게 야단을 내릴 수도 또한 없는 것, 내 근간에 이런 고초가 없구려.」

「망극하옵니다.」

「망극하다는 것으로 귀정 나기는 어려운 노릇이니 공의 의중은 어떠한지 말해 주구려.」

이용익의 입장은 점점 난처하게 되었다. 매월이에게 사단의 전말을 낱낱이 토설한 것도 자기가 한 짓이요, 매월이를 내전으로 들여보낸 것도 따지고 보면 자기로부터 비롯된 일이었다. 천 행수를 극력 보비위하고 나서느냐 아니면 민비의 심지에 들도록 말머리를 돌려야 하느냐가 이용익의 곤욕이었다. 한 발짝 앞으로 더 뱃심 좋게 내닫는 것이냐 아니면 한 발짝 비켜서느냐에 따라서 자신의 환로가 트이느냐 아니냐가 달려 있다는 것을 이용익은 생각하지 않을 수가 없었다.

「마마, 금부에 갇힌 상인 천봉삼으로 말하면 더벅머리 때부터 상인으로 나서서 지금에 이르기까지 숱한 우여곡절과 갖은 신산을 겪고 오늘에 이르러 송파와 원산포에 이르는 북로(北路)를 개척한 사람으로, 크게는 장안과 개성의 신상(紳商)들에 이르기까지 작게는 산협 저자의 돌팔이들까지 그 이름 석 자를 모르는 사람이 없게 되었습니다. 장사치들 사이에서는 그 수하에 들어서 상리를 노리는 꾀를 얻고 훈육을 받으려는 자들이 많습니다. 천 행수로 말하면 때로는 환로에 들어 입신양명할 기회도 없지 않았고 또한 장사치로서는 더 바랄 것이 없는 황첩(黃帖)까지 마다하고 오직 자력으로 일어서 장사치로서 입신하였던 자입니다. 대저 상인들이란 관원에 기대기도 하고 사대부에 기대어 장시에서 행패하고 모리를 취하는 것을 다반사로 저지르는 부류이었습니다.」

「정상(政商)*들이 없지 않다는 것은 나 역시 알고 있소.」

「마마의 이부(耳部)*가 어둡다고 탓하는 것은 아닙니다. 천 행수는 상리를 도모함에 있어선 사대부나 장안의 주문가뿐만 아니라 동배간에 있어서도 불의와 결탁한 일이 없었다는 것입니다. 오늘에 이르러서는 정분이 성기어서 소원(疏遠)한 처지에 있다 하나 소신이 은근히 천 행수를 부러워하고 있는 연유도 그런 점 때문입니다. 그러나 조정의 처지가 그러하매 어찌 일개 상인을 살리고자 나라님께 성려(聖慮)를 끼치자 하겠습니까. 나라의 기반이 튼튼하게 잡혀야 할 지금에 이르러 명분이 뚜렷하다 하나 국기를 어지럽

---

*정상 : 정치가와 결탁하거나 정권을 이용하여 사사로운 이익을 꾀하는 사람.
*이부 : 궁중에서 귀를 이르던 말.

258

히는 행사라면 마땅히 징벌을 내려야 하시겠지요.」

「붕우(朋友)의 도리가 앞서야 하느냐 국기를 바로잡아야 하는가는
논란의 여지가 없을 것이오. 공의 충정에 감복할 따름이오.」

「황송하옵니다.」

「나도 힘 자라는 데까지는 진령군이나 공의 처지를 저버리지 않을
것이니, 공이 나서서 진령군을 달래어 이번의 옥사에는 번거로움
이 없도록 각별 조처해 주기 바라오.」

민비의 의중을 이용익은 정확하게 헤아리지 못하고 있었다. 민비
의 완곡함은 매월이를 달래는 것이 아니라 이용익을 주저앉히려 함
이었다. 이용익이 천 행수와 매월이 사이에 다리품을 놓고 다닌다는
것을 민비는 벌써 진령군 매월이를 만났을 때부터 알고 있었기 때문
이다. 이용익은 그것을 깨닫지 못하고 진령군을 달래 보마 하고 퇴
궐하였다. 이제 이용익도 어찌할 수 없게 되었다는 것을 느꼈다. 민
영익에게 매달려 보는 것이 마지막 남은 헌책이라 할 수 있겠으나
지난 군란 때의 응어리가 아직 풀리지 않은 처지에 민영익이 근지
않고 천 행수의 뒷배를 봐주겠다고 나서지는 않을 것이었다.

참담한 기분으로 집에 돌아가니 그 심지가 편할 리 없었다. 서사
를 놓아서 조성준 내외를 서울로 안동시켜 오라 하였다. 이튿날 새
벽 그 내외가 득달같이 당도하였다. 안부 인사 나누자마자 이용익은
침통한 목소리로,

「나로서는 기운껏 하였소. 일개 상인의 옥사(獄事)를 두고 곤전에
까지 고하여 방면토록 청질하였다면 내 여력으로서는 끝 간 데까
지 간 셈입니다. 그러나 곤전에서는 되레 나와 진령군을 안위시키
는 말씀이시니 황송하기가 그지없었다오. 이 일을 어찌하면 좋겠
소.」

이용익의 말이 거기에 이르자, 천소례의 얼굴이 무두질한 것처럼

하얗게 질렸다. 방구들이 꺼지는가 싶게 한숨을 토한 천소례가 이용
익의 말을 헤아리지 못한 사람처럼,

「장차 어찌 될 것인지 짐작되는 바가 없습니까?」

「중전 마마의 말씀을 그대로 옮기자면 천 행수가 장차 감내해야
할 고초는 차치하고서라도 수하에서 동사하였던 보부상들을 근포
하지 않고 견뎌 내는 것만으로 왜국의 공사를 문지르고 달래 줘야
한다는 것입니다.」

이용익의 입만 쳐다보고 앉았던 조성준은,

「참으로 절통한 일이군요. 무역패 가진 것을 빙자하여 장시를 어
지럽힌 자들을 징치한 사람들을 은휘하자는 데 왜국 공사의 비위
까지 맞춰야 한다니, 그놈도 결딴을 내어 버립시다.」

이용익이 두 눈을 크게 뜨고 어이없다는 듯이 조성준을 바라보다
가,

「큰일날 일입니다. 공사(公使)란 사람의 지체는 그 나라의 국왕과
같습니다. 그가 나라의 헌정을 대신하고 국왕을 대신합니다. 때문
에 대전 마마께서는 그 위인을 홀대할 수가 없는 것이지요.」

「나라의 기반이 아무리 흔들리고 줏대 없는 사람들이 많다고 하나,
우리의 조정이 이토록 지성껏 왜국 공사의 눈치를 보아야 한다는
것은 실로 가슴 아픈 일입니다.」

「우리가 여기 앉아서 아무리 나라 걱정을 해보았자 강 건너 숫막
꾸짖기요. 장차의 대책이나 마련하는 것이 우리가 할 노릇입니다.」

「중전 마마께서도 불가하다는 일을 두고 무명색한 백성이 앉아서
방책을 마련한다는 것부터가 가소로운 일이 아니겠습니까. 간장
을 태워 보았자 헛일이지요.」

「내 말은 중전 마마를 다시 한 번 청알할 수 있는 빌미가 없지 않
다는 뜻입니다.」

「명분을 무엇으로 만든다는 것입니까?」

고개를 끄덕이고 있는 이용익을 바라보던 조성준은 반대로 고개를 내저었다.

「그런 일은 있을 수가 없습니다. 동기간인 내가 꼬드긴다 하여도 말을 듣지 않을 것입니다.」

「천 행수가 효수당할 것이 원찬(遠竄)으로 유형(流刑)이 떨어져서 사오 년 유적(流謫)되었다가 조용해질 때를 기다려 해배(解配)*를 시킨다 하면 사람 목숨 한 가지는 건지는 셈이 아닙니까. 평소 천 행수의 도리로 보면 용납될 수 없는 일이라 하더라도 지금은 마음을 돌려 앉이었는지도 모르지요. 약차하면 파옥을 하거나 함거(檻車)를 취탈하여 구명할 꾀를 쓴다는 요량인지는 모르겠습니다만 금부의 남간이 변지 수령들이 지키는 허술한 토옥과는 제도부터가 다르고 죄인 다루는 품이 삼엄합니다. 엉뚱한 마음을 품는다는 것은 우환을 자초하는 미친 짓에 불과하지요.」

「천 행수를 만날 수가 있겠소?」

「그것 또한 손쉬운 일은 아니나, 제가 극력 주선해 보지요.」

「그렇다면 시생은 우선 송파로 떠나고 내자를 시구문 밖에 있는 갖바치 집에다 남겨 두겠소.」

「송파에 다급한 일이라도 있습니까?」

「천 행수가 옥사에 떨어진 것을 빌미잡아 광주의 아전들이 우리 처소를 금방 집어삼킬 듯이 온갖 훼방을 놓고 있으니 잠시나마 비워 둘 수가 없어서입니다.」

이용익의 집을 나선 내외는 곧장 시구문 밖 갖바치 석쇠의 집에 당도하였다. 석쇠의 집을 찾기는 참으로 오랜만이었다. 조성준은 이

---

*해배 : 귀양을 풀어 줌.

틀쯤 뒤에 하회를 알려 오든지 아니면 수하 동무들을 시켜서 기별하
겠다 하고 숨 돌릴 사이도 없이 선걸음에 송파로 떠났다. 천소례는
심신이 삶은 걸레처럼 지쳐 있었다. 하루에 백 리를 걸어도 곤한 걸
모르던 육신이 요즈음에 이르러서는 운신조차 지난일 지경이었다.
석쇠의 갓방일은 그런대로 주문이 끊이지 않아서 쉴 여가가 없었고
틈틈이 장내기까지 지어 팔아서 가용이 찢어지도록 궁색하지 않다
는 것이었다. 기구 차리고 산다는 주문가에 비한다면 꼴이 아니지만
가난의 때를 벗지 못하는 시구문 밖 사람들에 비한다면 밥술이나 뜨
고 견뎌 나간다 할 만하였다.
　석쇠의 안해가 자궁이 기박하여 생산은 바랄 수 없게 되었지만 손
끝이 워낙 맵짜서 허방 짚는 가용이 없는 데다가 경위 바르기로는
이웃에 호가 나서 1년 가도 남의 신세 지는 일이 없었다. 또한 베풀
었으면 받아 낼 줄도 아는 성깔이라 그런대로 살아가는 형편이 된
것이었다. 술 좋아하는 석쇠에겐 1년 내내 가양(家釀)을 담가 끊이
지 않았고, 혹여 대갓집의 청지기나 서사가 갓신 주문하는 일로 찾
아와도 대접을 홀하게 하는 법이 없었다. 근본이 상된 것치고는 제
도가 그만한 여자가 없다 할 만했다. 그러면서도 다락원에 있던 득
추 내외가 솔선해서 원산포로 내려가서 그곳 처소의 살림 두량을 도
맡았다는 말을 듣고는 입맛이 쓴지 득추 내외를 두고 이죽거리는 것
이었다. 석식하고 난 뒤 소례에겐 베개 내려서 뉘고 자기는 등잔 아
래 앉아 갓신 만들 가죽을 무두질하면서,
　「그 여편네가 자궁 한 가지는 오줄없이 푸짐하게 갖고 내질린 형
　편이라 소생이야 줄줄이 떨구었지만 몰골을 자세히 보면 남상져
　서 어디 계집 맛이 납디까. 게다가 주둥이도 상되어서 해서 될 말
　안 될 말 가림 없이 쏟아 놓아서 제 얼굴 붉어질 때가 많답니다. 오
　다가다 어디서 주워들었는지 웬 놈의 육담(肉談)은 그렇게 많이

알고 있는지, 원.」

「그렇지만 남정네가 딴 계집을 행실 내며 다니는 것이야 가만 보고 있을 수 없지 않겠나.」

「투기가 칠거지악에 든다는 것을 성님이 몰라서 하는 말씀입니까? 사내가 딴 계집 고기맛을 좀 봤기로서니 집안을 거덜 낼 건 뭡니까?」

「집안 거덜 낸 것은 아이들 아범이었지 않은가?」

「그깟 통지기년이 아랫목 차지하고 생트집을 잡는다고 제가 틀고 있던 둥지를 버리다니요. 까막까치도 구렁이에게 집을 빼앗기면 며칠을 두고 울부짖는 법입니다. 궁박한 살림일수록 여편네의 심지가 굳어야지요.」

「이녘이야 남정네가 일 년 내내 갓방 지키고 앉아 울 밖 출입이 없으니 딴 계집에게 한눈팔 겨를이 없어 아직 뜨거운 변을 못 봐서 배부른 소릴세. 이녘이 그런 꼴을 당했다면 그 성깔에 무슨 난리를 벌였을 테지.」

「성님, 그런 말씀 마십시오. 헌 갓 쓰고 똥 누기 예사더라고 명색 주장군 차고 태어나서 샛밥도 주워 먹을 줄 알아야 합니다. 저 윗방에 있는 샌님은 도대체 울 밖의 물정을 모르고 있어서 답답하기가 토굴에 사는 것 같습니다.」

「아직 당해 보지 못해서 하는 말일세. 배 부르고 등 따뜻하거든 괴딴 투정이나 말게.」

그때서야 석쇠의 안해가 빵긋이 웃음을 흘리면서,

「말씀이 났으니 그렇지 사실 윗방 샌님만큼 무던한 사내도 없겠지요? 그저 가양주(家釀酒)만 끊이지 않고 대면 나야 무슨 짓을 하건 오불관언이니 심덕이야 무던하지요.」

천소례가 누운 채로 두 눈을 빠끔하게 뜨고 쳐다보다 말고 등잔불이 침침해서 자세히 보이지 않자 벌떡 일어나 앉았다. 궐녀의 말이 아무래도 의미심장하고 남편에게 뭔가 숨기고 있는 일이 있을 성싶었다. 소례가 귀엣말로 물었다.

「아아니, 시방 했던 말 다시 한 번 해보시게.」

「뭘 되뇌란 말입니까?」

「술만 걸러 바치면 무슨 짓을 해도 오불관언이라니?」

궐녀의 얼굴이 비로소 새하얗게 질렸다. 두 여인이 한동안 서로 마주 바라보기만 하였는데 그때 갑자기 석쇠의 안해가 맥을 놓고 쿡 울음을 터뜨리는 것이었다. 천소례로선 갈수록 심상치 않은 조짐이었다.

「제 평생 딱 한 번 지아비를 속이는 짓을 했습지요.」

부리를 헐고 있는 품이 대뜸 짐작되는 바가 있었다.

「윗방에서 듣겠네. 목소리를 낮추시게. 이녘의 말버슴새를 보아하니 짐작되는 일이 있네.」

「저는 벼락을 맞아 육신이 흩어진대도 넋두리할 곳이 없는 계집입지요.」

「그렇다면 요사이도 딱 잡아떼지 못하고 있다는 건가?」

「아닙니다, 벌써 돌아섰습지요. 성님은 나보고 화냥년이라 하시겠지요. 그러나 내 처지로선 생각다 못해 저지른 짓입니다. 명색 자궁 가진 계집으로 태어나서 남의 가문의 사람이 되었으면 팔삭둥이일지언정 후사를 떨궈 줘야 할 것 아니겠습니까. 그런데 우리 내외가 결발부부 된 지 십오 년이 가까워 오는 지금에 이르러서도 도대체 배태 한 번 못해 본 계집의 한이 오죽하겠습니까. 애간장을 태운 제 심지야 성님도 대강 짐작하실 것입니다.」

「어찌 짐작만 하고 있겠는가.」

「길거리에서 뛰노는 아이들을 보면 눈앞이 캄캄하고 집에서 면벽

하고 망연자실 앉아 있는 남정네를 보면 간이 뚝 떨어집디다. 겉으로는 웃되 속으로는 울었고 한이 쌓여 죽어도 눈감을 것 같지가 않았습니다. 주워다 길러도 보고 싶었으나 나중 겪을 곤욕을 생각하니 그건 또 죽기보다 싫었습지요. 죽을 각오로 차태(借胎)라도 해보자 하고 저질렀던 것은 아이 못 낳는 흠절이 뉘게 있는 것인가 알아보자 하고 염치 불고하고 나섰습니다.」

「그게 누구인가, 궐놈이 남의 살맛을 보았다 하고 은근히 조명이나 퍼뜨리고 다닌다면 큰일 아닌가?」

「여기에서 십 리 행보인 수철리 도선목에 총각 점쟁이가 하나 있습지요.」

「하필이면 여항의 상종이 잦은 전넷집인가. 이녁이 넝쿨밭에다 불지른 셈일세.」

「아닙니다. 궐자는 장님이랍니다. 게다가 제가 어디 사는 어떤 계집인지도 모르지요. 다만 삼남 지방 한갓진 고을에서 차태하러 길 나선 대갓집 부인네쯤으로 알고 있도록 거행하였습지요. 제가 스스로 발설하지 않는다면 궐자가 날 알아볼 까닭이 없습지요.」

「이녁이 꾀보라는 건 알고 있었네만 혹여 엿본 사람이라도 없었던가?」

「만에 하나 그런 일 없도록 감쪽같이 잡도리하였습지요.」

「그래서 차태가 되었나?」

천소례는 그렇게 묻고 아랫목으로 가서 다시 누웠다. 석쇠 안해의 입에서 긴 한숨이 쏟아졌다. 천소례가 혀를 끌끌 차면서,

「그렇다면 이녁의 죄업이 허술하지 않게 되었네. 후사를 배태하지 못하였다면 하자는 아우님에게 있다는 것이 드러난 셈이 되었으나, 둘러치나 메어치나 아우님이 배태하지는 못하였으니 그 청맹과니를 만난 것은 순전히 화냥질로만 남게 된 것 아닌가. 공연한

짓을 해서 이녁의 가슴에 평생 못이 박히고 또한 남정네에게도 욕을 돌렸으니 죽을 각오로 한 짓이 평생을 고쳐 못할 우환거리를 만들게 되었네.」

「제가 그것을 어찌 모르겠습니까.」

「이녁만 알고 저승까지 몰래 가지고 가야 할 일을 내게까지 토설한 바 되었으니 나 또한 심질 한 가지를 얻게 된 셈이군.」

「성님의 심성이 깊고 입이 천 근같이 무겁다는 것을 익히 알고 있기에 토설한 것 아닙니까.」

「세상에서 가장 믿지 못할 짐승이 바로 인종이라지 않던가.」

「성님, 이 일을 어찌하면 좋습니까?」

「어찌하겠나. 이녁이 자문을 하겠는가, 십오 년 동안 결발부부가 남남으로 돌아설 수 있겠나. 벼락 치는 날 밖에 나가지 말고 차후 그런 생의가 나거든 스스로 비수를 들어 자문의 길을 택하는 수밖엔 방도가 없겠지. 계집이 불가항력으로 겁간을 당한다 하여도 자문의 길을 택하는 엄중한 세상에 못 이겨 저지른 짓이라 하나 스스로 훼절하고 나서는 화냥이 어디 있겠나. 후사를 얻고 싶었던 욕심도 없지는 않겠지만 이녁의 심중에는 남의 살을 맛보고 싶었던 화냥의 음심이 도사리고 있었던 것도 사실이었겠지. 청맹과니와 관계하였다 하여 어찌 그 누명을 벗을 수 있겠나. 바로 말하면 명분을 가지려는 구실일 수도 있겠지. 후사가 없다 하나 이녁들만큼 금슬 좋은 내외가 어디 있었나.」

「성님 말씀 듣고 보니 더 이상 살 마음이 없습니다. 저는 아무래도 죽어 마땅한 계집입니다.」

「이녁이 이참에 이르러 무슨 변고라도 낸다 하면 저 윗방에 있는 남정네를 두 번 죽음시키는 일일세. 한 번은 남편의 죽음이요, 두 번째는 가문의 죽음이 아니겠는가. 처음부터 끝까지 이녁 편하도

록만 생각하는가. 같이 살자고 굳게 언약하고 초례 치르고 살아왔
는데 이녁이 혼서를 깨뜨린다면 그 죄가 또 어떠한가. 장차 이녁
의 됨됨이나 바르게 가지게.」

「오늘 밤 성님께 토설하기 잘하였습니다.」

「얼마 전인가?」

「지난가을이었습니다.」

「잊어버릴 수야 없겠지만 자네도 부처님을 믿게.」

「그럴 작정입니다.」

「나도 두 번 시집을 간 처지이면서도 소생 하나 없지 않은가.」

「성님 사정을 제가 모르겠습니까.」

그때 문밖에서 부스럭거리는 인기척이 들렸다. 혹여 석쇠가 아닌
가 하여 두 여자는 가슴이 뚝 떨어졌다. 석쇠의 안해가 서둘러 눈자
위를 훔치고 문을 열었다. 석쇠가 문밖에 서 있었다. 그렇다면 방 안
에서 한 두 사람의 이야기 내막을 소상하게 엿들었을지도 몰랐다.
하얗게 질린 두 여자가 우두망찰 문고리를 잡고 서 있는 석쇠를 바
라보고 있는데 오히려 방 안의 수상쩍은 모습에 놀란 석쇠가 주춤거
리다가 한다는 말이,

「왜들 이러십니까?」

아랫목에서 일어난 천소례가 옷매무시를 고치며 물었다.

「왜 그러시오?」

「손님이 찾아왔습니다.」

「이 밤중에 손님이라니?」

「송파에서 어멈이 찾아왔소.」

「어멈이라니, 아이어멈 말이오?」

그렇게 대꾸하던 천소례가 발딱 일어나서 문밖을 내다보니 월이
가 아이를 업고 문밖 토방 위에 서 있었다. 밝은 달도 없는 칠흑 같

은 어둠 속이었다. 천소례가 손짓하여 방 안으로 불렀다.

 아이를 업고 토방으로 올라서는 월이의 가련한 모습을 보자 하니, 천소례나 석쇠의 안해나 간에 가슴이 스산하였다. 마침 밖에서는 가랑비가 긋고 있었다. 비에 젖은 월이의 몰골이 흡사 풍각쟁이 계집과 같았는데, 업고 있는 아이는 차렵이불로 알뜰하게 싸 동여서 빗방울 하나 맞히지 않았다. 아이를 아금받게 키우는 월이의 지성은 짐작하고도 남음이 있으나 밤길을 무릅쓰고 시구문까지 찾아온 수다스러움이 천소례는 못마땅하였다. 밤길을 걸어서 시구문까지 들이닥친다 하여 귀정이 날 일이 아니었기 때문이다. 월이는 수건을 꺼내 우선 젖은 얼굴을 닦고 저고리를 벗어서 횃대에 걸었다. 봉삼의 소생으로 말하면 낳아서 업고 나갈 때와 돌이 지나서 업혀 들어왔을 때 어미는 서로 달랐지만 아이가 태어난 집이 바로 그곳이라, 석쇠의 안해에겐 남다른 애틋함이 있었다. 월이가 저고리를 벗어서 횃대에다 널어 말리는 동안 석쇠의 안해는 아이를 빼앗듯이 보듬어 안고 정수리에다 볼을 비빈다, 혀를 찬다, 부산을 떨었다.

「여기까지 오는 데 작경이나 없었나?」

 월이는 밤중에 불쑥 나타난 것에 시누이인 소례가 못마땅해하고 있는 것을 진작 눈치 채고 고개를 숙이고 앉았다가 나직이 대꾸하기를,

「송파진 나루터까지는 차인들이 안동해 주었습니다.」

「처소에는 이렇다 할 일이 없었던가?」

「차인들 두 사람이 광주 계방 사람들과 흥정을 하다 말고 대판 시비가 벌어져서 송파 저잣거리가 한동안 분주하였답니다. 차인들을 왈짜들로 몰아서 관아에서 잡아들였는가 봅니다.」

「이녁은 어디 계신가?」

「처소의 취의청을 지키고 앉아서 앞으로의 대책을 숙의하고 계십

니다.」

「와중에 조석 수발은 누가 하누?」

「반빗간 사람들에게 떠먹이듯 일러 주고 왔습니다. 도대체 가슴만 조이고 앉았자 하니 애간장이 녹아나는 듯해서, 성님 보러 가겠다 하였더니 굳이 만류하진 않으셨습니다.」

「기왕 찾아온 일이니 금방 되돌아설 수야 있겠는가. 나로선 동기 간이라 하나 자넨 부부 사이가 아니겠나. 애간장이 타는 듯하기는 자네가 나보다 더하겠지. 그러나 우리가 이렇게 분주를 떨고 들락거린다고 무사타첩이 될 일이 아닐세. 떡 줄 사람이야 불쌍하고 가련한 우리 일가가 이렇게 구렁에 빠진 것을 염두에나 두겠는가. 모두가 부질없는 일인지도 모르지.」

그때 아이의 볼을 쭉쭉 빨고 있던 석쇠의 안해가, 아이 안게 된 것만을 요행으로 여겨서 자발없이 내뱉기를,

「우리 애물단지 걱정은 마십시오. 우리 도령은 제게 맡겨 두시고 행수님 구명하시는 일에나 여력을 다하십시오.」

「이녁은 아이가 그렇게도 좋은가?」

「좋은 것이 무엇입니까. 그냥 깨물어 먹어도 비린내 한 번 나지 않을 것 같습니다. 제 속에서 빠지진 않았지만 제가 산후 수발에 고역깨나 치른 입장인데 도련님께 골똘하지 않을 수가 없지요.」

아직 채 마르지 않은 저고리를 다시 꿰입고 있는 월이를 보고 천소례가,

「들여다볼 남정네도 없다네. 혹여 의금부로 가면 아이아범 면대할 수 있는 방도가 없지는 않다니 여기서 며칠 신세 지기로 해보세.」

만나 볼 수 있는 방도가 없지 않다는 말에 월이는 벌써 천봉삼을 만나기라도 한 것처럼 눈자위에 눈물이 괴는 것이었다.

3

　조성준과 천소례를 내보낸 이용익은 이튿날 아침 의금부사 한규직(韓圭稷)을 찾아갔다. 판의금부사(判義禁府事)로 이경우(李景宇)나 박제인(朴齊寅), 형조 판서 윤자승(尹滋承)도 있었지만 한규직을 택한 연유는 나름대로 계산이 없지 않았다. 한규직은 청주 사람으로 어영대장에 제수된 바 있었는데, 그는 내심 왜국 사람들에게 은근히 아유하고 있는 조정의 대다수 중신들을 매우 못마땅하게 여기고 있는 사람이었다. 서로 겨냥하고 있는 바는 달랐다 할지라도 왜국을 배척하고자 하는 내심으로는 배포가 맞는 사람이었다. 군란 이후부터 한규직은 왜국을 더욱 경원(敬遠)하고 있었다.

　일본 공사 하나부사 요시타다는 군란 때 근근이 목숨을 붙이고 제물포에서 일본으로 달아났다. 그러나 얼마 있지 않아서 이노우에 가오루(井上馨), 다카시마 효노스케(高島鞆之助), 히도레이 다카노리(仁禮景範) 같은 자들을 이끌고 서울로 되돌아왔다. 그는 군란에 대한 허물을 조정에 묻고 사화를 하자 하면서도 그 언사가 대단 도도하고 상되었다. 겁에 질린 조정에서는 황급히 이유원(李裕元)을 차출하여 전권 대신(全權大臣)으로 행세케 하고 그들과 담판하여 판리(辦理)를 꾀하였다. 이유원은 일본측의 말만 좇아서 5만 원(元)으로 군란 때 죽은 일본 사람을 배상하고 50만 원(元)으로 군비를 배상하였다. 이 돈으로 일본국의 병정을 서울에 주둔시키고 일본에 사절을 보내 사죄를 청하도록 하였다. 이에 따라서 공조 참의를 거친 김만식(金晩植)과 박영효와 김옥균을 일본으로 보내게 된 것이었다. 그 당시 김옥균은 오직 개화에만 뜻을 두어서 일본을 흠모하는 것이 마치 미치광이와 같았다. 그가 비밀히 관부(款附)의 의(義)를 말하자 기뻐한 일본인들은 배상금을 40만 원(元)으로 감해 주기까지 하였었다. 일본 공사 미야모토 슈이치(宮本守一)는 그때 녹천정(綠泉亭)에 들어가 살았다.

녹천정은 목멱산 밑 주동(注洞) 맨 위쪽에 있었다. 부근에는 소나무와 전나무가 울창하였고 벽계수가 흐르는 한적한 곳이었다. 녹천정은 옛날 수양 대군에게 가담하여 정난공신(靖難功臣) 일등으로 우의정에 제수되었던 양절공(襄節公) 한확(韓確)의 별장이었다가 최근에는 판서 김상현(金尙鉉)이 소유하고 있었다. 왜국 사람들이 다시 건너와서 으르렁대고 위협하는 꼴이 마치 개호주와 같은지라 조정에서는 혹여 그들의 비위를 건드릴까 염려하여 곡종(曲從)*하였던 것이다. 드디어 정자는 빼앗기다시피 하였고 미야모토 슈이치는 녹천정을 저들의 관(舘)으로 삼아 버렸다. 그것이 빌미가 되어 주동, 나동(羅洞), 호위동(扈衛洞), 남산동(南山洞), 난동(蘭洞)의 장흥방(長興坊)에서부터 종현(鐘峴)과 저동(苧洞)에까지 왜국인들이 스스럼없이 들어와 살기에 이르렀고, 옆으로는 이현(泥峴) 어름과 상남촌(上南村)에서까지 왜인들의 모습이 심심찮게 눈에 띄기 시작했다. 시국이 그러하매 개탄하는 사람이 적잖았는데, 김옥균이 일본국의 국채(國債) 3백만 원에 대한 차관 교섭에 실패하자, 한규직은 더욱더 일본을 미워하게 된 것이었다. 그러나 왜국을 미워하거나 노서아를 좋아하거나 간에 나라님을 보위하자는 충정이야 서로 다를 바 없었다.

이용익이 한규직에게 정중히 예를 차려서 초인사 올린 뒤에,

「대감께 한 가지 긴히 소청할 일이 있어서 염치 불고하고 찾아온 것입니다.」

이용익으로 말하면 금점꾼 출신으로 군란 이후에 단천 부사로 제

---

*곡종 : 임시변통으로 자기의 의사를 굽히어 좇음.

수된 인물일뿐더러 민비와는 절친한 사이여서 호락호락하게 대할 인물이 아닌 것을 한규직도 알고 있었다. 그러기에 한규직은,

「부사께서 나에게 청할 일이 있다니요. 귀찮은 죄인들이나 다루는 지체를 두고 무슨 당부의 말씀이겠소?」

「대감께서 달갑게 여기지 않으신다는 그 죄인 때문입니다.」

이용익의 말이 농이 아니라는 것을 알아챈 한규직이 정색하고 물었다.

「아니, 농이 아닐진대, 척간에 무옥(誣獄)이라도 당한 사람이 있다는 것이오?」

「척간의 사람도 아니고 무옥 또한 아닙니다. 그러나 내막을 따지고 보면 피붙이나 진배없고 세상 물정을 바른대로 따지자 하면 무옥이라 하여도 과언은 아니지요.」

「부사의 언사를 듣자 하니 나 또한 괴이하달 수 있겠으나 요사이 억울한 옥사가 어디 한둘입니까. 그러나 사람을 구명하는 일이라면 구태여 날 찾아오실 일이 무엇입니까.」

중궁전(中宮殿)을 지칭하는 말이란 것을 이용익이 모를 턱이 없었다. 그러나 한동안 구린 입도 떼지 않고 있다가,

「곤전에 나아가서 아뢰었습니다. 그러나 그전에 다시 죄인을 꼭 한 번 만나 취초(取招)할 일이 없지 않기 때문입니다.」

「도대체 그 죄인이 누구요?」

「원산포에서 왜국 상선에 실린 무곡(貿穀)을 탈취한 죄인으로 금부 남간에 갇혀 있는 천봉삼이란 자입니다. 상인이었지요.」

「부사와는 막역한 사이인 줄 미처 몰랐습니다만, 일개 상인이 죽고 사는 일이 그렇게 위중한가요? 설령 그렇다 하더라도 남간 죄인이라면 내가 전횡(專橫)치 못한다는 것이야 아시겠지요.」

「그걸 어찌 모르겠습니까. 죄인도 살리고 내탕전(內帑錢)에도 보

272

탬이 될까 하여 주선하려는 것입니다.」

한규직이 눈길을 맞은편 바람벽으로 건네고 있더니 짚이는 구석이 없지 않았던지,

「그 죄인이 대상(大商)이었던 모양이구려.」

「대상이지요. 송파와 원산포 사이의 상로를 개척한 사람입니다.」

「그런 사람이 왜선의 무곡을 탈취했다면 명분이 어디에 있었는지 대강 짐작은 가오만, 그 죄인으로 하여 요사이 조정이 시끄럽게 된 것은 알고 계시겠지요? 그 사람 수월하게 놓여나지는 못할 것입니다.」

「그것 또한 모르는 바 아닙니다만, 시생에게 한번 만날 수 있도록 주선해 주신다면 대감께 욕이 돌아갈 짓은 하지 않겠습니다.」

한규직도 성품이 호탕하고 대범하기보다는 깐깐한 편이었다.

「그렇지만 중죄인을 대면시킨다는 것은 결옥(決獄)도 안 된 차제에 삼가서 나쁠 것이 없을 것 같소. 위의 품결을 얻어 낸 다음이라면 모를까, 내가 사사로이 일을 저질렀다가 어떤 우환이 뒤따를지 예견하기 어려운 노릇이오.」

「위의 품결을 얻어 낸다 하면 사사로이 대감을 찾아왔겠습니까. 청컨대 대덕을 베풀어 주십시오. 은공은 잊지 않겠습니다.」

「부사께서 나서지 않으면 안 되는 연유나 알아보십시다.」

「시생과는 소싯적에 한 행수 아래에서 동사하던 사람이니 형제와 다를 바가 없습니다. 중도에 행로가 서로 동서로 나뉘어 시생은 분수에 넘치는 환로에 들었고 그는 보부상으로서 오늘에 이르렀습니다. 그간 환로에 고개를 디밀 만한 빌미도 없지 않았고 감히 주상 전하의 눈에 들 수 있는 기회조차 없지 않았습니다. 그러나 상인으로서 절개를 굽히지 아니하고 오직 뜨내기 선길장수며 저잣거리 왈짜 도당들과 화적 떼와 농토 잃고 헤매는 걸궁패와 공

역에 시달려 집 나선 공장(工匠)들을 불러 상업에 종사케 하여 그들이 끼니 걱정이나 없게 살도록 전념해 온 사람입니다. 그 사람의 비범함과 나라를 위하는 충정은 시생과 같은 옹졸한 위인으로서는 감히 따를 수가 없기 때문입니다. 녹을 먹고 있으면서 목민관으로 자처한다는 변지 수령들을 대감께서 한번 살펴보십시오. 잿밥에만 눈이 어두워 주구(誅求)만을 일삼는 고을살이들에 비한다면 그 죄인이라는 사람이야말로 충의가 갸륵한 백성이 아니겠습니까. 물론 왜국의 공사는 그 사람을 수적(水賊)의 괴수로만 몰아붙이고 있다 하나, 내막은 왜국 상선의 잠상꾼들과 객주의 포주인(捕主人)들이 가지고 있는 무역패를 빌미잡아서 수백 석의 곡식을 도집하니 가근방 삼백 리 저잣머리에는 백성들이 먹어야 할 곡식조차 구처하기 어렵게 되었습니다. 상선이 올 때마다 수천 섬의 곡식이 잠상꾼과 결탁되어 왜국으로 실려 가니 일개 상인의 여력으로는 이를 막을 길이 없었겠지요. 경종을 준다는 것이 국법에 어긋나서 갇힌 몸이 된 것 아니겠습니까. 물론 나랏법이 엄중하고 율이 또한 드세니 율에 걸어 남간 죄수가 되었다 하지만, 올곧은 심지를 가진 사람이라면 그 죄인의 흉회가 쓰리고 저리다는 것은 짐작하고도 남을 터이지요. 옥 수발도 받지 못하고 그 억센 대시수들 사이에서 갖은 수모와 고초를 감내하고 있을 터이니, 제가 한번 만나서 고질에라도 걸리지 않았는지 그리고 가진 거만의 재산을 처분하면 사람 하나 살리고 국계에도 보탬이 되겠으니 원컨대 대감께서는 총찰하십시오.」

한규직이 듣자 하니 열 소리를 다 들어도 어느 한 구석 허튼말이 아니었다. 과연 이 나라에 있는 벼슬아치들치고 그 상인이 한 일만이라도 근지 않고 해낼 수 있었던가. 한규직 스스로를 두고 보아도 얼굴이 붉어질 일이었다. 탐관오리가 판을 치는 와중에 자기 또한 의금부사의 지체에 있다 하나 내심으로는 그런 상인이 있다 하면 한 번 만나 보고도 싶었다. 우환이 생길 걱정도 없지 않았으나 이용익이 민비와 친숙한 사이라는 것을 익히 알고 있는 터라,

「만약 내가 성사시키고 난 다음, 위에서 불호령이 떨어진다 하면 부사가 감당하시겠소?」

「시생이 감히 약조할 수가 있습니다.」

「그러면 내가 기회를 보았다가 이삼 일 안으로 옥사장 한 놈을 골라서 은밀히 부사의 댁으로 보내겠소.」

한규직을 하직하고 나온 이용익은 곧장 시구문 밖 갖바치 석쇠의 집으로 방자를 놓았다. 청지기가 시구문 밖으로 찾아가니 눈자위들이 횡하니 들어간 천소례와 월이가 마당 가에서 절구질을 하고 있었다. 석쇠가 안면 있는 청지기를 맞아들였다.

청지기가 온 지 얼마 있지 않아서 석쇠가 안방으로 건너왔다.

「아지마씨는 오늘 중으로 이 부사의 집으로 오시라는 기별입니다.」

천소례가 월이를 돌아다보며,

「아이는 여기 맡기고라도 이 사람을 데리고 가고 싶은데 어떨는지요?」

「단출한 것이 좋다 하니 아무래도 누이 되시는 분 혼자서 가시는 것이 좋겠습니다.」

월이가 기어드는 목소리로,

「성님이 다녀오시지요. 저는 나중 뵈어도 늦지 않습니다.」

「자네가 아범을 보려고 여기까지 쫓아온 것 아닌가.」

「차라리 그분 고초 겪으시는 모양을 뵙지 못하는 것이 다행스러운 일인지도 모르겠습니다.」

천소례가 청지기를 따라 이용익의 집으로 와서 하룻밤을 지낸 이튿날 밤에야 이용익이 조용히 소례를 밖으로 불러내었다. 미복(微

服)을 입고 나온 옥사장의 뒤를 따라 전동(典洞) 의금부에 당도한 것이 이경(二更) 해시께였다. 옥사장이 사뭇 이용익과 천소례의 선머리에 서서 남간까지 안동하였다. 간옥으로 들어서자마자 벌써 살이 썩는 냄새와 고린내가 코를 찔러 두통이 일 지경이었다. 초입에 홰를 밝혀 두었다 하나 두 칸 앞을 분간 못할 지경으로 어두웠고 족가(足枷)를 찬 대시수들이 칸살 사이로 누워 있는 것이 물귀신처럼 보이는데 격자(格子)의 천창(天窓)이 있다 하나 워낙 좁아서 바람이 소통될 것 같지 않았다. 사시장철 족가가 채워져 있는 발목의 살피듬이 자빠지고 더러는 썩어 가는 축들도 있었다. 금띠를 두르고 있는 옥졸과 몇 마디 귀엣말을 나누던 옥사장이 간옥의 가장 안쪽을 가리키는 것이었다.

「여깁니다.」

앞선 옥사장이 나직이 지껄였다. 칸살 사이로 저만치 토벽을 의지하고 앉아 있는 사람은 분명 천봉삼이었다. 옷은 찢기고 봉두난발에 육탈이 되어 그대로 물귀신 형용이었다. 그러나 앞을 쏘아보는 눈빛만은 형형하였다. 우두망찰 짐승 꼴인 천봉삼을 바라보고 있는데 천봉삼이 먼저 엉금엉금 기어 나와서 칸살을 붙잡고 일어섰다. 그 곁에 거적때기를 뒤집어쓰고 모잽이로 누워 잠들어 있는 사람은 분명 길소개였다. 칸살 사이로 손을 집어넣고 흔들고 쓰다듬는 중에 그래도 먼저 입을 연 사람은 천봉삼이었다.

「꿈땜을 하게 되었구려. 어젯밤 꿈에 잠깐 누님께서 다녀가시더니 참으로 뵙게 되었구려. 이 부사, 정녕 고맙습니다.」

「찾아오는 것이 이렇게 늦었으니 면목이 없게 되었소.」

「그런 말씀 마십시오. 오랜 반연인 우리가 만나는 자리가 이렇게 누추하게 된 것은 모두가 시생의 불찰이 아니겠습니까. 면목이 없다 하면 그것은 바로 시생입니다.」

「병고는 없으시오?」

「하루 두 끼 가만 앉아서 밥을 죽여 내는 처지에 무슨 병고가 있겠습니까.」

「정녕 그러하오?」

「그럼 시생이 농을 하겠습니까.」

짐승 같은 동기의 수척한 형용을 바라보는 가슴이 미어지고 눈물이 비 오듯 하는데 천소례는 가슴속에 품고 있던 작은 보자기 하나를 꺼내 칸살 사이로 디밀었다. 그러나 눈물이 백설기를 싼 보자기를 금방 적시고 말았다.

백설기가 든 보자기를 넘겨받자 천봉삼은 곁에서 자고 있던 길소개를 들깨웠다. 어섯눈을 뜨고 일어나던 길소개는 백설기를 당기다가 이용익과 천소례가 칸살 밖에 서 있는 것을 보고는 적잖이 놀라는 것이었다. 몰골이 수척하기는 길소개가 더욱 못 볼 지경이었다.

천소례는 금부로 올 때부터 봉삼을 만나더라도 절대로 눈물을 보여서는 안 된다고 수십 번 다짐하고 어금니를 사리물었다. 그러나 막상 동기간을 대하게 되자 억울하고 서러운 마음을 스스로 가누기란 어려운 일임을 깨달았다.

「누님, 그러지 마십시오. 지금은 우실 때가 아닙니다. 이런 때일수록 두 눈을 똑바로 뜨시고 앞을 바라보셔야지요.」

곁에 섰던 이용익이 오뉘 사이를 가로막고 나서면서,

「우리가 얻은 말미가 길지 않소. 옥고란 겪지 않은 사람이야 모를 테지만 관식으로 견딜 만하오?」

「물론입니다. 여기 있는 대시수들 모두가 관식으로 연명하고 있지 않습니까. 다만 한 가지 걱정이 있다면 길 생원이 족가 차고 있는 다리에 옴이 올라서 간병하기가 수월치 않습니다.」

「길 생원은 장차 어찌 될 것 같소?」

천봉삼이 잠시 길소개를 처연한 시선으로 바라보다가,

「시생이 관속들에게 속은 것입니다. 애당초 덕원 부중으로 자복하고 들어갈 제, 그곳의 부사가 길 생원은 방면하겠다고 약조를 두었기에 시생이 그것을 곧이곧대로 믿은 것인데, 서울로 압송되는 함거에 오르고 보니 길 생원이 먼저 올라 있었습니다. 길 생원에게 물어보았습니다만, 이 사람은 내가 자복하고 들어간 것조차 모르고 있었습니다.」

「변지 고을 수령이 전횡으로 길 생원을 방면할 수 없다는 것을 몰랐더이까.」

「지금에 와서 넋두리하고 애원한들 무슨 소용이겠습니까만 덕원 사또, 사람 한번 패씸하더군요.」

「그건 이미 지난 일입니다. 발등에 떨어진 불부터 꺼야지요. 살아날 방도가 있다면 그것을 택하시려오?」

이용익의 말에 대꾸하는 천봉삼의 말이 꽤나 엉뚱하였다.

「길 생원을 방면시킬 수 있는 길이 없겠소? 저 사람만 방면된다 하면 시생은 관식으로 견뎌도 살이 오르겠습니다.」

「길 생원도 살고 천 행수도 살아남아야 하지 않겠습니까.」

「시생은 천지개벽이 되지 않는 이상 대명천지 밝은 날 보기는 이미 글렀다는 것을 알고 있습니다.」

「그렇지가 않소이다. 천 행수가 한 가지 작정만 하신다면 매듭이 쉽게 풀릴 수도 있다는 것이오. 아니할 말로 효수만은 면할 수 있는 길이 있다는 것입니다.」

이용익의 그 말에 천봉삼의 얼굴에 생기가 도는 것 같았다. 이용익이 곰방대를 꺼내 담배를 피우는 체하다가 곰방대를 슬쩍 칸살 사이로 디밀었다. 천봉삼이 두어 모금 빨다 말고 곁에 있는 길소개에게 건네었다. 그러자 사방의 간옥에서 부스럭거리는 소리가 들려오

278

기 시작했다. 담배 냄새를 죄수들이 재빨리 맡아 낸 것이었다. 육탈이 된 얼굴을 칸살 사이로 삐쭘하니 내밀고,

「여보게, 천가, 거 막초 혼자서만 맛보지 말고 한 모금씩만 나눠 주지 못할까. 이런 인색한 노릇이 어디 있나.」

「여보시오, 옥사장, 그 곰방대를 한 순만 돌리시오.」

멀찌감치 물러서서 뒷짐을 지고 섰던 옥사장이 이용익에게 눈짓을 하였다. 죄인에게 담배 건네는 것을 진작 눈감아 주었으니 다른 죄수들에게도 맛보이지 않으면 나중 화근이 제 발등에 떨어지겠기 때문이었다. 곰방대를 죽 돌리기 시작하게 되었는데 처음엔 한 모금씩이라고 적선을 빌었으나 두 모금 세 모금을 들이켜겠다고 앙탈하다가 옥졸들에게 따귀를 걸어차이고 나뒹구는 놈, 연기를 내뿜지 않고 모개로 들이켜다가 밭은기침을 토해 내는 놈, 원래는 담배를 피우지 않던 입장에 남이 환장을 하니까 자기도 무슨 횡재인가 하여 무작정 빨다가 댓진에 취하여 눈자위가 하얗게 돌아가는 놈, 물부리의 댓진을 쭉쭉 빠는 놈에, 담배 피우는 곁에 섰다가 내뿜는 연기를 몽땅 들이마시려는 놈, 한 모금만 더 빨도록 해달라고 아주 무릎 꿇고 싹싹 빌고 드는 놈에, 그 거동들을 바라보자 하니 가슴이 터질 것 같았다. 옥사장이 곰방대를 죄수들에게 돌리고 있는 사이 이용익은 천봉삼에게,

「내 말을 귀여겨들으시오. 재산을 처분하여 오십만 냥을 주선한다면 효수는 면할 듯싶은데, 의향이 어떻소?」

얼굴이 밝던 천봉삼이 일순 굳어졌다.

그러나 한동안 지난 뒤에,

「나보다 더 다급한 사람이 있소.」

「그것보다 더 다급한 일이 무어요.」

「시생이 이 부사께 이런 청을 올린다는 것이 부끄럽소만 길 생원만

은 꼭 살려야 하겠소. 부사께선 내 가산을 처분하라 하시나, 내막을 알고 보면 수백만 금의 재산이 있다 하지만 거기에 내 재산이라고 꼭 집어 말할 수 있는 것이라면 불과 몇백 냥에 불과하다오.」

「무슨 말인지 짐작은 가오만, 그러나 천 행수가 방면이 된다 하면 동사하던 동무들이 재산은 고사하고 털을 뽑는데도 아까워할 이치가 아닙니다.」

「그렇겠지요. 그런 수하 동무님들의 심정이 그러하기에 그들의 재산은 허물 수가 없습니다. 시생이 그들을 두호하고 감싸 주지 않는다면 시생은 그들과 동무랄 수가 없지 않습니까. 그러나 처음 한 벼슬아치가 내게 약조한 대로 길 생원만은 방면될 수 있도록 이 부사께서 염치없으나마 주선해 주기 바라오. 덕원 사또도 한 임금 밑에서 녹을 먹고 있는 벼슬아치겠으니 크게 보아서는 이 부사께서 시생에게 약조한 것이나 마찬가지 아니겠소.」

「왜 길 생원에게만 그렇게 매달리십니까?」

「말 못하는 사람이기 때문입니다.」

「제가 감히 좌단하고 나설 수는 없으나 길 생원이 방면되도록 주선은 해보겠습니다. 그러나 그동안 천 행수는 형장으로 끌려갈 것이오.」

「길 생원이 방면된다 하면 시생은 평정을 되찾을 것입니다. 그때 시생의 심지가 변할지도 모르겠군요.」

그때 옥사장이 다가왔다.

「나으리, 너무 오래 지체하시면 좋지 않습니다. 여기 있는 죄수들도 요로에 끈이 있는 자들이 적잖으니 제발 저희들 입장을 난처하게 하지 마십시오.」

그러자 천소례가 재빨리 말했다.

「천 행수, 식솔들은 잘 있네. 자네 내자며 소생도 지금 시구문 밖에서 묵고 있다네.」

「석쇠의 식구들이며 자형께서는?」

「칠월 더부살이 계집 속것 걱정한다더니…… 제발 신수를 온전히 보전하시게.」

「누님, 걱정 말고 가십시오.」

4

금부(禁府)에서 나온 이용익은 천소례를 시구문까지 나가 있도록 이르고 곧장 입궐하였다. 지체가 부사에 머물러 있다 하나 항상 문안패(問安牌)를 지니고 있었으므로 궁궐 출입이 무상이었다. 중궁전에서 청대(請對)하고 기다려서 해 질 녘에 가서야 겨우 곤전에 나갈수 있었다. 이용익이 이틀돌이로 중궁전에 드나드는 거동이 보기에 딱했던지 민비는 국궁하고 있는 이용익을 곁으로 가까이 불러 앉히었다.

「공의 행보에 날이 났구려. 오래 기다리게 해서 안되었소만 이번에는 무슨 일이오?」

「마마, 통촉하십시오.」

「무엇을 통촉하란 것이오. 장부의 몸으로 그러다가 내 앞에서 눈물을 보이겠구려.」

「오늘 금오(金吾)*로 가서 죄인 천봉삼을 만나 보고 오는 길입니다.」

「어찌 대역 죄인을 만날 수 있었소?」

「권도(權道)를 썼습지요. 의금부사 한규직에게 적선을 빌었습니

---

*금오 : 의금부의 별칭.

다.」

「파옥까지는 않았으니 내 모른 체하리다. 혹여 미감(未勘)에 처할 수 있는 빌미라도 얻어 내었소?」

「그 곁에 말 못하는 동무 한 사람이 있사온데 천 행수는 자기를 말하기 전에 먼저 그 사람을 방면해 달라는 청이옵더이다.」

「겉으로는 기특한 사람이군. 그런데 그 사람은 누구인가요?」

「일찍이 안변 고을 수령까지 지낸 사람인데, 민겸호 대감 생시에는 그자의 뒷배를 봐주시곤 하였습니다. 그 후 선혜청에서 거행하다가 저번 군란 이후 봉욕하고 흐지부지 소식이 없더니 소싯적에 동사하던 천 행수 수하에서 거행하다가 욕을 당하고 있는 모양입니다.」

민비는 한동안 말없이 앉아 있었다.

「그동안 공이 궁궐의 살림이 궁박하지 않도록 노심초사해 온 것을 내가 어찌 몰라라 할 수 있겠소. 그러나 공이 그것을 빙자하여 내게 사사로운 청을 한 적이 없었소. 그것이 참으로 어려운 일이었소. 그러나 이번의 옥사에는 공이 그토록 지성이니 내 마음이 움직이지 않을 수가 없구려. 천 행수는 안되었지만 그 사람만은 방면되도록 사방 수소문해 보리다.」

이용익이 콧등을 바닥에 쓸면서 우는 목소리로 말했다.

「마마, 성은이 하해와 같습니다.」

「내 공에게 졌구려.」

「그 말씀만은 거두어 주십시오. 소신이 감히 그런 발칙한 심지를 품어 본 적은 없었습니다. 그런 망령된 마음 추호도 품었던 적이 없습니다.」

「내가 농을 한 것이오. 이제 그만하면 되었소?」

「결코, 마마께서 베풀어 주신 오늘의 대덕을 소신이 구천에 떨어진다 한들 잊지 않겠습니다.」

「너무 과람하게 여기지 마시오.」

「용서하십시오.」

「공의 심지도 무척이나 무던한 사람이구려.」

「어찌 소신뿐이겠습니까. 성은을 입고 있는 모든 백성들이 다 그
러하겠지요.」

「그 사람을 공의 집으로 보내도록 주선하겠소.」

「마마께옵서 곤외의 소소한 일에까지 간여하시게 하여 소신의 죄
가 무거운 줄 압니다.」

「어서 나가 보시오.」

퇴궐하여 집으로 돌아오니 벌써 일색이 다하여 사방이 어두웠다.
시구문 석쇠의 집에다 기별을 띄울 마음도 없지는 않았으나 아직 몽
유(蒙宥)*도 받지 못한 일을 조급하게 알렸다가 일이 뒤틀리게 될
때를 예견해서 잠자코 있기로 하였다.

한편 단신 시구문 밖 석쇠의 집으로 돌아간 천소례는 봉삼을 남간
에서 면대하고 돌아왔다는 것만 얘기했을 뿐 참혹한 옥정(獄情)에
대해서는 자상하게 일러 주지 않았다. 그러나 천봉삼을 만났다는 말
에도 석쇠의 안해는 소매가 젖도록 울어 댔다. 석쇠도 안방으로 들
어와 천 행수의 안부를 다급히 물었다.

「간옥에 갇힌 사람이 잣베개에 금침 덮고 지내기를 바라겠소. 그
저 명이나 붙어 있으면 그걸 극락으로 알아야지요. 천 행수가 작
정만 한번 바꾼다 하면 방면될 수도 있을 것 같으니 그것이나 빌
고 있는 게 상책이겠지요.」

방 윗목에 도사리고 앉아서 천소례의 넋두리를 듣고 있던 석쇠가

---

*몽유 : 죄인이 풀려남.

그참에 이르러 소명한 체하고,

「알조가 아닙니까. 이미 이 부사가 소매를 걷고 나온 근저에는 천
행수에게 바라는 것이 없지 않을 것입니다. 시방 상공(上供)*이 바
닥난 이때에 거만의 속전을 바친다 하면 유적(流謫)으로 떨어질
가망도 없지 않습니다. 그것이 바로 행수님 작정에 달렸단 말씀이
겠지요.」

「기다려 보는 수밖에 없다오.」

「길 생원은 어찌 되었답디까요?」

말하는 품이 천소례를 뒤따라 다닌 사람 같았다.

「그것 역시 기다려 봐야 하겠소. 시방 우리가 할 수 있는 일이란
기다리는 것뿐이랍니다.」

그날 밤 자정께였다. 이용익의 집에 안면 있는 옥사장이 조용히
대문으로 들어섰다. 이경이 지나도록 소식이 없어 불윤 비답(不允批
答)*이 내린 줄 알았던 이용익은 옥사장의 뒤를 따라 업혀 들어오는
사람이 길소개인 것을 알게 되었다. 옥사장과 길소개를 업고 온 하
례를 흔연대접하라 이르고 이용익은 기신을 차리지 못하는 길소개
와 마주 앉았다. 베개를 끌어안은 길소개가 벽에다 등을 의지하고
겨우 좌정을 하는 것이었다. 우선 길소개가 방면되었으니 속으로는
기뻤다. 길소개가 말할 수 없는 처지이니 지필묵을 꺼내 필담을 나
눌 수밖에 없었다.

「그동안 고초가 많았소이다. 여러 사람이 윗전에 연주한 끝에 불
간사전(不揀赦前)*으로 비밀리에 풀려 나온 것이니 침식(寢息)*이

---

* 상공 : 궁중의 필요 경비.
* 불윤 비답 : 임금이 허락하지 않음.
* 불간사전 : 사령(赦令)을 맞으면 범죄는 사면되는 것이 원칙이나 반역 등 특수
  범죄는 사면될 수 없음을 말함.

될 때까지는 산협이나 갯가 촌락으로 잠행해서 지내도록 하셔야 합니다. 옛날처럼 분경(奔競)을 저지르고 다니셨다간 큰일납니다. 섭섭한 일이긴 하나 도수도(都囚徒) 단자에서 길 생원의 성명이 떨어질 날은 요원할 것이오. 길 생원이 살아는 있으시되 그러나 죽은 사람이라는 것을 명심하시기 바랍니다.」

「염려 마십시오. 향화 귀정(向化歸正)*한 몸입니다. 그러나 어찌 환면(渙免)*을 얻을 수 있겠습니까. 이 은혜는 저승에 가서도 잊지 않겠습니다.」

「내 집에서 신기 되찾은 뒤에는 어찌하시려오?」

「허접(許接)하시어서 고맙소. 잠시 송파로 잠행하여 교거(僑居)하다가 조 행수와 수의하여 거처를 정하도록 하겠습니다.」

「천 행수의 거취가 어찌 되는지 간옥에서 소식 듣지 못하였소?」

「오늘 저녁 시생이 나오기 전에 천 행수에게 숙공(熟供)*이 내려졌는데 이제까지 볼 수 없었던 흰 쌀밥에 육고기 지짐이가 나왔습니다. 그러나 석식을 내오는 사쟁이들의 목자가 굳어 있었던 것으로 보아서 심상치 않은 조짐이었습니다.」

「아직 추고 전지(推考傳旨)도 내려지지 않았고 죄인 신문할 추관(推官)도 없었는데 무슨 조단(照斷)이 내려진 것이란 말이오?」

「내막을 소상히는 알 수 없으나 간옥의 대시수들에게도 무슨 소문이 돌았는지, 천 행수에게 빈정거리기 잘하던 색장(色掌)*이며 간장(間長)들이 천 행수에게 형님 아우님 하고 옥졸들도 대단 곱상

---

*침식 : 떠들썩하던 일이 가라앉아서 그침.
*향화 귀정 : 어진 왕의 은혜를 입고 감화하여 바른길로 돌아옴.
*환면 : 자기의 이전 허물을 숨겨서 가림.
*숙공 : 익은 음식을 제공함.
*색장 : 소규모 단체 따위에서 아래 급의 관원.

하게 굴더이다.」

「대시수에게 조석 공궤가 흔연대접이면 그게 부대시수(不待時囚)
가 되었단 얘기가 아니겠소? 국청(鞫廳)도 차리지 아니하고 효수
에 처한다니 이건 천살(擅殺)*이나 진배없는 짓이 아니오?」

「율에 따르는 일인데 간옥 죄수가 뭐라고 말할 수 있겠습니까.」

「천 행수가 그걸 눈치 채고 있더이까?」

「천 행수는 덕원에서 올라와 금부옥에 갇힐 때부터 부대시참(不待
時斬)이 되리라는 것을 예견하고 시생의 거취만을 걱정하고 있었
지요.」

「참으로 놀라운 소식입니다. 그러나 송파로 내려가신다 하더라도
지금 하신 말을 두 번 다시 발설해서는 안 됩니다. 아니래도 지금
송파 처소가 아전들 계방의 위협과 공갈을 받고 있어서 심히 어수
선한 판에 엎친 데 덮친 격으로 천 행수가 처참될 날이 머지않았다
는 것을 알게 되면 무슨 우환이 생겨날지 모를 일이기 때문이지요.」

「그 점 명심하겠습니다. 그러나 천 행수가 함거(檻車)에 실려 가는
모습을 본다 하면 그땐 또 난리가 나지 않는다고 장담할 수가 없
지 않겠습니까.」

「근기 지경 보부상들이 들고일어날 것을 염려하여 야밤에 결행하
든지, 아니면 해후치폐(邂逅致斃)*로 다스려 버릴지도 모르지요.
꼭히 경중(警衆)시킬 일도 없겠지요.」

「이 애석한 일, 저로서는 어찌할 바를 모르겠습니다.」

이용익은 청지기를 불러서 내사로 들어가 새옷 한 벌을 내오도록
주선하고 길소개가 원기를 되찾을 방도를 조처한 뒤 사랑 건넌방에
서 쉬고 있는 옥사장에게 갔다. 담배 한 죽을 태우고 있던 옥사장이

---

*천살: 사람을 거리낌 없이 함부로 죽임.
*해후치폐: 죄인이 형벌과는 관계없이 우연히 죽는 일, 또는 자연사.

얼른 담배를 털어 끄고 이용익이 좌정할 때를 기다렸다.

「오늘 밤 조옥(詔獄)*의 사정은 어떠한가?」

「시생도 들리는 소문만 들었습니다만 죄인을 효수에 달라는 탑전하교(榻前下敎)*가 형조에 내려졌다는 것입니다.」

「금방 처참할 죄인이라 하더라도 삼개(三開)*를 거치는 법인데, 어제까지 대시수로 있던 사람을 하루 사이에 부대시수로 바꾸다니 이런 변고가 어디 있는가. 늦어도 추분(秋分)까지는 놔둘 줄 알았는데.」

「시생인들 알겠습니까. 쇄장간(鎖匠間) 옥졸들이 숙덕거리는 말을 귀동냥하자니 그러하였지요.」

「내가 다시 한 번 조옥으로 찾아가고 싶은데 자네가 주선해 줄 수 있겠나?」

「이 야밤에 말입니까?」

「일이 다급하게 되었지 않은가.」

옥사장이 심히 난처한 기색을 보이면서 딸 죽은 장모처럼 안절부절못하다가,

「전번에는 위에서 하명이 있어 주선한 일입니다만 시생과 같이 끗발 없는 하리에게 그런 분부를 내리시면 참으로 거행해 올립기가 거북합니다.」

이용익이 일어나서 고미다락을 열고 자개함 한 개를 꺼내더니 적잖은 행하를 건네주자, 옥사장이 건네받을 듯 말 듯 또한 주저하다가,

---

* 조옥 : 금부옥(禁府獄). 의금부에 딸려 관인 및 양반 계급의 범죄자를 가두어 두던 감옥.
* 탑전하교 : 왕이 그 자리에서 명령을 내림.
* 삼개 : 죽을죄에 해당하는 죄인이 비록 자복을 하더라도 세 번 국청을 열고 신중히 조사·보고하던 일.

「나으리께서 내려 주시는 행핫돈이니 차마 받지 않을 수는 없습니다만 이것으로 쇄장간에서 수직 서고 있는 첨지들에게 손을 쓰고 무마할 용채로 써보겠습니다.」

「자네들만 딱 한 번 눈감아 준다 하면 이 일로 하여 사단이 생기지는 않을 것이네.」

「저들이야 부사 나으리의 여력만을 믿을 뿐이지요.」

두 사람이 바로 일어나 채비하고 금부 조옥으로 잠행해 들어간 것은 사경(四更) 축시가 넘어서였다. 죄수들이며 색장, 간장 들도 모두 잠들어 있었고 옥졸 서넛이 희미한 불빛 아래에서 수직을 서고 있었다. 수직 서는 옥졸들이 갑자기 들어서는 이용익을 보고 흠칫 놀라는 것이었다. 천봉삼은 그때까지 잠들지 않고 독간(獨間)에 혼자 앉아 있다가 다가서는 이용익을 두 눈 부릅뜨고 쳐다보았다. 반쯤 삼다가 버려둔 짚신 한 짝이 칸살 아래 뒹굴고 있었다.

「이 야밤에 어인 잠행이십니까?」

「오늘 저녁 길 생원을 내 집에서 만났소이다. 그간 간옥살이에 어지간히 지쳐 있었다오. 잘 보살피도록 주선은 하였습니다. 그리고 내가 여기서 오래 지체할 수가 없습니다. 돌아가는 거동들로 보아서 족하(足下)께서도 대강의 낌새는 눈치 채고 있겠습니다만 이제 길 생원도 방면되었으니 작정을 바꾸실 때가 된 것 같소.」

이용익이 그렇게 알아듣게 말했지만 천봉삼은 이용익을 마냥 쏘아보고만 있을 뿐 쉽게 입을 열려 하지 않았다. 희미한 간옥의 횃불보다 천봉삼의 눈에서는 불똥이 떨어지는 듯하였다.

「시생이 작정을 바꾸기로 하였다면 부대시수들에게 내리는 숙공을 왜 달게 먹었겠소.」

「작정을 바꿀 수도 있다고 장담하지 않으셨소? 설마 이틀 전에 하신 말을 잊지는 않으셨겠지요.」

「잊지 않았습니다. 그러나 나가신 뒤에 곰곰 되새겨 보았지요. 차라리 핵소(劾疏)*를 올려서 조금에 단옥(斷獄)*이 되도록 주선할망정 처소의 재물만은 일호라도 축낼 수가 없다는 작정이 전부였소.」

이용익은 불알에 요령 소리가 나도록 죽을 판 살 판으로 동분서주하고 있는데 천봉삼이 되레 배부른 흥정을 하고 있는 형용이자 금방부아가 끓어올랐다. 그러나 결기를 삭이고 나서,

「지금 당장 일을 귀정 짓지 아니하면, 날이 새면 천 행수는 이승과의 인연을 죄다 끊어야 할지도 모르겠소. 그것을 알고 계시다면 날 면대해서 그런 말을 할 수는 없을 것이오.」

「이 공께서 미천하고 미욱한 한 상인배를 두고 이토록 진력하시니 장차 이 은공을 갚지 못하는 것이 애석할 뿐입니다. 그러하니 이제 시생은 이승에 미련이 없습니다. 내 후사가 없지 아니하고 또한 시생을 하늘같이 여기는 안해와 내 피붙이나 동기간들이 눈을 화등잔만 하게 뜨고 살아 있지 않습니까. 또한 동사하던 수백 명의 선길장수와 쇠전꾼들이 시생이 살아 있을 때와 마찬가지로 장삿일을 다스릴 것도 뻔한 일일 것입니다. 시생이 죽게 되는 것은 이승으로 나왔던 풀잎 하나가 스러지는 것에 비유될 뿐입니다. 그러나 이 풀잎이 스러진다 하여도 수백의 풀잎이 또한 땅 위에 남아 시생의 주검을 거름으로 쓰게 될 것이지요. 시생이 속전을 바쳐 구명을 꾀한다면 못난 일을 저지르게 된다는 연유가 바로 그것에 있는 것입니다. 이승의 목숨을 구걸한다는 것이 누추한 목숨이 된다는 것을 이 공께서는 알아주십시오. 누추한 목숨을 부지하고 밖에 나가서 동패들에게 빈축을 사고 조롱 받고 살아가는 것이 좋겠소, 아니면 명분 있는 죽음을 택해서 이승에서 영원히 살게 되

＊핵소 : 죄상을 들어 그의 처단을 요구하는 소장.
＊단옥 : 중한 범죄를 처단함.

는 것을 바라겠소? 만약 이 공이 시생의 처지라면 어느 길을 주선하시겠습니까. 어떤 사람에게는 무모한 짓일지 모르겠으나 다른 사람에겐 명분이 될 수 있는 일이 세상에는 얼마든지 있는 법이 아닙니까. 시생이 작정을 바꾸어서 매구(買求)*를 한다 하면 명만은 부지하고 세상에 다시 나서겠지요. 또한 동패들도 당장은 내가 구명된 것을 천행으로 여길지도 모르겠지요. 그러나 그들이 다시 제정신으로 돌아선다 하면 시생이 얼마나 누추한 위인인가를 깨닫게 되겠지요. 그들이 이것을 용서할지는 모르겠습니다만 시생 스스로가 그 비굴한 것을 이기고 살아갈 수 없기 때문입니다. 내 후사가 지금 한낱 철부지로서 다섯 걸음을 온전하게 떼어 놓을 수가 없다지만 나중에 철이 들어 혼자서 세상사를 짐작할 만하게 될 적에는 제 아비의 비루함을 깨닫게 되겠지요. 겉으로는 아비로서 대접할지 모르겠지만 속으로는 이미 아비와의 인연을 끊어 버릴 것입니다. 또한 시생의 안해와 동기간들도 마찬가지입니다. 시생이 원산포에서 부중으로 가서 자복을 할까 말까 망설였을 적에 누님과 수의한 일이 있었습니다. 그때 누님이 번뇌하는 것을 보았지요. 그것은 시생이 살면 수백 명의 동패를 죽이는 것과 마찬가지요, 시생이 죽으면 수백 명의 수하 동패들이 명분 있는 장사치로 살아난다는 것을 생각하고 있었기 때문일 것입니다. 이 공이 시생을 구명하려고 동분서주하는 것은 물론 내탕전을 마련하기 위해서가 아니란 것 알고 있습니다. 오히려 속전이란 것은 시생을 살리고자 함에 한낱 빙자일 뿐이겠지요. 그러나 이 공은 이것을 아시어야 합니다. 일개 천출로 하잘것없는 백성일지언정 목숨이 하나뿐이란 것도 알고, 이승에서 지은 죄가 수월치 않아서 부질(斧

---

* 매구 : 죄인이 속전을 바치고 형의 감면을 구함.

質)*에 모가지가 떨어지는 대로 곧바로 구천에 떨어질 처지라는 것도 모르는 것이 아니오. 죽음이라면 그보다 더 참혹한 죽음이 어디 있겠소. 회자수에게 내 모가지를 내맡기는 심회가 오죽이나 스산하겠소. 그러나 시생은 이 공보다 잠시 먼저 가게 되는 것입니다. 다만 마지막 당부할 게 딱 한 가지가 있습니다.」

「당부할 것이라니요?」

「부질을 다룰 회자수에게 속참 행하(速斬行下)를 두둑이 내려 주어서 누추하게 죽지 않도록 주선해 주십시오. 여러 구경꾼들 앞에서 장부답지 못한 꼴을 보일까 두렵기 때문입니다.」

고개를 숙인 채 귀여겨듣고 있는 이용익은 다시 대꾸가 없었다.

그런데 이용익이 금부 조옥에서 천봉삼을 만나고 나온 지 얼마 되지 않은 꼭두새벽에, 혜화문 북묘에는 청지기를 뒤따라 한규직이 들어서고 있었다. 매월이가 은밀히 청지기를 놓아서 와달라는 기별지를 보냈던 것이다. 한규직이 매월이의 집으로 들어선 시각이 파루친 지 얼마 되지 않은 오경(五更) 인시 말께였다.

「신새벽에 오시라 해서 예법이 아닙니다만, 상공(相公)께서 오시는 것이 좋을 것 같아서였소.」

평소에는 오만 방자하기 이를 데 없던 진령군 매월이가 공손히 예대를 개어 올리매 한규직은 적잖이 놀랐으나 내색하지 않고 좌정하였다.

「괜찮습니다. 마침 아침 일찍 행기나 하자 하였는데 잘되었지요.」

한동안 뻣뻣한 한규직의 견양을 살피고 있던 매월이가,

「며칠 전에 단천 부사 이용익이 상공을 찾아간 사실이 있었지요?」

이용익이 그를 찾아왔던 것은 은밀히 이루어진 일이었다. 매월이

---

*부질 : 사람을 베는 기구와 사람을 벨 때 올려 놓는 대(臺).

가 그것을 알고 있음에 한규직은 흠칫 놀랐다. 그러나 매월이가 민비의 총애를 받고 있는 측근이라 할진대, 크게 놀랄 일은 아니었다.

「예, 조옥에 갇혀 있는 대시수의 일로 부사와 수의한 일이 없지 않습니다만, 어찌 그런 일을 알고 계십니까?」

「제가 어제 별입시(別入侍)로 내전에 들렀다가 곤전께서 들려주신 말씀 듣고 그러는 것입니다.」

「예, 그랬군요. 곤전의 하교가 계시었기에 어젯밤 그중 한 죄인을 은밀히 내쫓았습니다.」

「여수금인해탈(與囚金刃解脫)*의 방편으로 말입니까?」

「불간사전인데 그런 방도를 취하지 않으면 안 되었지요. 나중 그로 인하여 우환이 생기면 탈면(頉免)할 수 있는 구멍은 만들어 줘야지 않겠습니까.」

「사정을 모르는 바 아닙니다만 제 얘기는 아직도 독간(獨間)에 갇혀 있는 죄수의 일로 상공을 뵙자 한 것입니다.」

「오늘 늦게 그 죄수에게 몽유(蒙宥)를 내리시면서 며칠 안으로 그 죄인을 효수하라는 탑전하교가 내리신 것을 알고 계시는지요?」

「알고 있습니다.」

「그 죄인의 일이라면 불과 사오 일 안으로 효수경중(梟首警衆)*케 되어 있으니 너무 걱정 마시고 또한 그자를 방면하시자는 논의라면 이미 전하의 전지까지 내려져서 철안(鐵案)*이 된 지금 다시 논의할 여지가 없는 일이 아니겠습니까.」

「옳은 말씀이오. 제가 상공을 뵙자 한 것은 그 죄인을 방면하려는

---

*여수금인해탈: 옥졸이 죄수에게 칼이나 기타의 물건을 주어 죄인 스스로 자살하게 하거나 나무칼, 수갑 따위를 벗길 수 있게 묵인하는 행위.

*효수경중: 죄인의 목을 베어 높은 곳에 매달아 놓아 뭇사람을 경계하던 일.

*철안: 바꿀 수 없는 안건.

꾀를 찾자는 일이 아닙니다. 오히려 효수를 사오 일 뒤로 미룰 것이 아니라 단 하루라도 앞당겨 줄 수가 없겠느냐는 청원입니다.」

놀란 한규직이 매월이를 쳐다보았다.

「어찌 그런 당부를 하십니까?」

「그 죄인을 단 하루인들 살려 둔다 하면 조정이 시끄럽고 주상 전하께옵서 성려 또한 자심하시기 때문이 아니겠소?」

「기왕 효수할 대역 죄인을 하루 이틀 앞당기고 늦추는 일이야 어려운 일이 아닙지요.」

「그 죄인과 같이 효수될 부대시수는 모두 몇이나 됩니까?」

「평안도 지경을 소란케 하던 대적(大賊)들을 합쳐 모두 다섯입니다.」

「한 가지 당부할 일이 있습니다. 오늘 새벽 상공께서 저의 집에 들른 일이 있다는 것을 발설하지 말아 주십시오. 사실 초연한 벼슬아치들치고 북묘에 투족한 일이 없었습니다. 항간에서는 나를 두고 직첩을 팔고 사는 일에 거간꾼 노릇을 한다고 빈축들인 것을 알고 있기 때문이지요. 상공께서도 그것을 모르고 계실 리 만무할 터이니 저의 당부를 들어주시어서 잃을 것이 없겠지요.」

「세상 사람들이야 하기 좋아하는 것이 남의 말이 아니겠습니까. 고깝게 듣지 마십시오. 세상이 점차 야박해져 가고 있다는 것은 저도 알고 있습니다.」

5

한규직이 돌아가는 길로 매월이는 서사를 송파로 보내었다. 송파로 간 서사는 조성준을 만나서 천소례와 월이가 시구문 밖 석쇠의 집에 거접하고 있다는 소식을 듣고 쉴 참도 없이 곧장 뗏배를 얻어

타고 세철리로 건너갔다. 시구문 밖에 당도하였을 때에는 늦봄의 긴
긴 해도 일색이 다해서 해 질 녘이 되었다. 석쇠의 집에서 두 여자를
안동해 북묘에 당도한 것은 초경(初更) 술시가 넘어서였다. 매월이
방으로 들어섰으나 매월이는 사람을 불러 놓고도 크게 반기는 기색
도 없이 손짓으로만 앉으라는 시늉이었다.

「요사이 어떤가? 천 행수가 금부 남간에 갇혀 있다는 소식은 진작
들었네만 어찌 내겐 소식들을 끊고 지내게 되었는가?」

「마님, 죄만스럽습니다. 더 이상 마님께 폐단이 되어서는 안 된다는
심정으로, 하루에도 골백번 찾아뵙고 하소연하고는 싶었습니다.
그러나 뵙지 못했던 쇤네들의 심회도 헤아려 주시기 바랍니다.」

「그야 내가 모를 턱이 있겠나. 그러나 우리들 사이란 촌내(寸內)와
다를 바 없는 처지들인데 그리하면 못쓰네. 마침 오늘 새벽 소식
듣자 하니 놀랍게도 부대시수로 바꾸라는 전교가 내렸다 하니 이
런 낭패들이 어디 있겠나.」

두 여인은 아무런 대꾸도 없었다. 아이가 벌벌 기어서 보료에 앉
아 있는 매월이에게 다가가더니 덥석 안기는 것이었다. 매월이가 아
이를 번쩍 안아 올리자 아이는 갸륵갸륵 웃었다.

「이젠 제법 숙성하구나.」

그것을 바라보던 월이가 갑자기 울음을 터뜨렸다. 매월이는 시선
을 아이에게서 떼지 않으면서 혼잣소리로,

「하늘도 무심하시지, 이런 낭패가 도대체 어디 있단 말인가. 내가
수차에 긍하여 내전으로 달려들어 불문곡직하고 천 행수를 살려
달라고 넋두리에 간청을 하였다네. 그러나 곤전께서는 그때마다
귀여겨듣는 체하시고 심지어는 요사이 그만한 사내가 없다 하시
고 은근히 천 행수를 보비위까지 하셨다네. 그러나 나를 물리친
다음에는 천 행수가 하루빨리 처참되도록 주선하시곤 하였던가

보이. 신하 된 도리로 곤전을 원망할 수가 없는 것은 일본국의 공사가 대전에 들 적이나 우리의 조정 사람 만날 때마다 으름장을 놓아 성려가 보통 아니었기 때문일세.」

망연자실로 앉아 있는 두 여인에게 매월이는 우정 목소리를 낮추어서,

「내가 자네들에게 한 가지 당부할 일이 없지 않다네.」

「보잘것없는 것들에게 당부하실 일이 있다니요.」

「천 행수의 일이 천연(遷延)*되어 대엿새 안으로는 당장 참수되지 않을 것 같으니 그동안 내 곁에서 전접해 달라는 것일세.」

야료하고 훼방 놓을 것이 있어서인지, 아니면 천행으로 살아날 구멍을 찾아낼 심산에서인지 그 속내를 꿰뚫어 볼 수 있는 처지의 사람들은 아니었다. 그러나 이제 지푸라기라도 잡아야 할 심정으로 매달릴 사람이라고는 매월이밖에 없었다.

「마님께서 어떤 궁량을 가지고 계신지는 쇤네들이 알 길이 없습니다만 이런 북새통에 쇤네들이 북묘에 전접하기를 권유까지 하시니 그런 생광이 없습니다.」

「장차 일의 귀추가 어찌 되든 내게 맡겨들 주게나. 자네들이 이판사판이라면 손톱여물을 썰기는 나 역시 매한가지가 아니겠나.」

천소례와 월이를 북묘에 잡아 둔 매월이는 당장 채비하고 일어나서 가마를 몰아 이용익의 집으로 갔다. 전전긍긍하던 이용익은 매월이가 기별도 없이 자기 집으로 찾아온 것을 보고 적잖이 놀라 댓돌 아래까지 내려와서 맞아들이었다. 좌정하고 난 뒤 이용익은 천 행수가 살아날 방도라도 생겼는가 하여 상기된 얼굴로 물었다.

「손수 저의 누추한 와실(蝸室)*에 다급히 행차하신 것을 보면 무

---

*천연 : 일이나 날짜 따위를 미루고 지체함.
*와실 : 자기 집을 겸손하게 이르는 말.

슨 방도가 생겨난 것이 아닌가 합니다.」

「성급하게 좌단할 일은 아닙니다. 내가 찾아온 것은 부사께 한 가지 물어볼 일이 있어서입니다.」

「제게 무슨 헌책(獻策)이 있겠다고 하문하십니까.」

「헌책을 빌리자는 것이 아니라 부사의 짐작되는 바를 묻자는 것입니다. 부사는 왜 주상 전하께서 천 행수를 대시수로 두었다가 요지간에 와서 갑자기 부대시수로 바꾸어서 참형에 처하라는 하교까지 내리시게 되었는지 짐작되는 바가 없습니까?」

「그것이야 일본국의 공사가 참 없이 탑전으로 나아가서 천 행수를 처참시켜야 한다고 짓조르고 있기 때문이겠으니 주상께서도 이번의 옥사로 더 이상의 번거로움을 겪고 싶지 않다는 뜻이 아니겠습니까.」

「물론이오. 그런데 한 가지 지나쳐 보아서는 안 될 일이 있다는 것이오. 그것은 불간사전으로 죄를 탈면시키지는 않았지만 길소개란 사람을 방면하게 두었다는 사실이오. 이것이 곰곰 되씹어 볼일이 아니겠소? 국법이 엄중하니 궐자를 탈면시킬 수는 없었지만 몰래 방면할 수 있도록 은근히 주선하셨던 것은 바로 주상 전하의 마음이 어디에 있는가를 짐작해 볼 수 있는 것이란 점입니다. 바로 말해서 주상 전하께서는 천 행수도 방면해 버리고 싶으시되 조정 현직들의 눈이 없지 아니하고 또한 왜국 공사란 자가 불난 집에 개 뛰듯 하니 천 행수만은 그리 할 수 없었던 것이오.」

「사정이 그러하시매 부대시수로 돌려 버린 것이 아닙니까.」

「옳은 말이오. 바로 그 점에 주상 전하의 본심이 엿보인다는 것입니다.」

「주상 전하의 본심으로서야 왜국 상선을 욕보인 천 행수만은 대명률로 다루고 싶으시지는 않을지도 모를 일입니다.」

「바로 그것입니다. 곤전의 권유를 받으셨든, 아니면 주상 전하께서 단옥(斷獄)하시기로 작정하시었든 천 행수란 사람을 구명하고자 하는 나와 이 부사가 있다는 것을 염두에 두고 내리신 조처란 것입니다.」

「아니, 무슨 말씀을 하시려는 것입니까?」

「내 말을 귀여겨들으시오. 이번의 조처는 천 행수가 참형되기 전에 천 행수를 조옥에서 끌어내라는 밀유(密諭)의 뜻이 숨어 있다는 것입니다.」

「그렇다면 전하께서가 아니면 곤전께서 저희들을 불러 은근히 귀뜸이라도 해주셔야 할 것이 아닙니까?」

「그럴듯한 말이오. 그러나 만약 일이 뒤틀리어서 북새통이 나고 야단이 생긴다 할 적에 그 욕됨이 되돌아가실 것이 걱정되셨기 때문입니다.」

「듣고 보니 그럴듯하십니다. 그러나 우리가 전하의 성려가 반드시 그러하다고 좌단해서는 안 될 것입니다.」

「그럴듯한 게 아니라 바로 그렇다오. 주상 전하께서 아무리 왜국 공사의 으름장에 시달림을 받는다 할지라도 국법에 따라 삼개의 절차를 밟아야 한다는 말씀조차 못하실 리는 만무입니다. 그런데 국문의 절차도 밟지 않고 단옥시켜 버린 근저를 곰곰 되새겨 볼 때 이는 뒷일을 우리에게 맡기신다는 밀유가 아닙니까. 그러니 굳이 탑전에 나아가서 연주해 볼 처지의 일도 아니라는 것이지요.」

「설령 그렇다 할지라도 천 행수를 멀쩡한 채로 조옥에서 업어 낼 방도야 없지 않습니까?」

「있다오.」

「영험하신 큰 만신인 것을 시생도 알고 있습니다만 무력(巫力)이 설마 거기에까지 미친다는 것은 아니시겠지요.」

「무력(巫力)인지 무력(無力)이 될지 모르겠소만 내게 한 가지 방도가 없지는 않습니다.」

「어떻게 말씀입니까?」

「이제까지 앞에서 주선하던 그 옥사장을 다시 한 번 만날 수 있겠소?」

「그야 어려울 것이 없습니다.」

「궐자의 심덕이 어떠합디까?」

「시생이 몇 번 상종해 보았으나 읽은 것은 없는 사람이나 신실해 보이고 마음을 자주 바꿔 칠 사람 같게는 보이지 않았습니다. 그러나 궐자가 선뜻 나서려 할지 그것도 알 수 없는 일입니다.」

「궐자의 주지는 어디고 견디는 모양은 어떠하다 합디까?」

「왕십리 주막거리에서 협호를 하나 얻어 살고 있는데 위로 노모를 부양하고 소생은 흥부 자식과 같아서 내리 아홉 남매를 낳아 기르는데, 방에 들어가면 돼지우리와 같다고 지껄이는 말을 들었습지요.」

「그러면 궐자의 주지를 자세하게 알아서 쌀 두 섬만 궐자의 집에다가 내려 주십시오. 구태여 궐자를 방자 놓아 부를 것도 없이 제 발로 부사를 찾아올 것이오. 그때 내게로 데리고 오면 내가 다시 조처하겠소.」

그 이튿날 꼭두새벽에 매월이가 예견하고 있던 대로 이용익이 북묘로 쫓아 들어오는데 뒤에 얼굴이 벌겋게 상기된 옥사장이 뒤따르고 있었다. 이용익과 옥사장이 건넌방에 좌정한 뒤에도 한참 만에 매월이가 건너오는데 난데없는 화각함 하나를 안고 있었다. 매월이가 좌정한 뒤에 옥사장을 가까이 불러 앉힌 뒤에 화각함을 열어 어음표 한 장을 꺼내 드는데 만 냥짜리였다.

「이것으로써 자네의 궁박한 가계에 보탬이 되었으면 좋겠네.」

두 눈깔이 화등잔만 하게 커진 옥사장이란 위인은 제 평생에 만 냥 금어치의 재물이 굴러 들어왔던 적은 물론 없었지만 만 냥짜리 어음을 본 것만도 처음이라 놀라고 가슴 뛰어 어음을 냉큼 받아들지를 못했다. 또한 그 어음이 장안에서 뒹군다는 사대부들도 뵙기가 어려운 진령군 매월이의 손에서 건네지고 있다는 것에 덜컥 겁이 났던 것이었다. 더군다나 어떤 연유로 주어지는 것인지도 모르고 있는 판국에 도저히 냉큼 주워 들 수가 없었다. 그 눈치를 매월이가 모를 턱이 없었다.

「자네의 수중에 만 냥이 들어간다면 그것은 바늘구멍으로 소 몰아 넣는 것이나 진배없는 일일걸세. 물론 이것은 자네를 어여쁘게 여겨서 건네는 것은 아닐세. 사람의 한평생에 한두 번은 팔자를 고칠 수 있는 덕화를 만나게 되나, 안맹한 사람들은 그것을 마냥 지나쳐 버리기 일쑤라네. 자넨 설마 그런 실수를 저지를 사람 같지는 않다네. 이것을 자네가 받는다면 나와 저기 앉은 부사와 자네가 한동아리가 되는 것일세. 그러나 자네가 거북해서 이것을 내친다면 자넨 우리와 앙숙이 되겠지. 자네가 우리와 앙숙이 되면 앞날이 걱정되지 않을 수가 없겠지만 한동아리가 되면 그 칠칠찮은 관직이야 뗐다 붙였다 마음대로 할 수 있네. 설령 파직을 당한다 하더라도 이만한 돈이면 자네 열두 식솔이 입에 풀칠이야 하지 않겠는가.」

옥사장이 고개를 깊숙이 숙이고 앉았다가 결연히 쳐들면서 대꾸하였다.

「마님 분부대로 거행해 올리겠습니다. 그렇지 않고서야 어찌 소생이 부지를 하겠습니까.」

「자넨 내가 사람 해코지하는 데는 이골 난 사람이란 것을 진작부터 알고 있었구먼.」

「사람을 해코지하시다니요. 이것은 죽어 가는 사람 살리자는 분부가 아니겠습니까?」

「눈치가 있네그려. 바로 부대시수 천봉삼을 살리고자 하는 짓이네. 자네에게 딱 부러지는 방도라도 있는가?」

「쇤네 같은 하리에게 무슨 묘책이 있을 수 있겠습니까. 다만 분부 내리신다면 여축없이 거행은 해올립지요.」

「대책은 일러 줄 것인즉 우선 조속전(曹贖錢)*이나 챙겨 넣게나.」

옥사장은 매월이가 밀어 주는 어음표를 상전 약사발 떠받들듯이 해서 줌치에다 단단히 접어 넣었다. 그 손이 떨리는가 하였더니 자세히 바라보니 온 전신을 같이 떨고 있었다. 매월이가 다시 화각함에서 꿰밋돈 2백 냥을 꺼내었다.

「지금 자네가 금부로 사진하면 만나야 할 사람이 네 사람 있네. 바로 정시처(停屍處)*에서 수직하고 있는 오작인(忤作人)*일세. 궐한에게 행핫돈을 수월찮게 건네주고는 야밤 죄수들이 잠든 틈을 타서 정시처에서 금방 죽은 목내이(木乃尹)* 한 구를 전체하여다가 간옥으로 넣어 달라 하게. 그 다음으로 만나야 할 사람은 수계(囚械)*의 일을 맡아보는 옥리일세. 그 옥리가 송장에다가 용수만 씌워 놓는다면 그다음 자네가 만나야 할 사람은 형장까지 함거를 끌고 갈 압해인(押解人)이 아닌가.」

「말씀 대강 짐작하겠습니다.」

「마지막으로 자네가 만나야 할 사람은 대시수들 가운데서 뽑아낸

---

* 조속전 : 형조 관할에 속한 사람에 대한 여러 형태의 속전.
* 정시처 : 문제가 있는 시체를 임시로 보관하는 처소.
* 오작인 : 시체를 임검할 때 부리는 하인.
* 목내이 : 썩지 않은 시체.
* 수계 : 죄수들에게 씌우거나 채우는 형구.

다는 회자수일세. 그 회자수에게 숙공을 잘 대접한 다음 속참 행하를 내려서 참수가 시작되면 천 행수로 지목된 송장의 목을 맨 처음 쳐달라고 이르게. 그리고 나머지 감참관(監斬官)의 일은 내가 따로 조처하도록 할 것이네. 이러한 일은 다급하더라도 순서에 따라 조처해야지 그렇지 않으면 화근이 생겨나게 마련일세. 만약 우환이 뒤따른다 하면 자네 또한 온전하리란 보장도 없다는 것일세.」

「그러면 천 행수란 사람은 언제 밖으로 끌어내는 것입니까?」

「참형이 내일 새벽에 있을 것 아닌가. 죄수들을 함거에 옮기기 직전에 해야 할 것이네. 그러나 한 가지 자네가 손수 치러야 할 일이 없지 않네.」

「무엇입니까?」

「오늘 조옥으로 들어가거든 무슨 일을 빌미잡든 간에 천 행수를 족쳐서 다른 죄수들이 보이지 않는 한갓진 간옥으로 옮긴 뒤 나중에 옥리들이 천 행수 된 송장을 업고 나간다 하여도 다른 죄수들이나 옥리들이 수상쩍게 보지 않도록 사전에 조처를 해둬야겠네.」

「기신을 차리지 못하도록 실컷 몰매를 내리란 것입니까.」

「그 수단을 쓰지 않는다면 함거에 옮길 제 멀쩡한 죄수를 업고 나갈 수야 없지 않은가. 또한 죽은 송장을 걸릴 수 있는 별난 재간이라도 있겠는가.」

「분부대로 여축없이 거행해 올립지요.」

「자네, 금부에서 몇 해나 살았는가?」

「이제 구 년째입니다.」

「그렇다면 내가 더 자상하게 일러 주지 않는다 하여도 거행 소홀하게 처분치는 않겠구먼. 여기 있는 이 부사가 내일 새벽 사경(四更) 축시 말에 의금부 앞에서 기다릴 것이네. 자네는 사진할 제 옥리들이 입는 더그레 한 벌을 구처해 가지고 들어가서 천 행수가

혹여 혼자 나오더라도 숙위하던 옥리로 알아서 기찰에 걸리지 않
도록 조처하게.」

무당이 사설 풀듯이 거침없이 풀어 내리는 매월이의 말에 이용익
은 다만 말문이 막힐 뿐이었다. 옥사장이 서둘러 하직하고 난 뒤 매
월이의 입에서 난데없는 한숨이 튀어나왔다. 한숨 끝에 매월이의
입가에 미묘한 웃음이 지나가는 듯하더니 한마디 불쑥 내뱉는 것이
었다.

「내 평생 이렇게 여귀에 씌어 살아야 하는가 봅니다.」

「아니, 난데없이 무슨 말씀입니까. 만신에게 여귀가 씌다니요. 부
정거리라도 벌여야겠군요.」

「내가 천 행수에게 정분 두고 있다는 것이야 부사께서도 알고 있
는 일이 아닙니까. 그러나 그 사람을 연모하고 있기 때문이라기보
다는 나는 일 년에 한두 번씩 세상이 깜짝 놀랄 만한 일을 저지르
지 않고서는 흡사 무병을 앓을 때처럼 온 삭신이 떨리고 진땀 나
고 한기 들고 잡귀의 희롱에 시달리는 것입니다.」

「공연하신 말씀입니다. 이번의 일은 여귀 씐 분이 하는 일이 아니
지 않습니까.」

「정녕 천 행수를 위한 일이라기보다는 내 스스로를 위해서입니다.」

「그러면 시생은 내일 새벽 금부 앞에서 기다리고 있다가 천 행수
를 맞이하면 안동해서 내 집으로 데리고 가겠습니다.」

「집에서 기다리시되 내게서 어떤 기별이 갈 때까지만 기다려 주십
시오.」

이용익은 고개를 깊숙이 숙이고 난 다음 물러났다.

의금부 조옥으로 돌아온 옥사장은 먼저 정시처로 찾아갔다. 수하
의 오작인이 정시처 문 앞에서 졸고 있었다.

「시방 이곳에 지체된 시신들이 몇이나 되는가?」

「임자 없는 시체가 셋이나 있습지요.」

「언제 죽은 것들인가?」

「사흘째 날 되는 것이 맨 나중입죠. 벌써 냄새가 쿡쿡하답니다.」

오작인이 무심코 내뱉는 말에 옥사장은 속으로 아차 하였다. 시신이 썩어 가고 있다는 사실에 대해선 미처 생각 못한 일이었다. 시체를 천 행수 대신 새남터 형장까지 운반하는 것은 어렵사리 해낼 수 있다 하나 냄새가 난다면 그것은 보통 일이 아니었기 때문이다. 조옥의 대시수들 중에서 조발된 회자수들은 벌써 내일의 참형을 위해 칼을 갈고 있었다. 밤중 안으로 시구문이나 애오개 밖으로 나가서 버린 목내이를 업어 온다는 것도 당장 손쉬운 일이 아니었다. 옥사장은 무턱대고 오작인에게 서른 냥을 건네었다. 우두망찰 쳐다보는 궐자에게 에멜무지로,

「그 시신을 냄새만 나지 않게 조처할 수 없겠나?」

「염려 놓으십시오. 조협나무를 끓여 우린 물로 시신을 닦아 준다면 하루 동안은 냄새를 막을 수 있습지요. 그런데 그걸 어디다 쓰시려구요?」

「그 시신을 새벽 인시쯤에 몰래 남간으로 업어다 줄 수 있겠나?」

「정시처에서 남간 사이는 빨랫줄 서너 개 길이 상거이니 그것이야 못하려구요.」

「그리고 자넨 그 일을 잊어버리도록 하게.」

「죽은 개라도 한 마리 구처해다가 충수를 채우고 구색을 맞추면 별 탈이야 없겠지요만, 척간에 용천병을 앓고 있는 분이라도 있는 겁니까?」

「자넨 그런 것까지야 알 것 없네.」

오작인을 조처한 다음 옥사장은 남간으로 돌아왔다. 밤이 깊기를 기다렸다가 공덕리 소주막에서 구처해 온 소주를 남간 죄수들에게

한 방구리씩 안기었다. 허기에 주린 창자에 술이 들어갔으니 남간 죄수들 모두가 술에 감기어 쓰러지는 것은 어렵지 않았다. 벌써 시각은 인시에 가까웠다. 오작인이 사체 한 구를 업고 간옥으로 나타났다. 사체를 천봉삼을 옮겨 앉힌 외진 간옥으로 밀어넣는데, 천봉삼은 잠들지 않고 좌불(坐佛)처럼 앉아 있었다.

옥사장이 옥졸들이 입는 더그레 한 벌을 칸살 사이로 디밀었다. 그리고 우정 목소리를 낮춰 말했다.

「오래 지체할 겨를이 없소. 어서 보자기를 끌러 더그레로 갈아입으시오. 오래 지체하면 여러 목숨이 요정 난다오.」

「여러 목숨이 요정 난다니, 그것이 무슨 말이며 이 더그레는 무슨 일 때문이오?」

「시방 천 행수를 밖으로 끌어내고자 가담한 사람이 한두 사람이 아니외다. 보부상들 중에는 단 한 사람도 가담하지 않았다 하나 위로는 대내(大內)를 비롯해서 아래로는 남간의 시체 지키는 오작인까지 가담이 되었다는 말이오. 사리를 따지고 경위를 따질 경황이 없소이다. 그 더그레를 입고, 입고 있던 옷은 사체에 입히시오. 그리고 내가 군호를 보내거든 밖으로 나오시오.」

천봉삼은 옥사장의 말에 적잖이 놀랐다. 지금 당장 경위를 따질 수는 없으나, 대전의 밀유나 상신들의 분부가 없고서는 옥사장이 저토록 당당하게 굴 수 없다는 생각이 들었다.

천봉삼은 옥사장이 칸살 사이로 떨어뜨린 옷 보퉁이를 집어 들었다. 살고 싶다는 욕망이 불끈 가슴을 찔렀다. 생각을 고쳐 할 겨를도 경위를 따지고 들 겨를도 없이 채비하고 기다리고 있는데, 옥사장이 다가와 손짓하는 것이었다. 옥문은 닫혀만 있을 뿐 채워져 있지는 않았다.

「내 뒤를 한 발짝쯤 뒤따르시오. 혹여 순라의 기찰을 당하더라도 숙위(宿衛)하던 중 번(番)을 바꾸고 나간다고만 말하시오. 그 외의 일은 내가 도맡으리다.」

「바깥에 기다리는 사람이 있소?」

「단천 부사 이 공이 기다리고 있습니다. 행보를 빠르게도 말고 노량으로 걷지도 말고 의연하게 거동하시오.」

옥문을 나서니 하늘의 새벽별이 쏟아질 듯하였다. 코끝에 스치는 바람으로 천봉삼은 문득 옥 밖으로 나와 있는 자신을 깨달았다. 금부 조옥의 옥뜰이 대천 한바다처럼 드넓게 보였다. 곳곳에 켜둔 홰가 하나 둘 사그라져 가고 있었다. 순라하는 상직꾼들이 없지 않았지만 가까이 다가와서는 옥사장의 얼굴을 알아보고 꾸뻑 관디목을 지르고는 사라졌다.

천봉삼이 옥사장과 같이 의금부를 나설 즈음인 인시 말쯤 매월이는 숙수간 동자치들을 들깨워 아침동자를 짓게 하는 일변, 건넌방에서 잠자고 있던 천소례와 월이를 깨웠다. 선잠에서 깨어난 두 여인이 새벽동자를 차려 가지고 들어오는 반빗아치를 보고 놀랐다. 바깥에 여명이 깔려 있었지만 방 안에서는 황촛불을 밝혀야 할 때였다.

「어서들 요기하고 떠나게.」

「마님, 어디로 가란 말씀입니까?」

「자넨 송파로 가야 하지 않겠나.」

「그래얍지요.」

「어제 소식 듣자 하니 광주 계방의 아전들이 길 생원 풀려난 것을 보고 송파 마방에는 더 이상 덧들이지 않게 되었다더구먼. 조 행수가 워낙 드세게 대처한 데다가, 유 생원이란 사람이 또한 내려와서 광주 계방 아전들의 횡포를 낱낱이 들어 그들을 아주 혼쩌검 내었다고 다녀온 청지기가 전하더군.」

「그것이 모두 마님께서 덕화를 베풀어 주신 덕분입죠.」

「아이어멈을 자네가 마포나루까지만 안동하고 거기서 송파로 가는 뗏배를 타도 오늘 하루 노정이 그렇게 늦지는 않을 것이네.」

「분부대로 따르지요.」

요기를 든든히 하고 밖으로 나섰으나 아직 해 뜰 조짐은 보이지 않았다. 바깥 신방돌 아래에는 낯익은 청지기가 부복한 채 서 있었다.

「자넨 이 사람들 마포나루까지만 안동하고 돌아오게.」

이상했다. 응당 문을 열어젖히고 바깥의 청지기에게 분부를 내려야 할 것인데도 매월이는 방 안에 앉아서 분부를 내리는 것이었다. 천소례는 문득 매월이의 목소리가 떨리고 있다는 것을 깨달았다. 어렴풋이 왜 두 사람을 마포나루까지 보내려 하는지 짐작이 갔다. 두 여자는 청지기를 따라서 북묘를 나섰다. 혜화문 어름을 나서서 광교에서 왼쪽으로 돌아 타락산 기슭을 따라서 양사골〔兩舍洞〕을 지나 흥인문 앞 초교(初橋)에 이르러서야 열댓 칸 앞의 행인들이 바라보일 지경이 되었다. 등에 업힌 아이는 아직도 한잠이 든 채로 깨어날 줄 몰랐다. 그들은 이교(二橋) 쪽으로 발걸음을 재촉하였다.

배우개를 넘어 좌포청 앞에 이르렀고, 좌포청에서 다시 철물다리〔鐵橋〕를 지나니 견평방(堅平坊) 의금부 앞에 당도하였다. 의금부와 전옥서(典獄署) 사이의 종가는 전병이나 수수떡을 파는 좌고(坐賈)들이 새벽부터 붐비는 곳이었다. 간옥을 드나드는 죄수들이나 옥 수발하는 가족들과 번을 들고나는 순라군들을 겨냥하기 위한 떡장수들이었다. 수수떡을 한 덩어리 산 천소례는 그것을 아이가 잠들어 있는 차렵이불 속으로 집어넣었다.

「이 수수떡 두었다가 저녁 요기라도 하시게.」

월이는 아무런 대답이 없었다. 의금부 앞에서 잠시 지체했던 그들은 곧장 광통교〔大廣橋〕를 건너서 쭉 곧은길로 낙동 지나고 호현골〔好賢洞〕 지나서 수교(水橋) 건너 숭례문에 당도하였다. 그때 비로소

해가 뜨기 시작했다. 그들이 양동(羊洞) 지나서 우수재〔牛首峴〕를 바라보며 걸을 제, 우수재 계곡 아래에 있는 복숭아밭에서 싱그러운 바람이 불어왔다.

바로 그때였다. 그들은 숭례문 밖 양도 어름에서 먼지가 뽀얗게 일고 있는 것을 보았다. 상거가 멀어서 잘 보이지는 않았으나 더그레 차림의 사령들에 휩싸여 먼지를 일으키며 끌려가는 것은 분명 간혹 보아도 새남터로 나가는 참수 죄인들의 함거들이었다. 행렬의 맨 앞에 마상(馬上)의 사람은 감참관이 틀림이 없으리라. 구경꾼들이 모여들었다가는 더그레짜리의 호령에 놀라 허겁지겁 흩어지곤 했다. 그때 월이가 외쳤다.

「안 됩니다. 저는 저 함거를 따라가야 하겠습니다.」

곁에 서 있는 청지기가 나직하게,

「저 함거들은 의금부를 나서서 새남터로 나가는 것입니다.」

「그러하니 제가 뒤따르려는 것입니다.」

「여기서 지체할 겨를이 없습니다. 천 행수는 저 함거에 타고 있지 않습니다. 어서 가십시다.」

월이도 북묘를 떠날 때 그것을 짐작하고 있었다. 그러나 멀리 굴러가는 함거 행렬을 보자 하니 거기에 천봉삼이 휘진 몸뚱이로 피칠갑이 된 채 묶여 실려 가고 있을 것만 같았다. 아니, 정녕 그럴지도 모른다는 생각이 월이의 뇌리를 못박는 것처럼 꾹꾹 찌르는 것이었다.

「어서들 가십시다. 중화 전에 한수(漢水)를 건너셔야 합니다. 마포 나루에서 지체하시다간 또 무슨 변고가 날지 모르겠소.」

천소례는 차렵이불에 싸여 지금은 잠이 깬 아이를 등 뒤에서 추슬렀다.

「어멈, 지금은 아무 말 말게.」

천소례는 문득 생각했다. 자기는 천봉삼의 피붙이로서 마포나루

어느 으슥한 객점에 당도한다면 그곳에 천봉삼이 앉아 있을 것으로 확신하고 있어서 지나가는 함거 행렬이 심상하게 보였건만 어째서 월이는 그것이 믿기지가 않아 함거 행렬을 따라가야 한다고 소스라쳐 놀랐던 것일까. 그것이 월이란 여자가 견문이 없고 경망스러웠던 탓일까. 아니었을 것이다. 그것은 적어도 천소례보다는 월이가 천봉삼을 더 깊이 사모하고 있다는 증거일 것이었다. 이 여자와 함께 천봉삼을, 어디일지는 모르지만 다시 이 한수를 넘어오지 못할 먼 곳으로 떠나보낸다 할지라도 안심할 수 있으리란 생각을 자꾸만 되씹었다. 저만치 청파(靑坡) 고갯마루가 바라보이기 시작했다.

(끝)

객주 9

초 판 1쇄 발행일 · 1984년 3월 16일
개정판 1쇄 발행일 · 2003년 1월 15일
개정판 2쇄 발행일 · 2003년 1월 20일
지은이 · 김주영
펴낸이 · 임성규
펴낸곳 · 문이당

등록 · 1988. 11. 5. 제 1-832호
주소 · 서울시 성북구 동소문동 4가 111번지
전화 · 928-8741~3(영) 927-4991~2(편)
팩스 · 925-5406
ⓒ 김주영, 2003

홈페이지 http://www.munidang.com
전자우편 webmaster@munidang.com

ISBN 89-7456-207-3 03810
ISBN 89-7456-198-0 03810(전9권)